Juliusz Słowacki

LIRYKI I POWIEŚCI POETYCKIE

Juliusz

Dzieła wybrane

Pod redakcją
Juliana Krzyżanowskiego

TOM **1** LIRYKI I POWIEŚCI
POETYCKIE

Słowacki

Liryki i powieści poetyckie

LIRYKI I INNE WIERSZE * ŻMIJA *
JAN BIELECKI * LAMBRO *
GODZINA MYŚLI *
OJCIEC ZADŻUMIONYCH *
W SZWAJCARII

Opracował oraz wstęp napisał
Julian Krzyżanowski

Wrocław · Warszawa
Kraków · Gdańsk · Łódź
Zakład Narodowy
imienia Ossolińskich
Wydawnictwo
1987

Projekt okładki
Edward Kostka
Opracowanie typograficzne
Lucjan Piąty

Tomy 1-5 oparto na edycji: „Dzieła wybrane"
(Ossolineum, 1974); tom 6 oparto na edycji:
„Dzieła" (wyd. III, t. 13, Ossolineum, 1959)

©Copyright by Zakład Narodowy im. Ossolińskich.
Wydawnictwo. Wrocław 1983

Printed in Poland

ISBN 83-04-00066-0

„Duch — wieczny rewolucjonista"

1

Nad kolebką poezji romantycznej świeciła łuna rewolucji francuskiej i fakt ten odbił się znamiennie, jeśli nie na całej twórczości pisarskiej pokolenia zrodzonego na przełomie wieków XVIII i XIX, to przynajmniej na dorobku jego przedstawicieli najwybitniejszych. Wprawdzie nurt triumfującej w życiu reakcji politycznej sprzyjał rozwojowi również wstecznictwa literackiego, wskutek czego w całej Europie ówczesnej pospolici bywali „obrońcy okopów Trójcy świętej" i zażywali nieraz dużego rozgłosu, nie oni jednak stanowią o charakterze romantyzmu. Z odległości stulecia widać wyraźnie, jak górowali nad nimi pisarze, którzy płynęli w nurcie drugim, postępowym i rewolucyjnym, występującym również w całej Europie. Byli to ludzie, którzy programowo oddawali swe pióro, a nieraz życie, potrzebom zbiorowości, głosili i realizowali zasady walki o nowego człowieka i nową ludzkość. Byron i Shelley w Anglii, Mickiewicz i Słowacki w Polsce, Puszkin i Lermontow w Rosji, Petöfi na Węgrzech — oto czołowi przedstawiciele romantycznego stosunku do życia, bojownicy sprawy wspólnej wszystkim narodom europejskim sprzed lat stu. Rysem ich wspólnym jest nie tylko twórczość nacechowana radykalizmem rewolucyjnym, ale również przekonanie, iż życiem przyświadczać należy głoszonym zasadom, wyrażające się w czynnym udziale w wartkim prądzie życia politycznego i społecznego, zwłaszcza w wszelkiego rodzaju ruchach rewolucyjnych, aż po zgon na polu bitwy.

Juliusz Słowacki od typu tego nie odbiegł. Syn poety-profesora Euzebiusza i Salomei z Januszewskich urodził się 4 września 1809 w Krzemieńcu, lata zaś dziecinne i młodzieńcze spędził w Wilnie, w środowisku profesorskim i literackim, tam uczęszczał do gimnazjum i studiował na wydziale prawnym. Po ukończeniu uniwersytetu, w początkach r. 1829, przeniósł się do Warszawy, gdzie pracował w ówczesnym ministerstwie skarbu. Powstanie listopadowe, które powitał kilku utworami poetyckimi, odbiło się na życiu młodego poety w ten sam sposób, jak na życiu całego jego pokolenia, wyrzuconego po krwawym stłumieniu rewolucji na dożywotnią emigrację. Słowacki w marcu 1831 wyjechał do Niemiec, skąd po kilku miesiącach udał się jako kurier rządu narodowego do Londynu, od września zaś osiadł we Francji, która odtąd stać się miała jego wygnańczą ojczyzną. Po kilkunastu miesiącach pobytu na paryskim bruku, wypełnionych pracami literackimi, z końcem r. 1832 przeniósł się do Szwajcarii, gdzie spędził trzy lata życia pensjonatowego w Genewie i okolicy, zajęty zarówno leczeniem płuc, jak intensywną działalnością pisarską, jak wreszcie znamiennym dla wszystkich uczestników wielkiej emigracji oczekiwaniem na wydarzenia, które rozbitkom politycznym miały zapewnić powrót do kraju. Oczekiwaniom tym towarzyszyło namiętne pragnienie sławy poetyckiej, której Słowacki zakosztował już w Warszawie jako twórca liryków powstańczych, a która kazała na siebie czekać jeszcze lat kilka. Nie zdobyły jej wygnańcowi ani wydane w trzech tomikach *Poezje* (1832 – 1833), ani ogłoszony bezimiennie *Kordian* (1834), choć niektórzy czytelnicy uważali go za dzieło Mickiewicza. Równocześnie narastał powoli inny utwór rozgoryczonego poety, informujący nas niemal dzień po dniu o jego życiu, marzeniach i pragnieniach, rozczarowaniach i zawodach. Były nim listy do matki, prawdziwe arcydzieło bezpośredniości pisarskiej i ukochania synowskiego, listy, których okazały zbiór, stanowiący jedną szóstą jego spuścizny pisarskiej, wtajemnicza człowieka dzisiejszego w życie poety sprzed wieku daleko dokładniej aniżeli najszczegółowsza, na badaniach naukowych oparta opowieść biograficzna o jego losach.

Dzięki temu źródłu, obok którego zresztą pojawiają się inne, nie mniej doniosłe, poznajemy wcale dokładnie dzieje dalszego dwulecia w życiu Słowackiego, jego romantycznego wojażu, który trwał od lutego 1836 r. do czerwca 1837 r. i objął Włochy, Sycylię, Grecję, Egipt i Palestynę, zakończył się zaś powrotem do Włoch, gdzie Słowacki pozostał, osiadłszy we Florencji, do końca r. 1838.

Dla poety, któremu stałe zasiłki pieniężne od matki umożliwiały nie tylko pobyt za granicą, ale również zmianę miejsca, podróż wschodnia miała znaczenie niezwykle doniosłe. We Włoszech zetknął się z wujostwem Januszewskimi i odświeżył wspomnienia stron rodzinnych, nadto zaś poznał mnóstwo nowych ludzi, zwłaszcza rodaków przybywających z kraju i nie obciążonych emigranckim stosunkiem do życia. Wśród nich człowiekiem najbliższym okazał się brat po piórze, Zygmunt Krasiński, który na talencie przyjaciela i na wartości jego utworów poznał się jak nikt inny, w rozmowach zaś umiał go natchnąć wiarą we własne siły i czekającą go wielkość. Do tego dołączyły się czynniki inne, od stosunków z ludźmi nie mniej ważkie a zadokumentowane z miejsca utworami, które na razie pozostały wprawdzie w tece podróżnika-poety, po latach jednak miały przemówić swą niezwykłą wymową artystyczną. Były to wiersze drobniejsze i ogromny poemat, odtwarzający wrażenia autora w zetknięciu się z nowymi zjawiskami życia, noszący tytuł *Podróż na Wschód*. Zjawiskami tymi były widoki Włoch, Grecji, Egiptu i Palestyny, ruiny wspaniałej przeszłości, w której tajniki Słowacki dzięki starannemu wykształceniu i oczytaniu umiał wniknąć ze znawstwem uczonego i zaciekawieniem poety. Zaostrzona wrażliwość twórcza, pozwalająca mu odczytywać przeszłość z ruin kamiennych, kierowała się równocześnie ku pełnej niezwykłości przyrodzie i ku oglądanemu na jej tle człowiekowi. Dzięki takiemu na świat spojrzeniu zasłyszane w namiocie pustynnym opowiadanie o jednej z częstych tragedii w kwarantannie mogło stać się źródłem wspaniałego poematu o *Ojcu zadżumionych*. Na tym samym tle doświadczenia, wyniesione z samotnego klasztorku palestyńskiego, w którym poeta spędził kilka tygodni, mogły rozważaniom nad własnym życiem nadać rozległość horyzontów niemal kosmicznych, uświadomionych sobie na morzu o zachodzie słońca, gdy dola bezdomnego wędrowca ukazała się oczom pisarza nie tylko jako los całego nieszczęsnego pokolenia rozbitków popowstaniowych, ale jako los człowieka w ogóle. Codzienna zmiana wrażeń rozbudziła w nim zdumiewającą zdolność dostrzegania rozmaitości życia, rozwinęła talent realisty, równocześnie jednak w talencie tym uwypukliła się umiejętność wyczuwania pod powierzchnią spraw powszednich obecności sił, które o biegu tych spraw rozstrzygają i nadają im znaczenie ogólne, trudno uchwytne, dostrzegalne tylko dla bardzo wprawnego wzroku.

Bogaty zasób wspomnień, z podróży wywiezionych, stał się niewyczerpanym źródłem pomysłów poetyckich, rzucanych na papier w samotni florenckiej. Gorączkowa praca pisarska objęła nie tylko tematy nowe, na owych wspomnieniach oparte, ale również pomysły dawniejsze, opracowywane jeszcze w Szwajcarii. Obecnie pozostało tylko udostępnić je czytelnikowi i podjąć szturm „do sławy grodu".

Z końcem r. 1838 Słowacki powrócił do Paryża, by tam pozostać przez ostatnich dziesięć lat życia. Pierwsze trzechlecie wypełniły mu zajęcia wydawnicze tak intensywne, że — jak mówili złośliwi krytycy — czytelnik nie zdążył przeczytać jednego dzieła, a już otrzymywał następne. I tak po *Anhellim* (1838) wychodzą *Poema Piasta Dantyszka*, *Trzy poemata* i *Balladyna* w r. 1839, *Mazepa* i *Lilla Weneda* w 1840, *Beniowski* wreszcie — w 1841. Równocześnie pisma paryskie i poznańskie ogłaszają całą serię utworów lirycznych i drobnych rzeczy prozą. Prace wydawnicze nie wyczerpują jednak najwidoczniej sił poety, z jednej bowiem strony w latach tych powstają dalsze dzieła, które dopiero po śmierci Słowackiego miały ukazać się w druku, z drugiej zaś bierze on żywy udział w życiu literackim emigracji paryskiej i w jej działalności politycznej. Rezultatem zaś tych wysiłków stało się dla Słowackiego zdobycie sławy, którą przyniósł mu wreszcie *Beniowski*.

To uporczywe pragnienie sławy, przez biografów poety rozumiane nieraz jako wyraz próżności Słowackiego, dla nas zaś dzisiaj mające coś z poczucia profesjonalizmu literackiego, zrozumiałego u człowieka, który był pisarzem z powołania i zawodu, przygasło w nim rychło po zdobyciu sławy poetyckiej. Stało się to w r. 1842, gdy autor *Beniowskiego* zetknął się, jak tylu wybitnych współwygnańców, z Andrzejem Towiańskim i jego nauką. Poznawszy „mistrza Andrzeja", jak zwolennicy Towiańskiego nazywali, Słowacki nie zdołał uniknąć „matecznika", w którym latami całymi tyle wybitnych jednostek z Mickiewiczem na czele grzęzło w jałowych sporach i zażartych kłótniach. Rzecz jednak charakterystyczna, że z manowców tych Słowacki wydobył się jeden z pierwszych. Słowacki, który zaciągnięcie się pod sztandar towianizmu upamiętnił modlitewną przysięgą na wierność nowej drodze, zerwał z ruchem, gdy ten sprzeniewierzył się zasadom, w które poeta wierzył niezachwianie wraz z całym swym pokoleniem. Autor *Beniowskiego*, republikanin i demokrata, porzucił w r. 1845 „Koło" rozpolitykowanych mistyków emigracyjnych.

Los mię już żaden nie może zatrwożyć,
　Jasną do końca mam wybitą drogę,
Ta droga moja – żyć – cierpieć – i tworzyć,
　To wszystko czynię – a więcej nie mogę.

Dawniej miłością różane godziny
　I w zorzach jeszcze jaśniejsze pochodnie;
Dzisiaj, przy schyłku dnia, ważniejsze czyny,
　Wielkie i smętne jak słońce zachodnie.

Przygniatająca większość dzieł poety z tego okresu miała wprawdzie pozostać w szufladach jego biurka, mimo to wydał on trzy dramaty: *Księdza Marka* (1843). *Sen srebrny Salomei* i *Księcia Niezłomnego* (1844), rapsod I *Króla-Ducha* (1847) i trzy broszury polityczne oraz przygotował druk tomików dalszych, o które troszczył się jeszcze na kilka godzin przed śmiercią.

Tak intensywna praca pisarska nie mogła jednak pochłonąć całej jego energii. Wręcz przeciwnie, osiadłszy w Paryżu, zajęty przez czas dłuższy sprawami „Koła", Słowacki brał bardzo czynny udział w życiu literackim i politycznym kolonii polskiej. Rosnąca sława sprawiła, iż rychło skupiła się wokół niego spora grupka młodzieży, początkujących poetów i studentów przybywających z kraju. Bracia Norwidowie, Cyprian i Ludwik, Kornel Ujejski, J. N. Rembowski, Edmund Chojecki, Szczęsny Feliński, Aleksander Niewiarowski, Zofia Węgierska — oto część tego grona, z którym poeta odbywał jakieś wycieczki poza Paryż i urządzał jakieś zebrania literackie, czego pogłosy przewijają się zupełnie wyraźnie w ułamkach *Króla-Ducha* i innych poematów tego okresu oraz w lirykach. Młodzież ta, zniechęcona do wielkiego „pana Adama", całkowicie pochłoniętego przez towianizm, nastawiona radykalnie i rewolucyjnie, w Słowackim widziała swego mistrza i prawdopodobnie stanowiła łącznik między nim a radykalnym odłamem emigracji, Towarzystwem Demokratycznym i jego Centralizacją. Nie zbadane dotąd dzieje tego odłamu rzucą kiedyś niewątpliwie światło na stosunek Słowackiego do ówczesnego życia politycznego, znany dotąd bardzo niedokładnie. Wiadomo jednak, że z grona skupionego wokół poety wyszedł projekt organizacji zwanej Związkiem Narodowym i że prasa prawicowa Związkowi temu zarzucała „charakter komunistyczno-republikański". Co więcej, Słowacki wiązał duże nadzieje na przyszłość z ruchem demokratycznym w tej postaci, jaką otrzymał on ostatecznie w r. 1848. Z chwilą wybuchu „wiosny ludów" poeta zakrzątnął się koło stworzenia na bruku paryskim organizacji, którą określał jako konfederację, a która miała stać się czymś w rodzaju rządu narodowego, jednoczącego całą emigrację. Gdy projekt ten do skutku nie doszedł, Słowacki wybrał się do Poznania, spodziewał się bowiem, iż tam właśnie wrzenie rewolucyjne zadecyduje o odzyskaniu niepodległości.

Wszystko to odbijało się zgubnie na zdrowiu poety. „Cierpię — bo mam cel wielki przed sobą, a sił mi braknie", pisał w liście do przyjaciela już dawniej; „ciało mi nie służy" — dodawał wiedząc doskonale, iż ciało właśnie jest źródłem energii na co dzień. Wyczerpany wysiłkami, zgnębiony spotkaniem we Wrocławiu z nie widzianą od lat matką, z którą porozumieć się nie potrafił, powrócił do Paryża, gdzie wiosną roku następnego, w dniu 3 kwietnia 1849 r., umarł na ręku Felińskiego.

Przyjacielowi temu właśnie zawdzięczamy wyrazisty portret Słowackiego.

„Powierzchowność miał bardzo niepospolitą, budowa ciała wątła, mało rozwinięta, z jednym ramieniem nieco podniesionym, z piersią zapadłą i wychudłymi rękami, ukoronowana była głową kształtną o wyniosłym czole, spod którego świeciły ogromne, czarne oczy, patrzące tak głęboko i wyraziście, iż wzrokiem jednym mógłby całe poemata wypowiadać. Mały, czarny wąsik zaledwie ocieniał wąskie, lecz bardzo ruchome wargi, na których każde odbijało się uczucie, tak iż na przemian już to drżały one rzewnym wzruszeniem, już zaciskały się gniewem, już wreszcie wykwitał na nich wyraz takiego szyderstwa, iż biada temu, kto ten ironiczny uśmiech wywołał; żadna zniewaga nie zabolałaby go tyle, co ta lekceważąca wzgarda. Ze wszystkich wieszczów naszych, nie wyłączając nawet Mickiewicza, który w chwilach natchnienia przeistaczał się nie do poznania, żaden nie miał oblicza tak uduchowionego w życiu codziennym, jak Słowacki. A nie tylko wyraz twarzy, lecz i mowa jego nie schodziła nigdy z wyżyn poetycznego nastroju. W epoce, w której go poznałem, tj. na parę lat przed jego śmiercią, nie widziałem go ani razu w usposobieniu, nie mówię już trywialnym, ale pospolitym nawet. Czuć w nim było zawsze mędrca i poetę, zajętego wyłącznie kwestiami ducha i wieczności albo opatrznościowego posłannictwa narodów".

Szkic ten pozwala zrozumieć wiele ze spraw, które nie zawsze rozumieli autorzy naukowych portretów Słowackiego. Jak to mianowicie już wyżej wspomniano, poeci romantyczni twórczości swej wyznaczali ważną funkcję społeczną i w żadnych chyba innych latach nie stawiano tak stanowczo znaku równości między wyrazami „czyny" i „poezja", jak właśnie w epoce Słowackiego, który sam przecież o „ważniejszych czynach" nie zapomniał! Tymczasem w biografii jego tych czynów jest dość mało, i to nie tylko dlatego, że pisarza trawiła gruźlica i stanowiła o biegu jego życia. Oto po prostu Słowacki był przede wszystkim poetą, człowiekiem pióra, niemal że zawodowym literatem i – wbrew temu, co o tym myślało jego otoczenie, a pod jego wpływem i on sam – bezwiednie utrzymywał się na linii twórczości pisarskiej. W praktyce dowodził, znowuż bezwiednie, iż podstawową funkcją społeczną pisarza jest twórczość literacka, której znaczenie społeczne mierzy się zarówno jej artyzmem, jak i jej zawartością ideową na piśmie utrwaloną. Ona to bowiem staje się „arką przymierza między dawnymi a nowymi laty", w niej zamknięty dorobek ideowy przechodzi z pokoleń na pokolenia. Ta instynktowna wierność własnej naturze nie oznacza jednak w wypadku Słowackiego jakiegoś odcięcia się od nurtu życia bieżącego. Wręcz przeciwnie, z życiem tym Słowacki związany był równie ściśle, jak Mickiewicz lub Goszczyński, a więc pisarze-działacze, tyle tylko, że twórca *Kordiana* wyznaczał sobie skromniejszą rolę obserwatora i kronikarza swoich czasów; spostrzeżenia swe jednak ujmował w sposób doniosły nie tylko dla chwili, która je wywoływała, ale również dla wieków przyszłych. A taka postawa była wynikiem nie zamknięcia się w odosobnionej świątyni piękna, lecz wchłaniania tego wszystkiego, czym najgłębiej żyła epoka, nad której kolebką świeciła łuna rewolucji francuskiej.

2

„Przyszłość moja i moje będzie za grobem zwycięstwo" — zapewniał Słowacki w r. 1841, przeciwstawiając się śmiało temu, co działo się podówczas w naszej literaturze romantycznej. Dzieło, w którym zapowiedź tę wygłosił, przynosiło jej uzasadnienie, ujęte w postaci parodystycznego *Credo*, w którym poeta energicznie odżegnywał się od tego wszystkiego, do czego doszła wyrodniejąca po dziesięcioletnim tułactwie nawet szlachecko-postępowa myśl polityczna pokolenia emigracyjnego, i — na pozór bardzo zuchwale — przeciwstawiał manowcom otaczającego go życia zbiorowego swą własną drogę.

Jednak wierzę,
Że ludy płyną jak łańcuch żurawi
W postęp... że z kości rodzą się rycerze,
Że nie śpi tyran, gdy łoże okrwawi
I z gniazd najmłodsze orlęta wybierze,
Że ogień z nim śpi i węże, i trwoga...
Wierzę w to wszystko — ha! — a jeszcze w Boga!

Obraz ten, przełożony na język rozważań historyczno-literackich, zmienia się w poetycki opis, w omówienie trzech utworów, które Słowacki wysunął na czoło swej twórczości jako wyraz najgłębszych przekonań polityczno-społecznych. Chodzi tu o *Anhellego*, *Lillę Wenedę* i *Kordiana*. *Anhelli* bowiem kończy się wizją odrodzenia Polski ludowej w momencie gdy:

Oto zmartwychwstają narody! Oto z trupów są bruki miast! Oto lud przeważa!

Nad krwawymi rzekami i na krużgankach pałacowych stoją bladzi królowie, trzymając szaty na piersiach szkarłatne, aby zakryć pierś przed kulą świszczącą i przed wichrem zemsty ludzkiej.

Korony ich ulatują z głów jak orły niebieskie i czaszki królów są odkryte.

Bóg rzuca pioruny na głowy siwe i na obnażone z koron czoła.

W *Lilli Wenedzie* znowuż tragedia narodu, który ginie zarówno wskutek własnej słabości, jak fatalnego dlań zbiegu okoliczności, kończy się zapewnieniem, iż zapłodniona popiołami bohaterów „Wróżka" zrodzi mściciela. W *Kordianie* wreszcie do scen najbardziej wstrząsających należy chwila, gdy cesarz Mikołaj I wychodzi z sypialni, do której tylko co „widma blade i milczące" zaglądały, „gdzie śpi cesarz – czy ciekawi, jaka barwa carskiej krwi?"

Omawiany urywek *Beniowskiego*, zespalający w pewnego rodzaju tryptyk trzy dzieła wcześniejsze, uznane przez poetę za wyraz jego najistotniejszych poglądów jako republikanina i rewolucjonisty, całkiem dokładnie odtwarzał podstawowy nurt jego twórczości, jej ideologię. Składniki bowiem, na które Słowacki kładł nacisk w r. 1841, przewijały się naprawdę w jego twórczości od początku do końca. Wizja rewolucji ludowej, jedyna w naszej literaturze romantycznej wizja istotnie prorocza, w dziesięć bowiem lat po ukazaniu się *Anhellego* epizody „wiosny ludów" takie, jak berlińskie wystąpienie Fryderyka Wilhelma, miały ją potwierdzić, wyrosła z przestrogi Słowackiego w młodzieńczym wierszu powstańczym: „Głos potomności obwini Ten naród, gdzie czczą w narodzie Krwią zardzawiałe korony". Pomysł znowuż narodzin mściciela wymordowanego ludu powróci po *Beniowskim* i stanie się punktem wyjścia w koncepcji *Króla-Ducha*.

Rzecz to zrozumiała i naturalna, gdy się pamięta, że epokę romantyzmu poprzedziła rewolucja francuska i z niej wyrastał postępowy nurt twórczości pokolenia, do którego należał Słowacki. Co osobliwsza – w literaturze polskiej Słowacki właśnie miał stać się – mimo wszelkich potknięć i niekonsekwencyj – najpłomienniejszym wyznawcą haseł rewolucyjnych, do czego był niejako powołany przez swój rodowód społeczny. Podobnie bowiem jak większość pisarzy jego czasów pochodził z klasy drobnej szlachty, która wtedy właśnie przekształcała się w inteligencję urzędniczo-miejską i już dzięki temu procesowi podatniejsza była na oddziaływanie nowych prądów politycznych i społecznych aniżeli klasy o trybie życia od dawna ustalonym, zwłaszcza na wsi. Klasa ta od dawna była niechętna możnowładztwu, z biegiem czasu przekształconemu w arystokrację, i przechowywała pewne tradycje demokratyczne, spotęgowane przy końcu XVIII w. Z niej to wywodzili się przeważnie radykalni działacze epoki Słowackiego, ludzie, którzy czasu powstania listopadowego należeli do oskarżanych o jakobinizm „klubistów". W dodatku znaczna część tej klasy znalazła się po powstaniu na emigracji, w środowisku obcym, zdana na własne siły i własną pracę. Węzły łączące tę grupę z przeszłością uległy dalszemu nadwątleniu, wpływy zaś rewolucyjne działały tym silniej, szczególnie na gruncie francuskim, że były one tam lepiej zakorzenione i szerzej upowszechnione. Słowacki dzięki swej wrażliwości nową atmosferę odczuwał silniej niż większość jego towarzyszy tułaczki, stał się więc heroldem ideologii, którą żyła cała ówczesna młoda i postępowa Europa. Tym tłumaczy się najprościej, skąd płynęło jego poczucie odrębności od otoczenia, które wyniosło silniejsze tradycje ziemiańskie z Polski, tym — wiara w przyszłość własnej poezji jako głosicielki nowych czasów.

Że tak było istotnie, dowodzi fakt, że życie i twórczość Słowackiego związane były z sobą tak ściśle, jak u niewielu jego rówieśnych. Entuzjastyczny stosunek poety do powstania listopadowego i niewygasły żal, iż zatraciło ono charakter rewolucyjny, że sprzeniewierzyło się duchowi rewolucji, jego pozostanie na emigracji, związki osobiste z jej żywiołami najbardziej lewicowymi, zerwanie z towianizmem, gdy jego przedstawiciele jęli szukać porozumienia z caratem, wyjazd wreszcie do Poznania w r. 1848 — oto garść wskazanych poprzednio a wymownych faktów biograficznych, świadczących, iż Słowacki istotnie „jasną do końca miał wybitą drogę". — W perspektywie tej właśnie drogi zrozumiałe jest nie tylko odgradzanie się od ogółu emigracji, ale również dwa wielkie pojedynki z braćmi-poetami, Mickiewiczem i Krasińskim, gdy Słowacki doszedł do przekonania, że szlaki ich dalekie są od obranej przez niego drogi. O charakterze zaś tej drogi najdowodniej mówi cała jego twórczość.

Jej właściwy początek stanowią utwory i dzieła związane z powstaniem, a więc liryka listopadowa z *Odą do wolności* na czele, a więc dramaty *Kordian* i *Lilla Weneda*, a więc zagadkowe nieraz wiersze „belwederskie", wielbiące niezłomnych niedobitków powstania, zmarniałych na emigracji. Tragedia powstania w rozumieniu Słowackiego, który załamanie się swego pokolenia sądził ze stanowiska bardzo ludzkiego („mówię, bom smutny i sam pełen winy"), polegała na tym, że nie utrzymawszy charakteru rewolucyjnego, nie objęło ludu i wskutek tego zeszło na bezdroża, na których musiało zakończyć się klęską. Jak zaś wyglądać miała droga wiodąca do zwycięstwa, wskazywał *Kordian*, zwłaszcza płomienne przemówienie Podchorążego w podziemiach katedry, domagającego się pójścia za wzorem Francji rewolucyjnej, a więc zamachu na króla! Nad wywodami zapaleńca-rewolucjonisty górę wziął tradycjonalizm, zgubny legitymizm, kult koron, rozdwojenie zaś narodu wpłynęło na rozrost jego słabości wewnętrznej — ogólnoeuropejskiej zresztą, jak śmiało twierdził autor *Lambra* już w r. 1832! — ta zaś sprawę wyzwolenia uniemożliwiła na długie lata. W ten sposób dramaturg romantyczny, nie dostrzegający całego splotu interesów klasowych, zamaskowanych względami natury politycznej, ujmował tragedię narodową, sprowadzając ją jednostronnie do walki li tylko przeciwnych stanowisk politycznych.

Zgodnie z takim rozumieniem historii bieżącej, ukazanym w *Kordianie* i kilku dziełach późniejszych, walka z legitymizmem w jego dwu postaciach najskrajniejszych, kultem korony i kultem tiary, wysunie się na plan pierwszy w poezji Słowackiego i zadecyduje o całym niemal jej zabarwieniu myślowym i uczuciowym. Począwszy od powstańczego hymnu *Bogarodzica* aż po wiersze pisane u końca życia wskazać by można całą serię utworów drobnych i dzieł dużych, w których motywem, jeśli nie przewodnim, to przynajmniej wtórnym, jest tępienie "krwią zardzawiałych koron". Nawet w baśniowej *Balladynie*, gdzie koronę Lecha opromienia blask legendy jasełkowej, zmienia się ona w zgubny talizman, przynoszący nieszczęście temu, na czyjej głowie spocznie. Nawet w komediowo zabarwionym *Mazepie* sprawcą nieszczęść staje się błazeńska figura króla Jana Kazimierza. A wreszcie, by wyrazić osąd "jednego szlachcica", którego znał ("a kraj ich cały nie znał więcej"), a który miał prawo być szlachcicem, tj. ks. Adama Czartoryskiego, Słowacki rzuca pogardliwie: "marą króla zgnił z królami" — czy jeszcze ostrzej: "poszedł gnić między królami".

Atakom na monarchizm towarzyszyły w twórczości romantycznego republikanina wystąpienia przeciwpapieskie, płynące nie tylko z młodzieńczego wolterianizmu i nie tylko będące wyrazem ogólnej niechęci, którą wywołała bulla Grzegorza XVI, potępiająca powstanie a przez poetę streszczona w zjadliwym zdaniu: "niech się Polacy modlą, czczą cara i wierzą". Słowacki tedy nie odrzucał chrystianizmu, ale jak gdyby bezwiednie nawiązując do stanowiska wielu wybitnych przedstawicieli reformacji wieku XVI, wyraźnie odcinał ewangelię od kościoła, religię od polityki. "Krzyż twym papieżem jest — twa zguba w Rzymie" — mówił do Polski, a gdy w dramacie, w którym w postaci mitu ujmował syntetycznie jej dzieje, ukazał u narodzin Polski świętego misjonarza, to nadał mu rysy karykaturalne, by odsłonić w jego działalności przepaść między głoszonymi przezeń zasadami a sposobem ich realizowania.

Rewolucyjny republikanizm Słowackiego, wymierzony przeciw legitymizmowi politycznemu jego czasów, nie ograniczał się tylko do walki z monarchizmem i papiestwem, lecz zdążał konsekwentnie do radykalnej przebudowy dawnego społeczeństwa polskiego, do obalenia sercu miłych przesądów szlacheckich. W przeciwieństwie do twórcy *Pana Tadeusza*, który na całą tę dziedzinę dawności spoglądał z nieco drwiącym, ale dobrotli-

wym uśmiechem, Słowacki, jakkolwiek i jemu uśmiech ten nie
był obcy, świat soplicowski atakował niemal z furią, przekonany,
iż przeżytek ten upaść powinien i musi. I znowuż wymowy
pełen jest fakt, iż właśnie w *Lilli Wenedzie* towarzyszem nie-
fortunnego misjonarza zrobił błazna, wyposażonego w „siedem
śmiertelnych grzechów" kultury szlacheckiej, takich, jak „gust
do kwaszonych ogórków, do herbów", że własnościami tymi
obdarzył również Lecha, robiąc go jednocześnie protoplastą So-
bieskiego i całego sarmatyzmu polskiego. Nie koniec na tym,
Słowacki bowiem do *Lilli Wenedy* dodał płomienny manifest walki z przeżytkami sarmackimi w życiu swej epoki, poemat o *Grobie Agamemnona*, gdzie szlacheckiemu trupowi przeszłości rodzimej,
zdobnemu w złoty pas i czerwony kontusz, przeciwstawił nagą
wielkość bohaterstwa greckiego i nagą wielkość Polski przyszłości.

Potępienie tego, co uznawał za wstecznictwo umysłowe, kul-
turalne, polityczne i społeczne, doprowadzić musiało twórcę
Anhellego do potępienia klasy społecznej, która wstecznictwem
tym żyła, a poczytywała się za jedyną przedstawicielkę narodu,
tj. szlachty, i jej ekspozytury działającej poza krajem, tj. emigracji. I znowuż ze stanowiska: „mówię, bom smutny i sam
pełen winy", podkreślił na kartach *Anhellego* przejmujący w swym
beznadziejnym tragizmie obraz zagłady zarówno emigracji, jak
reprezentowanej przez nią szlachty. Zagłady tej jednak nie uznał
za anarchiczny kres życia narodowego, był bowiem przekonany,
iż w płomieniach rewolucji wystąpi czynnik nowy, oznaczony
przezeń tajemniczymi trzema literami (LUD), czynnik, który
rozpocznie nową erę w losach Polski.

Jak ją sobie wyobrażał, o tym twórczość Słowackiego niewiele mówi. Poeta-rewolucjonista, któremu przywidywała się
„groźna, stara twarz Kilińskich", związana na zawsze ze wspomnieniami starej Warszawy, mało wiedział o mieszczaństwie polskim. Chłopa polskiego nie znał również, stykał się bowiem
tylko z chłopem ukraińskim i bolał, że chłop ten, odepchnięty
ręką szlachecką, oderwał się na zawsze od dziejów Polski. Wskutek tego Słowacki siłą rzeczy ulegał nawykom literackim swej
epoki, sielankowo idealizującym „kmiotka", wiedziony jednak
trafnym zmysłem realisty, sielankowe obrazy z życia chłopskiego
przerzucał w baśniowe pradzieje, gdzie właśnie owa baśniowość
usprawiedliwiała ich koloryt. Rzecz jednak znamienna, że nawet
w *Księdze legend*, jak nazwał opowieść o Piaście, wplecioną do
Króla-Ducha, sielankowemu kołodziejowi-bartnikowi przeciwstawił
jego żonę Rzepichę, która podobnie jak wcześniejsza od niej
Balladyna dowodzi, że wzrok Słowackiego dostrzegał w zbitej

masie chłopstwa nie tylko pierwiastki sielskie-anielskie, ale również siły rwące się do władzy, do stanowienia o życiu całego narodu. Że zaś w obrazach tych nie chodziło jedynie o efektowne pomysły, lecz że były one wyrazem konsekwentnych przekonań poety, dowodzi nie tylko odległość w czasie *Balladyny* i *Księgi legend*, ale również korespondencja poety oraz jego notatki. W jednej z nich zastanawiał się on nad rabacją galicyjską i przyczyn jej doszukiwał się w stanowisku szlachty. „Pragnęliśmy wolności, a sami byliśmy niewolnikami złego. Pragnęliśmy swobody i szczęścia, a w ucisku i nędzy zostawali nasi bracia-chłopi. Ci, co jeszcze od Polski odebrali opiekę nad nimi, jako źli ojczymowie nie szanowali sierot, które im matka konając powierzyła". Z rozważań tych poeta wyciągał wnioski bardzo odległe od hasła: „z szlachtą polską polski lud", chłopu bowiem przypisywał rolę budowniczego wolnej Polski. Zwracał się więc do szlachty z wezwaniem „Uszanuj grubą siermięgę, bo to strój przyszłych żołnierzy, co Polskę wywalczą... Ty i lud wiosek twoich niechaj będą jak rodzina poświęcona prawem Boga. I zdobędziesz serce sercem, a gdy czyny będą spełnione, chłop ci poda prawicę do budowy wielkiej. I odrodzisz się na ziemi, w bohaterów się przemienisz, wy i chłopi świat zbawicie z woli bożej".

Republikański rewolucjonizm Słowackiego nie ograniczył się jednak tylko do namiętnej i bezwzględnej walki z reakcyjnymi przejawami życia polskiego w pierwszej połowie wieku XIX. Sięgnął on w dziedziny całkiem nieoczekiwane i wystąpił w nich w postaci prób stworzenia własnego systemu filozoficzno-religijnego, jednego z wielu zresztą, spotykanych u nas w epoce romantycznej.

Grupa społeczna, z której Słowacki pochodził i w której znajdował swych odbiorców literackich, tj. młoda podówczas inteligencja, rychło znalazła się na bezdrożach historii, skąd nie było wyjścia. Tkwiła ona tedy silnie w tradycjach życia szlacheckiego, a równocześnie ulegała hasłom rewolucyjnego postępu, sprzeczne zaś te pierwiastki nie dawały się uzgodnić, gdyż sama ta klasa, zwichnięta przez bieg wydarzeń dziejowych, nim zdążyła się całkowicie sformować, szukała ujścia dla swej energii psychicznej w dziedzinach bardzo osobliwych. Znaczny jej odłam zwracał się do przeszłości, by wyidealizować jej sarmackie oblicze, i dochodził do dziwacznego wstecznictwa kulturalnego, utrwalonego w gawędach i powieściach gawędziarskich, osnutych zazwyczaj na motywach z ruchawki konfederackiej. Drugi pokaźny odłam szukał oparcia w mistycznych marzeniach religijnych, czekał cudu i wyglądał interwencji nadprzyrodzonej jako środka do rozwiązania dotkliwych zagadnień politycznych i społecznych. Obie te postawy, maskujące bezradność naszego pokolenia romantycznego wobec ówczesnej rzeczywistości historycznej, krzyżowały się ze sobą ustawicznie i wikłały ludzi w sprzecznościach beznadziejnych. Ich oddziaływanie występowało bardzo wyraźnie u Mickiewicza, od wpływu ich uchronić się nie zdołał również Słowacki. Więcej nawet, w jego to właśnie twórczości oddziaływanie to zaznaczyło się z wyjątkową siłą i jaskrawością.

Tak stało się przede wszystkim z jego filozofią przyrody, opracowywaną wielokrotnie w różnych utworach, najpełniej zaś ujętą w trakcie *Genezis z Ducha*. Poeta, obeznany z poglądami przyrodników przeddarwinowskich, wychodząc z założeń, które w dziesięć lat po jego śmierci znalazły swój wyraz naukowy w epokowym dziele Darwina, snuł z nich wnioski o charakterze religijno-poetyckim. Traktując dzieje ewolucji materii jako historię twórczości „ducha-rewolucjonisty" w przyrodzie, dalsze etapy tej twórczości odszukiwał mozolnie w dziejach życia społecznego zarówno w świecie, jak przede wszystkim w Polsce. Do fantazji poetyckich niepodobna oczywiście stosować wymagań stawianych dociekaniom naukowym. Pamiętać jednak się godzi, że autor *Genezis z Ducha* płynął jako poeta w potężnym nurcie nowoczesnej myśli naukowej i pierwiastki jej usiłował wyzyskać jako składniki swych obrazów poetyckich.

Już sama odległość nauki i poezji sprawiła, iż całość poglądów Słowackiego zawodzi i mimo wszelkich wysiłków pisarza, by ułożyć je systematycznie, występuje w nich mnóstwo najrozmaitszych sprzeczności. Do spotęgowania zaś chaosu przyczyniło się pragnienie poety – myśliciela, by z filozofii przyrody i filozofii historii wysnuwać wnioski praktyczne, zdolne oddziaływać na życie bieżące zarówno jego własne, jak emigracji, jak całego narodu.

Indywidualizm wiódł twórcę *Samuela Zborowskiego* niejednokrotnie na manowce anarchizmu, „świętej anarchii", przekreślającej wszelką więź społeczną. Równocześnie w pismach Słowackiego, zwłaszcza w *Królu-Duchu*, dochodził do głosu kult potężnej władzy państwowej. Mistyk umiał jedno i drugie godzić w sposób nieuchwytny dla normalnego myślenia ludzkiego i tym się tłumaczy, dlaczego własny system mu wystarczał. Z drugiej strony Słowacki był nie zawodowym filozofem, lecz genialnym poetą, dla którego rojowisko myśli było – jeśli nie wyłącznie, to przede wszystkim – tworzywem literackim, rządzonym nie tyle przez prawidła logiki, ile przez nakazy wyobraźni, podległe prawom psychologii – i to jeszcze psychologii twórczości. A jednak, gdy z odległości stulecia spogląda się na ogromny i wysoce zawiły labirynt jego życia wewnętrznego, wyrażanego poetycko, dostrzega się bez trudu, że czynnikiem górującym było w Słowackim gorące ukochanie zasad rewolucyjnych i postępowych. Gdy więc jego rówieśni usiłowali niejednokrotnie zdobycze myśli postępowej obniżać, naginać do nawyków przestarzałej tradycji, Słowacki przeciwnie, światłem myśli postępowej naświetlał to, co w tradycji uważał za cenne i doniosłe dla rozwoju człowieka i ludzkości. I gdyby się szukało jakiejś formuły, określającej jego postawę, znaleźć by ją można w jego zdaniu: „Honor myślom, z których błyska Nowy duch i forma nowa!"

3

Poezja i proza filozoficzna Słowackiego z lat ostatnich jego twórczości ukazują w postaci niezwykle czystej jedną z najbardziej znamiennych właściwości kultury romantycznej, przeciwieństwo między zbiorowością a dążeniami i roszczeniami jednostki twórczej. Przeciwieństwo to myśl poety rozwiązuje, czy przynajmniej rozwiązać się stara, gubiąc się nieraz w trudnościach z zadaniem tym związanych. Przeciwieństwo to jest równocześnie podłożem wspaniałej liryki Słowackiego, dziedziny w twórczości jego znanej mało, jakkolwiek na jej paru okazach, na utworach takich jak *Godzina myśli, Smutno mi, Boże* lub *Testament mój* opierają się popularne wyobrażenia o poecie i człowieku. Liryka ta zaś z wielu względów narzuca się uwadze czytelnika, imponuje swą rozpiętością w czasie, swą obfitością, swą wreszcie różnorodnością, głębią myśli, żarem uczucia, doskonałością artystyczną.

Wielki indywidualista romantyczny, który o miejsce dla swego „ja" walczył nie tylko w literaturze, ale w całej kulturze polskiej, a pod koniec życia snuł zawrotne pomysły wplecenia go w dzieje wszechświata, znalazł w liryce dogodne, przez odwieczną tradycję udoskonalone narzędzie do wypowiedzi najbardziej osobistych. Tym zapewne tłumaczy się wspomniana rozpiętość jego dorobku lirycznego, tworzonego od chwili, gdy piórem szkolnym kreślił pierwsze wiersze, po moment, gdy pióro dogorywającemu gruźlikowi śmierć wytrąciła z ręki. Liryka stawała się dlań rodzajem notatnika, w którym utrwalał przelotne doznania wywołane przez zetknięcie się z ludźmi, wypadkami, przyrodą; w nim wypowiadał swe stanowisko wobec spraw, które wstrząsały całym jego pokoleniem, i z niego też ciskał gromy na to wszystko, co w życiu zbiorowym nie odpowiadało jego górnym wymaganiom. Ale też właśnie dzięki temu okazały tom liryków Słowackiego stał się czymś w rodzaju pamiętnika — mówiącego zarówno o samym poecie, jak o jego czasach — zbiorem obrazów i samego twórcy-indywidualisty, i rozległej połaci życia całego narodu.

Romantyk-indywidualista chętnie mówił o sobie, o swych przelotnych przeżyciach, dotyczących własnej doli, czysto osobistych smutków i radości, rozczarowań i triumfów, rozważań nad swą przeszłością i przyszłością. Dzięki temu wśród utworów jego lirycznych znalazła się spora wiązka poematów, których całość stanowi rodzaj albumu autobiograficznego, wypełnionego serią autoportrecików. Są to wiersze, które zdobyły sobie ogromną popularność i na których — jak się rzekło — opiera się obiegowe wyobrażenie o poecie, wiersze, które nasuwają się same, ilekroć spotkamy się z jego nazwiskiem:

Żyłem z wami, cierpiałem i płakałem z wami,
　　Nigdy mi, kto szlachetny, nie był obojętny,
Dziś was rzucam i dalej idę w cień — z duchami —
　　A jak gdyby tu szczęście było — idę smętny.

Nie zostawiłem tutaj żadnego dziedzica
　　Ani dla mojej lutni, ani dla imienia; —
Imię moje tak przeszło jako błyskawica
　　I będzie jak dźwięk pusty trwać przez pokolenia.

Lecz wy, coście mnie znali, w podaniach przekażcie,
　　Żem dla ojczyzny sterał moje lata młode;
A póki okręt walczył — siedziałem na maszcie,
　　A gdy tonął — z okrętem poszedłem pod wodę...

Na dźwięcznych zwrotkach elegii *Testament mój*, rzuconej na papier w przededniu pojedynku, do którego nie doszło zresztą, opiera się wyobrażenie pełnego rozmachu „sternika duchami napełnionej łodzi", odlatującego w zaświaty z przekonaniem, że spełnił swoje, że pozostawiona przezeń „siła fatalna" działać nie przestanie, „aż was, zjadacze chleba — w aniołów przerobi".

Druga miniatura liryczna, nie mniej popularna, *Hymn*, ma to samo tło nieskończoności, na którym odcina się wyraźnie sylweta poety wygnańca, rzuconego na bezmiar obcych mórz i obcego świata i skazanego na beznadziejną tułaczkę:

Żem często dumał nad mogiłą ludzi,
Żem prawie nie znał rodzinnego domu,
Żem był jak pielgrzym, co się w drodze trudzi

> Przy blaskach gromu,
> Że nie wiem, gdzie się w mogiłę położę,
> Smutno mi, Boże!

Mniej znany jest liryk autoportretowy, którym Słowacki upamiętnił swe wkroczenie w krainy mistycyzmu, noszący datę 13 lipca 1842 r., a więc moment zetknięcia się z Towiańskim. Świetny sternik nawy duchów, zadumany nad własnymi losami pielgrzym-wędrowiec, ukazuje się tutaj jako „silny Boga robotnik", świadomy swych celów i swej górnej drogi:

> Mały ja, biedny, ale serce moje
>   Może pomieścić ludzi milijony.
> Ci wszyscy ze mnie będą mieli zbroje —
>   I ze mnie piorun mieć będą czerwony,
> I z mego szczęścia do szczęścia podnoże,
> Tak mi dopomóż, Chryste Panie Boże!

Jest wreszcie wśród liryków z lat przedśmiertnych przejmująca wizja anhellicznego grobu poety:

> Z grobowca mego rosną lilije.
>   Grób jako biała czara prześliczna —
> Światło po nocy spod wieka bije
>   I dzwoni cicho dusza muzyczna.
> Ty każesz światłom onym zagasnąć,
> Muzykom ustać — duchowi zasnąć.

Takim akordem całkowitego uciszenia na zawsze kończą się wizerunki poety, naszkicowane jego własną ręką a proroczo wręcz ujmujące jego przyszłość, jego — „za grobem zwycięstwo".

Tym lirykom-dokumentom, którymi Słowacki własne wyobrażenie o sobie narzucił na zawsze czytelnikom, towarzyszy spora garść wierszy upamiętniających jego życie towarzyskie, jego stosunki z ludźmi. Rzecz znamienna, jak nikłą rolę wśród nich odgrywają tak typowe dla epoki romantyzmu liryki erotyczne. Jest ich kilka, uderzają swym doskonałym artyzmem, obojętna, czy będą wyrazem pasji, wyładowującej się w *Przekleństwie*, czy dotkniętej dumy, jak dwa sonety *Do Anieli Moszczeńskiej*, czy elegijnej żałości, jak *Rozłączenie*, czy wreszcie goryczy zawodu, jak w wierszu *Do Pani Joanny Bobrowej*. Górują nad nimi i ilościowo, i jakościowo wiersze do przyjaciół i przyjaciółek, uderzające niezwykle bogatą tonacją wyrażonych w nich uczuć, od żartobliwych drobiazgów, jak wiersz do towarzysza z życzeniami noworocznymi, wystylizowanymi w manierze niemal księdza Baki, od pompatycznych z natury rzeczy listów

poetyckich, których nie powstydziłby się staroświecki „pseudo-
klasyk", po żarliwe zwierzenia przed młodymi przyjaciółmi,
takimi jak początkujący wówczas poeta, Kornel Ujejski, lub jak
córki pani Bobrowej. W serii tej szczególnie przykuwa uwagę
istny klejnot liryczny, *Wspomnienie pani de St. Marcel*, elegia uwiecz-
niająca wnętrze saloniku „staruszeczki" samotnej, odwiedzanej
przez równie samotnego gościa, który słuchał jej opowiadań
o „Republikanach" rewolucyjnych i przeżywał ich dzieje i który
jeden jedyny miał iść za jej trumną.

Liryczny wtór, towarzyszący wydarzeniom życia potocznego,
potężniał u autora *Kordiana* w zetknięciu z wypadkami histo-
rycznymi jego czasów, ze sprawami, których niezwykłość zaklął
właśnie w scenach *Kordiana* i których bolesny urok uchwycił
w melodyjnych wersetach *Anhellego*. Co ciekawsze, wypadki histo-
ryczne stały się istotnym źródłem liryki Słowackiego, wszak powstanie listopadowe odbiło się w jego twórczości, wywołując utwory uroczyście sztywne, obciążone nadmiarem urzędowej retoryki,
takie jak archaizowany *Hymn*, zaczynający się od wiersza „Bogarodzico ͵Dziewico! Słuchaj nas, Matko Boża", lub jak uczona
Oda do wolności. Już jednak w tej fazie młody poeta wkroczył
na szlak, na którym mógł poruszać się swobodniej, w dziedzinę
mianowicie pomysłów odzianych w szatę mieszaną, liryczno-
-epicką. *Kulik*, a zwłaszcza późniejsza odeń *Duma o Wacławie
Rzewuskim* reprezentują tę odmianę liryki historycznej Słowackiego, która pojawiać się będzie spod pióra poety w ciągu całej
jego kariery pisarskiej, a która literaturę polską wzbogaci kilku
arcydziełami o niezwykłej skali efektów artystycznych. Serię
otwiera balladowa duma o emirze złotobrodym i jego przygodach w krajach dalekich, o powrocie na Podole, gdzie:

I nocą obaczył kraj miły, rodzony,
Gdy księżyc się wznosił na stepach czerwony.
W noc nawet i ślepy poznałby te stepy
           Po kwiatów rodzinnych zapachu...

Całkiem inną tonację, grzmiącą dźwiękami fanfar pogrzebo-
wych, ma wspaniały w swej retoryce wiersz *Na sprowadzenie
prochów Napoleona*, pełen siły a zarazem głębokiej zadumy nad
tajemnicą zwyciężania po śmierci. Wizja „trumny olbrzyma",
wracającej do kraju „Z tak ogromną litości powagą, Z taką
mocą", jakiej nie miał on stojąc u szczytu potęgi ziemskiej, dzięki skontrastowaniu czynników sprzecznych w doskonałej, harmo-
nijnej całości, jest najpiękniejszym hołdem, złożonym przez poezję
polską „Cesarzowi", którego wielbiły największe pióra, widząc

w nim błędnie kontynuatora rewolucji. Ten sam kontrast ujarzmienia śmierci przez wielkość ducha, przez moc bijącą od zwłok bohatera, miał raz jeszcze, a raczej — dwa razy, powrócić w liryce Słowackiego w związku z wydarzeniami świeższymi, które z taką siłą narzuciły się jego wyobraźni twórczej, że spod ich uroku nie zdołał się nigdy wyzwolić. Tak więc w *Pogrzebie kapitana Meyznera* zachichotała po raz pierwszy w poezji polskiej „śmieszna dola" bohatera, jak ją po latach nazwie Żeromski, gwałtowne przeciwieństwo romantyczno-rycerskiego gestu a nędzy zgonu na łożu szpitalnym i nędzy „żebrackiego dołu", czekającego trupa.

Gdyby przynajmniej przy rycerskiej śpiewce
    Karabin jemu pod głowę żołnierski!
Ten sam karabin, w którym na panewce
    Kurzy się jeszcze wystrzał belwederski,
Gdyby miecz w sercu lub śmiertelna kula —
Lecz nie! — szpitalne łoże i koszula!

Gdy tutaj wspaniały patos stanowi rekompensatę śmiesznej nędzy bohaterskiego wojownika, tam gdzie bohaterstwo wystąpi w całej oczywistej bezpośredniości, Słowacki porzuci przepych słowa, wymowny fakt zamknie w formie prostaczej śpiewki czy relacji żołnierskiej. Wierszowana bowiem opowieść *Sowiński w okopach Woli*, ujęta w sposób przypominający naiwne relacje żywotów świętych czy legend średniowiecznych, uderza niepokojącą prostotą szaty słownej, gdy prawi, jak otoczony przez wrogów

Jenerał się poddać nie chce,
Ale się staruszek broni
Oparłszy się na ołtarzu,
Na białym bożym obrusie,
I tam łokieć położywszy,
Kędy zwykle mszały kładą,
Na lewej ołtarza stronie
Gdzie ksiądz Ewangelią czyta.

Dystans między młodzieńczymi wierszami Słowackiego, wywołanymi przez wybuch powstania, a opowieścią o jego upadku, napisaną pod koniec życia poety, plastycznie uwypukla niezwykłe bogactwo jego środków ekspresji lirycznej, wielopłaszczyznowość jego stosunku do tych samych wydarzeń dziejowych.

W tym zaś stosunku uderza, niby swoista i odrębna nuta, stanowisko poety wobec Warszawy. We wspomnieniach Słowackiego pozostała ona na zawsze środowiskiem naładowanym potężną prężnością rewolucyjną dni przedlistopadowych. I nikt

przed nim ani też w jego czasach, nikt nawet z poetów i po-
wieściopisarzy późniejszych nie stworzył równie przejmujących
obrazów z życia tej „żałobnej wdowy", jak autor *Dantyszka*.
On to pierwszy, i na wiele lat jedyny, dosłyszał melodię wygrywaną
przez „strunę pod wiatrem kamienną", kolumnę Zygmuntowską,
on dostrzegł „te zemsty, te światła, te grzmoty", którymi wrzało
Stare Miasto.

Nad liryką historyczną, mniej lub więcej okolicznościową,
stanowiącą zazwyczaj bezpośredni wyraz reakcji na wstrząsające
wydarzenia chwili, góruje liryka, którą nazwać by można publi-
cystyczną; ustala ona stanowisko poety wobec zagadnień chwili,
jak artykuły dziennikarskie wyrażały stanowisko publicystów ów-
czesnych, od Maurycego Mochnackiego począwszy. Jest to poezja
publicystyczna, a nie publicystyka rymowana, reakcje bowiem
Słowackiego są zawsze reakcjami wielkiego poety, który w zagad-
nieniach przemijających dostrzega ich sens trwały, zdolny przemówić do czytelnika żyjącego w innych czasach i odmiennych
warunkach. Tej poetyckiej umiejętności wyolbrzymiania spraw,
które opanowały jego wyobraźnię, towarzyszyło u Słowackiego
coś innego jeszcze, co nadawało im w jego ujęciu intensywność
uczuciową. Było to coś, co określić by można jako opętanie
Polską, jako niezdolność obojętnej reakcji na wszystko, co z jej
bytem się wiązało, bytem wczorajszym, dzisiejszym czy jutrzej-
szym. W bardzo znamiennym urywku *Dajcie mi tylko jedną ziemi
milę* poeta zanalizował to zjawisko ze zdumiewającą precyzją:

O gwiazdy zimne, o świata szatany,
    Wasze mię wreszcie niedowiarstwo zwali...
Już prawie jestem człowiek obłąkany,
    Ciągle powiadam, że kraj się już pali,
I na świadectwo ciskam ognia zdroje —
A to się pali tylko serce moje!...

Ta tak niezwykle intensywna miłość Polski, buchająca z duszy, której równie gwałtowne uczucia w innych dziedzinach były
obce, przejawiła się w liryce Słowackiego przede wszystkim
w pasji publicystycznej, w gwałtowności piętnowania tego wszystkiego, co kaziło ukochany ideał, co do jego poziomu było nie-
dociągnięte. Tym właśnie tłumaczą się jego inwektywy na grzechy
powstańcze, z młodzieńczym rozmachem napiętnowane w *Kordianie*, tym — bezlitosny wyrok na grzechy emigracyjne, grzechy
własnego pokolenia, w całej ich ohydzie ukazane w *Anhellim*,
tym — poczucie własnej winy w stosunku do powstania, winy
przesadnie wyolbrzymianej, w przeciwieństwie do innych ówcze-

snych poetów, Mickiewicza czy Krasińskiego, umiejących dla siebie znaleźć takie czy inne usprawiedliwienie. Stanowisko Słowackiego było jasne, „mówię, bom smutny i sam pełen winy"; sformułował je w *Grobie Agamemnona*, utworze stanowiącym rodzaj jego manifestu politycznego.

Niech ku północy z cichej się mogiły
Podniesie naród i ludy przelęknie,
Że taki wielki posąg — z jednej bryły,
A tak hartowny, że w gromach nie pęknie,
Ale z piorunów ma ręce i wieniec,
Gardzący śmiercią wzrok — życia rumieniec.

Tak przedstawia poeta ideał wznoszący się ponad przeciętność chwili, co gorsza, przez przeciętność tę przesłaniany, co jeszcze gorsza, dzięki niej zagrzebany w „styksowym mule", żywcem pogrzebany. Stąd przeciw wszystkiemu, co wywołało upadek Polski, co nie zmierza ku jej wyzwoleniu, zwraca się z furią miłość w nienawiść przekształcona, pasja demaskowania zła, zdzierania „Dejaniry palącej koszuli" choćby z kawałami żywego ciała. A cały ten skomplikowany proces psychiczny rzucił poeta na tło wspaniałej paraleli Polski i Grecji, Cheronei i Maciejowic, paraleli, która nie wytrzymuje wprawdzie skalpela krytycznego, ale stwarza za to wspaniały rezonans dla tonacji uczuciowej, panującej w *Grobie Agamemnona*. Ujęcie sytuacji Polski na tym właśnie tle historycznym nadaje całej sprawie doniosłość ogólniejszą. Wychodząc bowiem od wydarzeń związanych ściśle z powstaniem listopadowym i emigracją, walka poety z „czerepem rubasznym" godzi w przeżytki szkodliwe dla dalszego rozwoju, nawet dla samego istnienia narodu; rozwalając w gruzy sarmacką przeszłość, usiłuje wydobyć wartości nowe, ogólnoludzkie, uderzające rozmachem i rewolucyjną śmiałością. Takie nawroty pasji publicystycznej u Słowackiego powtarzają się, i to w okolicznościach zrozumiałych na tle stosunku romantyka do poezji pojmowanej przezeń jako czynność „rewelatorska", jako odsłanianie prawd, potępianej więc bezlitośnie, gdy wiodła w jego przekonaniu na manowce, gdy zamiast prawdy głosiła to, co poczytywał za fałsz. Na takim tle namiętny szermierz wolności skrzyżował szpadę poetycką z dwoma innymi pisarzami, z którymi zresztą imię jego w ustach pokoleń następnych zrosło się nierozdzielnie, z Mickiewiczem i Krasińskim. Pojedynek pierwszy, przez poetę przerzucony w sfery nadobłoczne, przez krytykę zaś lat późniejszych traktowany niemal jako bójka literacka, rozegrał się w oktawach *Beniowskiego*. Pojedynek drugi, ujęty w formę wspaniałego poematu-

-pamfletu, otrzymał tytuł *Do autora „Trzech psalmów"*, o jego
zaś poziomie świadczy najwymowniej fakt, że sam Krasiński
dotkliwie zaatakowany, uznał go za jedną z przedziwności języka
polskiego. Autor *Psalmów przyszłości*, oburzony działalnością demo-
kratów, którzy głosili konieczność rewolucji jako środka wyzwolenia Polski, uderzył na nich, widział w nich bowiem tylko pod-
żegaczy do rzezi, gdy on sam był zwolennikiem hasła: „z szlachtą
polską polski lud". Słowacki, republikanin i rewolucjonista, boleśnie odczuł ten atak wymierzony przeciw całemu obozowi po-
stępowemu i odpowiedział nań wierszem, który – jak zwykle
u tego poety – wydarzeniom chwili nadał akcenty zapewniające
mu dzisiaj jeszcze trwałą wartość. Odrzucił w nim koncepcję
„braterstwa z ludem", wygodną dla szlachty i tylko maskującą
klasowy egoizm i nienawiść do reform. Szlachta była dlań czymś
przebrzmiałym i martwym, stąd sądził, iż lud sam o przyszłości
narodu stanowić będzie. Przekreślił fantastyczne rojenia romantyzmu, „chmurny lot Ikara" pozbawionego oparcia na ziemi, przeciwstawiając mu twardą służbę poety w szeregach walczących
o przyszłość; nie uląkł się wizji krwi, jeśli jest ona dla przyszłości
konieczna, „żywych i młodych" przeciwstawił tym, co kładą się
w poprzek na drodze postępu. Całości zaś wypowiedzi nadał siłę
manifestu rewolucyjnego, polot pieśni, rozmach pobudki i szczerość
głębokiego wyznania.

Uniesienie, przebijające z każdego urywka, zrozumieć łatwo,
zważywszy na inne, drobne przeważnie liryki Słowackiego, w których jego opętanie Polską przybrało postać odmienną aniżeli
w utworach publicystycznych. Nie namiętność człowieka walczą-
cego o doskonałość sprawy umiłowanej dochodzi w nich do
głosu, lecz korna wiara człowieka przeświadczonego o zbliżaniu
się cudu:

> Pode mną noc i smutek – albo sen na ziemi,
> A tam już gdzieś nad Polską świeci zorzy pręga,
> I chłopek swoje woły do pługa zaprzęga.
> Modli się. Ja się modlę z niemi i nad niemi

– oto tonacja ich większości! Z wiary rodzi się ufność w zwycięstwo słusznej sprawy, dokumentem zaś tej ufności u poety jest
króciutki urywek:

> O! nieszczęśliwa! o! uciemiężona
> Ojczyzno moja – raz jeszcze ku tobie
> Otworzę moje krzyżowe ramiona,
> Wszakże spokojny, bo wiem, że masz w sobie
> Słońce żywota.

Zbyteczne wskazywać, że urywek ten najzupełniej harmonizuje z przytaczanymi poprzednio lirykami Słowackiego, takimi jak wizja własnego grobu lub wizja zwycięstwa ducha nad martwym ciałem. Zbyteczne również wskazywać na harmonię tych liryków z dziełami poety epickimi i dramatycznymi o tym samym wydźwięku metafizycznym. Choć ona to właśnie sprawia, że liryka autora *Grobu Agamemnona* stanowi organiczny człon twórczości Słowackiego i przyczynia się tym samym do uznania tej twórczości za jednolity kompleks zjawisk poetyckich, za właściwy wyraz jednolitej, uporządkowanej, konsekwentnie rozbudowanej indywidualności twórczej. Co więcej, dzięki swej rozległej skali tematycznej, obejmującej zarówno wizerunki własne poety, jak odbicia wydarzeń historycznych epoki, jak wreszcie reakcje na nurtujące prądy polityczne, przy czym wszystkie te elementy zostały tu sprowadzone do wspólnego mianownika i ukazane przez pryzmat piękna, liryka Słowackiego pozwala świat jego wyobraźni, zaklęty w twórczości poety, ująć bardziej bezpośrednio aniżeli wielotomowy ogół jego dzieł większych, umożliwia dostrzeżenie w nim zdumiewającej harmonii i pełni, osiągniętych przez zespolenie zjawisk życia wewnętrznego i zewnętrznego, indywidualnego i narodowego, zespolenie tak doskonałe, że podobnego mu niełatwo znaleźć w całej poezji europejskiej.

4

Całość liryki Słowackiego wskazuje wyraźnie, jak w twórczości poety zmagały się z sobą — to biegnąc równolegle, to krzyżując się — zainteresowania i samym sobą, i tym wszystkim, co niósł potężny nurt historii życia zbiorowego. Rozległość i głębia owego zainteresowania życiem zbiorowym prędzej czy później musiały dojść do głosu w formie poetyckiej odmiennej od tego, co mogła wyrazić liryka. Poeta był wręcz powołany przez naturę do twórczości epickiej — istotnie też uprawiał ją przez całe życie i na niej właściwie karierę swą pisarską zakończył.

Próby jej młodzieńcze otrzymały postać modnej noweli wierszowanej, „powieści poetyckiej", jak się podówczas odmiana ta nazywała, o tematyce historycznej i orientalistycznej. Uderzające wirtuozją słowa opowieści te, osnute na motywach krzyżackich (*Hugo*), podolskich czy ukraińskich, wprowadzały Wschód turecki (*Jan Bielecki, Żmija*), arabski (*Mnich, Arab*) czy wreszcie świat grecko-turecki (*Lambro*). Wszystkie głosiły protest przeciw skostniałym formom życia, ale posługiwały się pospolitymi aż do szablonowości schematami ustrojowymi, spopularyzowanymi przez

Byrona, u nas zaś spotykanymi u pionierów romantyzmu, Mickiewicza i Malczewskiego. Toteż spierano się u nas niejednokrotnie o ich wartość i znaczenie, podawano w wątpliwość ich oryginalność, widziano w nich jedynie przejawy modnego bajronizmu. Ale bo też były to tylko wprawki poetyckie genialnego wirtuoza, zapowiedzi tego, co dać miał w przyszłości. Gdy się o tym pamięta, poczyna się rozumieć ich miejsce w twórczości samego pisarza, a zarazem w całej naszej poezji romantycznej, która podobnych dzieł wydała więcej, od powieści Słowackiego o tyle niższych, że pozbawionych tego ładunku poetyczności, który cechował wszystko, co wychodziło spod pióra twórcy *Żmii*.

Wśród owych powieści poetyckich jedna, *Lambro*, uderza tym, że obok właściwości znamiennych dla utworów, które mu towarzyszyły, wprowadza akcenty nowe i odrębne —. sławi walkę o wolność z przemocą polityczną, równocześnie zaś przynosi śmiałą, choć całkowicie jeszcze nie wykrystalizowaną próbę odpowiedzi na pytanie, skąd rodzą się tendencje rewolucyjne pokolenia romantycznego i jaka jest przyczyna, iż wiodą one do klęsk poczynań powstańczych. W ten sposób już tutaj rysuje się wyraźnie problematyka, która — wyłoniwszy się z rozmyślań nad ówczesną rzeczywistością polską — przewijać się będzie w wielu dziełach Słowackiego dalszych, przede wszystkim dramatycznych (*Kordian, Lilla Weneda*), a powróci również i w jego epice.

Opanowana po mistrzowsku nowela wierszem nie ogranicza się do młodzieńczej poezji Słowackiego, pojawia się także w późniejszej twórczości poety, ją bowiem zastosował ponownie w *Trzech poematach* (1838), z których dwa zdobyły sobie największy rozgłos w całym jego dorobku pisarskim. Odmienne od siebie i tematem, i całym tonem, obydwa, sielanka *W Szwajcarii* i opowiadanie *Ojca zadżumionych*, mają przecież z sobą wiele cech wspólnych. Najwybitniejszą z nich jest niewątpliwie postawa autora, który opanował młodzieńczą bujność wyobraźni, rozmach jej zdyscyplinował, poddając go nakazom artystycznej prostoty. W poemacie *W Szwajcarii* zaznaczyło się to z klasyczną wręcz jasnością. Pogodne dzieje dwojga zakochanych przerywa brutalnie śmierć młodej kobiety. Temat ten napraszał się — wedle zwyczajów romantycznych — o jaskrawe i gwałtowne efekty; Słowacki poszedł drogą własną, z efektów tych zrezygnował, gwałtowność uczuć zastąpił melancholią wspomnień człowieka beznadziejnie zrezygnowanego. Dzięki temu po raz pierwszy w dziejach literatury polskiej melancholia, pojęta jako stały nastrój, ukazała się jako pewna postać życia ludzkiego, czarująca swym bolesnym urokiem. Po raz pierwszy również przyroda stała się integralnym składnikiem życia ludzkiego, „bohaterką" poematu na równi z postaciami ludzkimi.

Ojciec zadżumionych znowuż, jeden z wielu w literaturze europejskiej poematów bólu rodzicielskiego, pierwszy zaś w Polsce poemat naprawdę orientalny, dzieje nieszczęsnego Araba, którego zaraza pozbawia całej licznej rodziny, ujął z plastyką rzeźbiarską, pełną monumentalności zarówno w szczegółach, jak w ujęciu całej tragicznej sprawy. Poeta, pomawiany o brak rozumienia życia na ziemi, okazał się tu realistą najwyższej klasy – i to w stosunku do człowieka innej kultury i do surowego życia pustyni.

Realizm ten – wynik, jak wiemy, podróży do Grecji, Syrii i Egiptu – zabarwił również wydatnie poetycki dziennik podróżnika, wydany dopiero po śmierci autora jako *Podróż na Wschód*. Dzieło nie wykończone, najwidoczniej do druku nie przeznaczone, całe bowiem jego ustępy poeta później przerobił i wcielił do *Beniowskiego*, mieni się mozaikowo zespoleniem najrozmaitszych i najróżnorodniejszych składników. Obok potężnych wypowiedzi w rodzaju *Grobu Agamemnona*, ogłoszonego wraz z *Lillą Wenedą* jako utwór samodzielny, obok przedziwnych wyznań lirycznych zawiera długie ustępy opisowe, utrzymane w pogodnym tonie gawędziarskim, nadto niezwykłe wybuchy ironii, zaprawione rzetelnym komizmem a równocześnie pełne siły trzymanego na uwięzi temperamentu. I w tym właśnie znowuż rysuje się wyraźnie potężniejąca z każdym rokiem skłonność poety do realizmu, do ujmowania przejawów życia w postaci ich autentycznej i autentyzmem tym przemawiającej do jego wyobraźni.

Nastawienie ironisty, śmiechem reagującego na to, z czym w życiu pogodzić się nie chciał czy nie mógł, stało się podłożem, z którego wyrosła satyra Słowackiego, wymierzona przeciw otaczającej go rzeczywistości, zwłaszcza przeciw jej przejawom politycznym. To wszystko, co równocześnie miał wtopić w akcję tragedii wenedyjskiej, zaprawione jednak aktualnymi pogłosami codzienności bytowania emigracyjnego, otrzymywało wspaniały wyraz w trzech, a raczej dwu poematach, w *Anhellim* i *Beniowskim*. Jako trzeci wymienić tu należy *Poema Piasta Dantyszka o piekle*. „Poema" to jednak, ujęte w formę groteskowej gawędy sarmackiej, nie udało się Słowackiemu, nie osiągnęło tego poziomu, który on sam ustalił w przejmującej dedykacji tego dzieła wdowiej Warszawie. Satyra czysta, wyrastająca z pokładów racjonalnych, nie odpowiadała najwidoczniej uzdolnieniom twórczym Słowackiego. Dopiero gdy w pokładach uczuciowych zespoliła się z pierwiastkami lirycznymi, rodziła się w całej swej świetności. W *Anhellim* pierwiastki te wystąpiły z taką potęgą, że przesłoniły satyryczne intencje autora, i to do tego stopnia, iż określenie poematu sybirskiego jako satyry może wydawać się nieporozumieniem. A jednak za godło tego poematu mogłoby służyć zdanie: „mówię, bom smutny i sam pełen winy", poemat bowiem jest bolesnym rozrachunkiem z życiem emigracyjnym i życia tego potępieniem. Jego twórca dostrzegł i wypowiedział to, co widzieli i inni, czego jednak woleli nie mówić: iż po dziesięciu latach emigracja stała się zjawiskiem społecznym skazanym na zagładę bez nadziei ratunku. Wyrodniejąc nieuchronnie, instytucje społeczne zmieniały się w bolesne karykatury tego, czym być powinny, i konsekwentnie zmierzały do zagłady. Tę ponurą diagnozę oparł twórca *Anhellego* na wnikliwej krytyce psychiki zbiorowej, wychowanej w zacofanych tradycjach sarmackich, oraz na swej niezachwianej wierze w rewolucyjny postęp, który na cmentarzysku przezwyciężonych form społecznych rozbudzi nowe życie, życie Polski ludowej. O sprawach tych jednak mówił bez uśmiechu ironii lub pogardy spoglądając na nie oczyma biblijnego proroka, zatroskanego, by z form przezwyciężonych wydobyć płodne dla jutra wartości, i oczyma człowieka tragicznie solidaryzującego się z pokoleniem, w którym żył z konieczności, którego dolę i niedolę musiał dzielić.

Akcenty satyryczne stłumione w *Anhellim*, motywy zamaskowane w jego dostojnych wersetach, odzyskały całą swą wyrazistość komiczną w dźwięcznych oktawach *Beniowskiego*. Przeosobliwa ta epopeja komiczna, należąca do rodziny reprezentowanej przez Byronowskiego *Don Juana* i Puszkinowskiego *Eugeniusza Oniegina*, połączyła w groteskową całość artystyczną pierwiastki rażąco przeciwne, nieraz wręcz sprzeczne, a w nowym zespoleniu dające przezabawne efekty komiczne. Pozornie historyczny poemat o barwnych przygodach awanturnika konfederackiego drugie tyle, a nawet znacznie więcej miejsca wyznaczył Juliuszowi Słowackiemu i jego przygodom w świecie literatury i polityki na emigracji. Dzięki temu ton „bohaterski" krzyżuje się tu ustawicznie z ironicznymi rozprawami pisarza z ludźmi i rzeczami, których i które zwalczał i potępiał; powaga miesza się z drwiną, patos z ironią; sprawy poważne i błahe drobiazgi dają w rezultacie błyskotliwy „fajerwerk" słów, rozsypujący się gdzieś ponad światem codziennym w smugi świetlanej poezji.

Beniowski jako autobiograficzny wizerunek poety i człowieka przyniósł ogromną ilość wyraziście, zwięźle i pięknie ujętych uwag o życiu i twórczości samego Słowackiego. Osoby mu bliskie,

matka, „kochanka pierwszych dni", ukazały się opromienione
blaskami poezji. Epizody z własnego życia, wspomnienia z podróży stworzyły dalszą warstwę motywów, dopełnioną wyznania-
mi o własnych upodobaniach i niechęciach człowieka. Dotkliwe
cięgi spadły na grupy i jednostki,· na sprawy i wydarzenia, na
które spoglądał z odrazą. Politycy konserwatywni kurczowo trzy-
mający się poglądów przezwyciężonych, działacze emigracyjni,
których życie niczego nie nauczyło, ultramontanie zapatrzeni
w miraże religijno-kościelne — zostali tu nielitościwie ośmieszeni,
wielki ironista bowiem przenikliwie dostrzegł i ukazał nędzę
beznadziejnego bytowania wygnańczego, przesłanianą buńczu-
cznością wystąpień publicznych lub jałowym mistycyzmem. Temu
wszystkiemu przeciwstawiał Słowacki śmiało przekonanie, że istnie-
ją siły, które zadecydują o przyszłości, a których przyszłość
rewolucyjną trafnie wyczuwał pod powierzchnią życia swej epoki.

Na czoło jednak spraw zaatakowanych w pieśniach *Beniowskiego* wysunęła się kultura literacka epoki romantyzmu i jej
przedstawiciele. Wielbiciel Dantego i Homera, za patrona swego
poczytujący „Jana Czarnoleskiego", rozsiał w poemacie niezliczo-
ną ilość świetnych uwag o pisarzach swej epoki i dawniejszych,
charakteryzując ich nieraz jednym trafnym powiedzeniem, jak
pozłacana miedź stylu Krasickiego zamiast oczekiwanego złota
lub ocena nieudolnych przekładów z Szekspira przez poczciwego
księdza Kefalińskiego (Hołowińskiego), gdzie „przyczyną trudność
jest połogu w stanie bezżennym"! Podziw dla prawdziwej poezji
a lekceważenie wszelkiego naśladownictwa i epigonizmu, słuszne
rozróżnienie między sztuką prawdziwą a udającymi ją szablonami
sprawiły, iż *Beniowski* stał się istną encyklopedią wiadomości
o literaturze i kulturze czasów romantyzmu, w których poeta
z niezawodną pewnością wyznaczał i ustalał miejsce dla własnego
dorobku twórczego. Z prób tych najwięcej rozgłosu wywołała
„gigantomachia" kończąca pięcioksiąg *Beniowskiego* w druku, po-
tężna charakterystyka Mickiewicza jako poety przeszłości, w mrokach jej cmentarnych całkowicie pogrążonego; przeciwieństwem
jej był zarys własnej ideologii Słowackiego jako pisarza wiodącego
w przyszłość; stąd „dwa na słońcach swych przeciwnych bogi"
ukazały się tutaj jako antynomia znamienna dla całej kultury
romantyzmu polskiego. To przekonanie Słowackiego nie było
zgodne z rzeczywistym układem stosunków. Dopełnienie przy-
niosła w jednej z pieśni dalszych (VIII) wizja Mickiewicza jako
nowoczesnego Homera, wspaniale kilku monumentalnymi rysami
odtwarzająca piękno *Pana Tadeusza* jako arcydzieła nowoczesnego
realizmu. Realizm ten wystąpił wyraźnie we właściwej, epickiej

warstwie motywów *Beniowskiego*, w początkowych jego pieśniach zepchniętej na plan drugi. W pieśniach dalszych, których liczba — wedle żartobliwych zapewnień poety — sięgać miała czterdziestu czterech, naprawdę zaś doszła szesnastu (czy osiemnastu), „Iliada barska" krystalizowała się coraz bardziej jako poważny poemat epicki o walkach konfederackich i rzezi humańskiej, przy czym jedną z jej czołowych postaci miał stać się tajemniczy prorok ludowy, Wernyhora. Dramatyczność samej materii poetyckiej i dostrzeżenie w tematyce nowych możliwości z nowszego stanowiska sprawiły, iż *Beniowski* pozostał olbrzymim fragmentem. Z materiałów, częściowo tylko w nim wyzyskanych, wyrosły dwa dramaty (*Ksiądz Marek* i *Sen srebrny Salomei*), materiały te zamierzał nadto Słowacki związać z pomysłem nowego dzieła, nad którym usilnie pracował w ostatnich latach swego życia, tj. z *Królem-Duchem*, pogłosy ich wystąpiły również w drobniejszych utworach epickich, jak *Poeta i Natchnienie* lub wstrząsający reportaż wierszowany *Rozmowa z Matką Makryną Mieczysławską*.

Król-Duch, którego jedynie rapsod I pojawił się drukiem, a reszta obejmująca dalsze cztery rapsody zachowała się w istnym labiryncie rękopisów, był zamierzeniem tak śmiałym, że z góry skazanym na niemożliwość realizacji poetyckiej. Słowacki usiłował stworzyć w nim obraz dziejów Polski od jej początków po własne czasy, oparty na koncepcjach filozoficznych, które sformułował i wyłożył w *Genezis z Ducha*. W ujęciu tym dzieje narodu i państwa miały być wytworem ducha, a raczej trójcy duchów, wcielających się kolejno w osoby historycznie znanych władców polskich, poczynając od baśniowych Lechów, Popielów i Piastów. Mieszko, Bolesław Chrobry, Bolesław Śmiały, Henryk Pobożny, Łokietek, Jagiełło — oto panujący średniowieczni, którymi zajmowały się myśl i wyobraźnia poety, przy czym tylko dzieje Popiela, Piasta, Mieczysława I i Bolesława Śmiałego otrzymały w poemacie opracowanie rapsodyczne.

Podstawowy pomysł poematu, wyłuskany z zawiłości systemu filozoficznego twórcy *Genezis z Ducha*, da się ująć w formułę powszechnie znaną, zrozumiałą również poza obrębem manowców spekulacji mistycznej, na których *Król-Duch* się zrodził. Jedność dziejów, o której w poemacie stanowi kolejna wędrówka „króla--ducha" przez różne ciała, nie odbiega w zasadzie od tego, co potocznie określa się zdaniami, iż Bolesław Śmiały kroczył śladami Bolesława Chrobrego lub że Łokietek nawiązywał do ideologii politycznej któregoś ze swych odległych protoplastów. Tylko że to, co dla badacza przeszłości jest wynikiem pewnych konieczności materialnych, układu stosunków ekonomicznych, politycznych, społecznych lub co najmniej rezultatem pewnych decyzji, powziętych pod naciskiem czynników natury psychologicznej, w ujęciu Słowackiego ukazuje się jako gra sił nadprzyrodzonych, wyznaczających postępowanie i jednostek rządzących, i rządzonego przez nie narodu. Ta podstawowa odmienność stanowisk poetycko-mistycznego i naukowo-racjonalistycznego występuje już w pierwszych oktawach *Króla-Ducha*. Zespół zjawisk z dziejów kultury, którym nauka tłumaczy humanizm w Polsce, a więc nawrót do kultury helleńskiej i przeszczepienie jej składników na pień życia polskiego, słowem zawiły i rozległy proces historyczny, w ujęciu poety-mistyka otrzymuje postać niesamowitego obrazu, opartego na swoistym systemie poglądów i wierzeń uchylających się spod kontroli rozumu. Człowiek rozpoczynający w poemacie uchwytne historycznie dzieje Polski, podaniowy Popiel, jest duchem starożytnego Greka, Hera Armeńczyka, który po spaleniu zwłok na stosie odradza się „gdzieś pod wieśniaczym płotem" w państwie Lecha i tu rozpoczyna swą niezwykłą karierę. Nie pora tu wchodzić w wyjaśnienie takich szczegółów, jak to, że Her-Popiel, „syn wyrżniętych ludów", jest synem Rozy Wenedy; że nazwisko jego wywodzi się z dzieła Platona; że przed nowym wcieleniem traci on „jutrzenek greckich różaną pogodę", a jednak podświadomie zachowuje poczucie jakichś związków z swą pierwotną ojczyzną helleńską. Dość powiedzieć, że szczegóły te wynikają konsekwentnie z całego systemu poglądów Słowackiego na dzieje ludzkości, na miejsce w nich starożytnej Grecji jak i Polski, z poglądów na wzajemny stosunek narodów w przeszłej i przyszłej hierarchii świata, z poglądów wreszcie na stanowisko poezji i poety wśród ludzkości. Dopiero poznanie klucza otwierającego ten system, przemyślany bardzo starannie, choć pełen luk i niedomówień, dziwacznych przesłanek i fantastycznych wniosków, pozwala zrozumieć świat *Króla-Ducha* i wzajemny stosunek składników tego poematu, dostępny tylko dla „wtajemniczonych". Dopiero też wówczas w oktawach poematu odpoznać można dostosowaną do wymagań jego struktury rozległą wiedzę historyczną epoki Lelewela, a więc zarówno stosunki międzynarodowe Polski za pierwszych Piastów, jak stosunki jej wewnętrzne, takie jak walka między chrystianizmem a światem pogańskim, jak zatargi dynastyczne, antagonizmy plemienne i klasowe, charakterystyczne dla państwa średniowiecznego. W całości tej rysują się też bardzo wyraziście „idee przewodnie", które historycy odnajdowali w naszych wczesnych dziejach, takie jak dążenie do stworzenia i wzmocnienia władzy królewskiej, jak obrona przed odwieczną zaborczością niemiecką, jak poczucie wspólnoty świata słowiańskiego. Dzięki tym swoim właściwościom *Król-Duch* budził niejednokrotnie podziw i zachwyt nawet u ludzi, którzy systemu poety nie znali bliżej, a którzy trafnie wyczuwali w nim potężny rozmach ideowy. Typowym przykładem takiego stosunku do ostatniego dzieła Słowackiego mogą być rozważania Norwida (1861).

Nawet jednak bez posiadania wspomnianego klucza filozoficznego w poemacie Słowackiego dostrzegano piękno i wielkość, gdy spoglądało się nań oczyma poetów. Tak stało się w r. 1879, gdy w mroczne wnętrze *Króla-Ducha* usiłował wprowadzić czytelników Adam Asnyk. Wytrawna kultura literacka pozwoliła i jemu, i jego następcom ocenić zarówno niezwykłość postaci literackich, zrodzonych w wyobraźni Słowackiego, jak swoistą atmosferę dzieła, przypominającego pod tym względem jedynie mroki i jasności wizji dantejskiej, jak wreszcie jego wspaniałe ustępy opowiadające, obojętna, czy będzie to relacja o krwawych rządach Popiela, czy baśniowo zabarwiona *Księga legend*, a więc rapsod o Piaście, czy tragiczna opowieść o wyprawach Bolesława Śmiałego.

Wyczulony wreszcie wzrok i słuch wrażliwego na piękno czytelnika dostrzegał zawsze w poemacie Słowackiego nie spotykane, zuchwałe mistrzostwo formy poetyckiej, całe girlandy niepokojących ozdób stylistycznych, niezwykłość porównań i śmiałość przenośni czy wreszcie wdzięk omówień, którymi romantyk bynajmniej nie gardził, a którym umiał odjąć ich erudycyjną sztywność. W dziejach zaś twórczości samego Słowackiego oraz w literaturze romantycznej (a może nawet w twórczości literackiej w ogóle) jest *Król-Duch* wyrazem roszczeń i urojeń skrajnego indywidualizmu, tak wybujałego w czasach romantycznych. Równocześnie sam charakter zadań, które Słowacki usiłował rozwiązać — obok trudności opanowania tworzywa historycznego — sprawił, iż *Król-Duch* musiał pozostać fragmentem, dziełem skazanym z góry na ułomność niewykończenia.

5

Mimo poziomu artystycznego, potężnego rozmachu wyobraźni i głębi myśli, znamiennych dla epiki Słowackiego, najwyższe osiągnięcia jego twórczości leżą w innej dziedzinie, w jego dramaturgii. Jest to zrozumiałe, gdy się zważy, że poeta instynktowo, bezwiednie, idąc za najgłębszymi nakazami swego geniuszu poetyckiego, trzymał się drogi dramatu od początku swej twórczości do samego jej końca; że nawet wówczas, gdy ją porzucał, powracał do niej i na niej szukał ostatecznego ujęcia pomysłów, które powstawały w czasie prac epickich; że w dramaturgii swej ustawicznie podejmował nowe i śmiałe eksperymenty. Słowem, jeśli w całym dorobku pisarskim twórcy *Króla-Ducha* uderza uporczywa konsekwencja, to w postaci najbardziej zdumiewającej dostrzega się ją w jego puściźnie dramatycznej. O konsekwencji tej mówią już same daty. W paryskich tomikach *Poezji* (1832—1833) znalazły się dwie tragedie, *Mindowe* i *Maria Stuart*. W rok później pojawił się wydany bezimiennie *Kordian* (1835), w roku 1839 wyszła *Balladyna*, w roku 1840 *Mazepa* i *Lilla Weneda*, w tece zaś autorskiej pozostały z tych lat *Horsztyński*, *Złota Czaszka* i *Beatryks Cenci*, a wreszcie *Fantazy*; jakby na przekór złośliwym krytykom, twierdzącym, iż nim zdążyli zapoznać się z tymi nowościami, otrzymywali dalsze, w r. 1843 wyszedł *Ksiądz Marek*, w następnym zaś przekład *Księcia Niezłomnego* i *Sen srebrny Salomei*. W rękopisach poety znaleziono wreszcie całą serię fragmentów dramatycznych, wśród nich zaś dwa ogromne utwory, *Zawiszę Czarnego* i *Samuela Zborowskiego*. W rezultacie więc Słowacki ogłosił dziewięć dramatów za życia, drugie tyle zaś co najmniej ukazało się w wydaniach pośmiertnych. Liczby te mają swą wymowę, sam Słowacki bowiem stworzył — ilościowo tylko rzecz biorąc — tyle utworów dramatycznych, ile w ogóle wydali wszyscy jego rówieśni w Polsce epoki romantyzmu. Wymowę tę zaś potęguje szczegół znany, ale tym niemniej osobliwy, głośna prelekcja Mickiewicza usiłująca wyjaśnić, dlaczego literatury słowiańskie nie mogą zdobyć się na dramat. Z odległości stulecia, w świetle cyfr wskazujących, czym dla teatru polskiego stała się puścizna Słowackiego, widać, iż natchniony profesor Collège de France mylił się w swych uwagach, iż nie dostrzegał faktu, że w oczach jego dramat polski się rodził, i to rodził się dzięki Słowackiemu. A jeśli tak, to zrozumiała jest doniosłość dramaturgii twórcy *Kordiana* jako pisarza, który odrabiał wiekowe zaległości, zdobywał pola niedostępne dotychczas zarówno w Polsce, jak w całej Słowiańszczyźnie.

Czynnikami, które Słowackiego skierowały ku dramatowi, były tradycje zarówno literackie, jak swoiste właściwości jego geniuszu pisarskiego, jak wreszcie wymagania epoki. Wszystkie te kategorie zespoliły się nierozdzielnie w postawie twórcy *Balladyny*, mimo to każdą trzeba zająć się oddzielnie, by wyjaśnić charakter twórczości dramaturga polskiego. Wyrósł on tedy w przekonaniu, że dramat, zwłaszcza zaś tragedia, stanowi najwyższe osiągnięcie pisarza. W przekonaniu tym utwierdzał go dalej przykład ojca, autora tragedii o *Mendogu*, który jako *Mindowe* pojawił się w młodzieńczym dramacie synowskim. Do tego spadku po literaturze czasów Oświecenia dołączyły się powszechne poglądy romantyków na znaczenie dramatu, poglądy, których doniosłym źródłem był ogólny podziw dla „starego Willa", Szekspira. Słowacki odczuwał nadto, że sam charakter epoki, wstrząsanej dążnościami rewolucyjnymi, znajdował wyraz najwłaściwszy w dramacie, a więc w tym rodzaju literackim, którego nazwa już wskazuje, iż musi się w nim coś dziać, a nie mówić czy śpiewać jak w epice i liryce. Gdy jednak za przykładem wielkiego dramaturga elżbietańskiego w całej Europie romantycznej poczęto pisać dramaty, to przecież do wyjątków należeli pisarze, którzy twórczo wyzyskać umieli płynące odeń podniety. A do nich właśnie należał Słowacki. Nawiązując do przeszłości w dziedzinie dramatu zorientował się on jednak, że obok Szekspira istniały inne jeszcze tradycje, reprezentowane przez dramat hiszpański w. XVII — i wobec nich również nie pozostał obojętny, lecz wyzyskał je w pracy własnej. Sprawami tymi w nauce polskiej zajmowano się wielokrotnie i dla wyjaśnienia ich ukuto nawet wyraz „bluszczowość", mający znaczyć, iż Słowacki niby bluszcz wokół drzewa osnuwał własne pomysły wokół tego, co znajdował gotowe w literaturze. Wyciągano stąd wnioski nie zawsze dla oryginalności twórcy *Balladyny* korzystne, zapominając, że w ten sposób postępowała większość dramaturgów europejskich z Szekspirem na miejscu naczelnym. Nie dostrzegano też, że dla Słowackiego, któremu losy nie pozwoliły ujrzeć żadnego ze swych dramatów na scenie, jakkolwiek prapremiera *Mazepy* w przekładzie węgierskim odbyła się w Budapeszcie 13 grudnia 1847, wżywanie się w dzieła wielkich poprzedników zastępowało brak bezpośredniego kontaktu z teatrem właśnie, iż w ten sposób uzupełniał on brak własnego doświadczenia teatralnego.

Czynnikiem drugim, tym silniej kontrastującym z tylko co dokonanym stwierdzeniem, był rodzaj uzdolnień twórczych Słowackiego, urodzonego dramaturga. Widać to bardzo wyraźnie tam, gdzie Słowacki najoczywiściej płynął przeciw fali odciągającej go od dramatu w inne sfery prac pisarskich. W jego mianowicie czasach, tak wysoko — jak wiemy — ceniących twórczość dramatyczną, możliwości jej bezwiednie niweczono, usiłując stapiać pierwiastki dramatyczne z innymi, lirycznymi i epickimi. Powstawały w ten sposób „poematy dramatyczne", czyli — mówiąc językiem samego Słowackiego — „romanse dramatyczne". On sam modzie tej oprzeć się nie umiał, stworzył tedy w *Kordianie* „poemat", a w *Śnie srebrnym Salomei* — „romans dramatyczny". Ale w obydwu wypadkach raz po raz nad składnikami lirycznymi czy epickimi bierze górę dramat prawdziwy, występują w nich sceny zbudowane z taką potęgą dramatyczną, iż niejedna z nich budziła uzasadniony podziw jako doskonała miniatura dramatyczna, spełniająca najsurowsze wymagania sztuki scenicznej. Na to samo wskazują znamienne wypadki, gdy Słowacki wątkom wyraźnie epickim, rozpływającym się wskutek nadmiaru pierwiastków składowych w bezkształtną masę, narzucał zdyscyplinowaną formę dramatu. Tak stało się z pomysłem *Beniowskiego*, gdy poeta ogromne materiały przygotowane do tego poematu ujął ostatecznie w dramatach o *Księdzu Marku* i *Śnie srebrnym Salomei*. Podobnie postąpił z rojowiskiem pomysłów filozoficznych przedstawionych w *Genezis z Ducha* i innych traktatach prozą i wierszem. Rozległą próbą systematycznego ich zespolenia z filozofią historii miało stać się ich udramatyzowanie w *Samuelu Zborowskim*. Co prawda – ta deska ratunku zawiodła, czy to że nadmiar nieokreślonych pomysłów musiał rozsadzić wszelkie ramy określonego rodzaju literackiego, czy że choroba tak dalece opanowała siły pisarza, iż na wykonanie zuchwałego zamysłu okazały się niedostateczne.

W zgodzie z naszkicowanymi poprzednio tradycjami Słowacki ujmował najchętniej w kształt dramatyczny obrazy przeszłości, którą pojmował niesłychanie szeroko. Wiemy tedy, że nosił się z pomysłem dramatu z dziejów starożytnego Egiptu; w rękopisach zachował się dramat o śmiałym rewolucjoniście starożytnej Grecji (*Agezylausz*); średniowiecze ruskie doszło do głosu w fragmencie *Z dziejów Wielkiego Nowogrodu*, litewskie zaś – w *Mindowem*; renesans włoski w *Beatryks Cenci*, angielski zaś – w *Marii Stuart*. Poeta, którego wyobraźnia zataczała kręgi tak rozległe, z natury rzeczy musiał również sięgać po tematy z historii Polski. Najlepszym dowodem tej konieczności jest pomysł ogromnego cyklu dramatów osnutych na motywach prehistorycznych, podaniowych, zrealizowanego tylko częściowo (*Balladyna, Lilla Weneda*, ułamkowy *Krakus*). Z kolei wabiło dramaturga średniowiecze i zawiłe stosunki polsko-litewskie (*Zawisza Czarny, Walter Stadion, Konrad Wallenrod*) i w. XVI (*Samuel Zborowski*). Myśli i wyobraźni dramaturga najbliższe jednak były czasy późniejsze – epoka Wazów i kultury barokowej, której przeżytki sarmackie przetrwać miały w głąb w. XVIII i znaleźć wyraz ostatni w ruchu konfederacji barskiej. *Mazepa*, fragmenty *Jana Kazimierza* i *Złotej Czaszki, Ksiądz Marek, Sen srebrny Salomei*, poniekąd *Horsztyński* i fragmentaryczny *Beniowski* oparły się na tej sferze pomysłów. Wśród nich *Horsztyński* stał się równocześnie przejściem do tematów dalszych, łączył bowiem wydarzenie z czasów konfederacji ze sprawą powstania Kościuszki, wprowadzał nowoczesny prąd rewolucyjny jako zagadnienie godne uwagi dramaturga. *Kordian*, dramatyzujący „spisek koronacyjny" i ujmujący w skrócie perspektywicznym całość tragedii powstania listopadowego, a wreszcie *Fantazy* z żywymi pogłosami rosyjskiego powstania „dekabrystów" — oto ostatnie ogniwo w ogromnym łańcuchu obrazów z życia Polski, stanowiących w całości jedyną w swoim rodzaju panoramę dziejową, która obejmuje historię kraju od zamierzchłej jego kolebki po połowę w. XIX.

Ogniwa te, rzucane na papier w ciągu lat kilkunastu bez powziętego z góry planu, wykazują znaczne różnice, mimo to jednak wzięte jako całość tworzą nieoczekiwaną ciągłość, wynikającą z postawy samego dramaturga. Słowacki rozumiał mianowicie i żywo odczuwał dynamizm dziejów, a w twórczości swojej wybierał momenty przełomowe, ukazujące grę potężnych sił dziejowych, które stanowiły o przebiegu wydarzeń historycznych. Tematy takie, jak walka o władzę, jak powstanie państwa polskiego, jak antagonizm między „przedmurzem chrześcijaństwa" a barwnym Wschodem muzułmańskim, jak konflikty między panującym a potęgą możnowładztwa, jak wreszcie zmaganie się rewolucyjne nowych idei z silnymi przeżytkami przeszłości — oto problemy polityczne i społeczne, które przenikała myśl pisarza, a z których wyobraźnia jego tworzyła przejmujące widowiska. Ponieważ — jak się już wspomniało — dramaty Słowackiego powstawały w różnych latach i odbijały poglądy poety, podległe zmianom, wskutek tego pojawiły się w nich różne ujęcia potęg, stanowiących o przebiegu i charakterze wydarzeń historycznych. Stanowiska biegunowo przeciwne dostrzega się w *Balladynie* i *Księdzu Marku*. W tragedii chłopianki znad Gopła, śmiało sięgającej po koronę Popielów, występuje satyryczna nieufność do odwiecznego poglądu, iż Bóg rządzi światem. Namiętność, kaprys, przypadek — zastępują tu tradycyjną wolę bożą. Na odwrót, cały mechanizm świata, ukazany w tragedii o *Księdzu Marku*, na woli tej i na niej tylko się opiera. Uśmiech ariostyczny, czy raczej wolterowski, i stanowisko znane z „żywotów świętych" — oto wspomniane biegunowo różne koncepcje historiozoficzne pisarza, rozświetlające świat dojrzany wzrokiem jego wyobraźni, a zależne od jego różnych postaw twórczych. Być może zresztą, że tradycyjny sarmatyzm, idący zazwyczaj w parze z bigoterią religijną u znacznej części konserwatywnego społeczeństwa, pomścił się na swym pogromcy i wtargnął w obręb jego świadomości, gdy czujny wzrok uległ zamąceniu przez mgłę przeżyć religijnych.

Niezwykłość dramatów Słowackiego polega dalej na tym, że — idąc po szlakach przetartych przez Mickiewicza — twórca *Samuela Zborowskiego* dramatyzował nie sprawy jednostek, lecz losy całego narodu, w dziełach jego bowiem poza sprawami ludzkimi, poza wzlotami i upadkami „bohaterów" stale dostrzega się żywą zbiorowość, której są oni przedstawicielami. Z wyjątkiem *Mazepy* wszystkie inne dramaty Słowackiego są dramatami życia narodowego. Zilustrować to da się najłatwiej na dwu dziełach, stawiających i rozwiązujących problem dla pokolenia Słowackiego tak istotny, zagadnienie powstania listopadowego i przyczyn jego upadku. W *Kordianie* znalazł tedy Słowacki odpowiedź na boleśnie draźliwe pytanie w analizie psychiki pokolenia romantycznego, chorego na hamletowską słabość woli, i w rozdwojeniu myśli politycznej warstw kierujących, którym umiłowanie tradycji monarchistycznych nie pozwoliło wejść na jedynie zbawczą drogę rewolucji. Jak gdyby parodiując powszechnie przyjęty pogląd na kierowniczą rolę Boga w historii, młody dramaturg zastępuje ją wolą Szatana, twórcy kreatur ludzkich, które mają stanowić o toku historii. Jeszcze konsekwentniej i radykalniej stawia sprawę *Lilla Weneda*. Czynniki materialne, energia psychiczna i fizyczna, przekonanie o własnej mocy i wola podboju stanowią o losach narodu, natomiast wiara w cuda, w czynniki magiczne czy religijne, klęskę tylko niesie i niewolę. Drapieżnie wnikliwa analiza charakteru narodowego, przerzucająca doświadczenia listopadowe na odległe wieki powstania państwa polskiego, słabość pokolenia romantycznego wiąże z sarmatyzmem, z zacofaniem kulturalnym i z połączenia tego wysnuwa wnioski o całym przebiegu dziejów Polski. Śmiałe te koncepcje o charakterze z konieczności abstrakcyjnym – pobudzające myśl i związane zazwyczaj z przejawami myśli politycznej po r. 1832 – wyobraźnia poety przyobleka w ciało, wiąże bowiem z losami jednostek i gromad ludzkich, występujących w scenach dramatów, a zadziwiających na wskroś realistycznym i plastycznym ujęciem. Owe abstrakcyjne koncepcje stają się tutaj przekonaniami i poglądami, wyznaczającymi postępowanie ludzkie, i krzyżują się z namiętnościami i pragnieniami, z których rodzą się czyny jednostek i gromad. O realizmie zaś wolno i trzeba tu mówić, obojętne bowiem, czy poeta tworzy ludzi baśniowych, czy historycznych, skoro umie ukazać w nich motywy najzupełniej ludzkie i dla każdego człowieka zrozumiałe. Motywacja pomysłów nawet nierealnych jest wskutek tego w dramatach Słowackiego najzupełniej realistyczna. Ta skłonność ku realistycznemu traktowaniu wytworów własnej wyobraźni, poczucie ich trójwymiarowości scenicznej, widoczne są zarówno w tym, co Słowacki dawał, jak w tym, czego unikał. Typowym przykładem może być tutaj problem miłości, która w świecie poglądów romantycznych zajmowała stale miejsce uprzywilejowane. Słowacki jednak, który w liryce i epice tworzył arcydzieła poezji miłosnej, jako dramaturg wyznaczał miłości miejsce dość skromne. W *Kordianie* więc, gdzie problematyce tej poświęcił akt I, w dalszych nie znalazł dla niej miejsca. Podobnie stało się w *Balladynie* i *Lilli Wenedzie*, a nawet w *Mazepie* wahać się można, czy tragiczna miłość, czy głęboka przyjaźń jest czynnikiem decydującym. A cóż dopiero mówić o satyrze na erotyzm romantyczny w *Fantazym*. Dramaturg z urodzenia, z chwilą gdy poczynał gospodarnie posługiwać się materiałami, z których tworzył swe dzieła, wychodził ponad nałogi i konwencje, epoki, przełamując je w myśl nakazów realizmu teatralnego.

To realistyczne spojrzenie na świat własnych wytworów pozwoliło Słowackiemu zaludnić dramaty ogromną galerią postaci najróżnorodniejszych, od widziadlanych duszków nadgoplańskich, od bojowników o sprawy zamierzchłe po doskonale zaobserwowanych przez lekturę pamiętnikarską „Sarmatów" epoki stanisławowskiej i świetnie podpatrzone figury, z którymi zetknęło go życie. O ich bogactwie wewnętrznym mówią nie tyle „charakterystyki", mozolnie klecone przez całe pokolenia badaczy Słowackiego, ile tradycja teatralna ze wspaniałymi „kreacjami" tego rzędu, co Wojewoda Królikowskiego w *Mazepie*, Horsztyński Kotarbińskiego, Kordian Tarasiewicza, Ksiądz Marek Adwentowicza, Ślaz Osterwy, Fantazy Kreczmara lub Balladyna Siemaszkowej czy Roza Weneda Wysockiej. Gdy otrzymamy kiedyś dzieje teatru polskiego, okaże się, że wielkie role w dramatach Słowackiego miały dla naszych aktorów znaczenie takie samo, jak wielkie role szekspirowskie w dramacie ogólnoeuropejskim.

W dramaturgii Słowackiego zainteresowania psychologiczne, dające w wyniku ową przebogatą galerię potężnych, a przynajmniej niezwykłych postaci ludzkich, równoważą się ze staranną i niemal zawsze dającą doskonałe wyniki troską o jakości ustrojowe, o staranną budowę całości dramatycznej. Poeta, który językiem władał swobodnie jak nikt w Polsce przed nim czy po nim, umiał zakładać tamy powstrzymujące płynność słowa poetyckiego. Wielki liryk nie dopuszczał do nadmiernych wylewów lirycznych, wielki epik panował nad girlandami obrazów w tej nawet odmianie dramatu, w której sam ustrój umożliwiał wprowadzenie „kwestii" sięgających setek wierszy. Stale bowiem i wszędzie przestrzegał podstawowej zasady budowy dramatycznej: wysnuwania sytuacji z sytuacji, konfliktów z konfliktów. Wskutek tego każdy dramat Słowackiego stanowi jednolitą całość, co sprawia, iż czyta się go z zajęciem, a ogląda z niesłabnącym zainteresowaniem.

Pochodzi to z mistrzowskiego rozumienia warunków techniki dramatycznej. Stwierdzić to można choćby w najmniej dramatycznym z dzieł poety, tj. w *Kordianie*. Akt III „spisku koronacyjnego" ma sceny godne długich i owocnych rozważań. Jedna z nich jest osobliwostką jedyną chyba w dramacie europejskim, stanowi ją bowiem jeden wyraz „Przysięgam", wypowiedziany przez cesarza Rosji, Mikołaja I, zaprzysięgającego konstytucję. Jeśli scena ta jest znamiennym przykładem logiki kompozycyjnej, inna, ukazująca Kordiana na warcie u drzwi sypialni carskiej, jest arcydziełem ekspresji dramatycznej. Halucynacje romantycznego Podchorążego, wiodące go do histerii i omdlenia, w dramacie Szekspira lub Corneille'a wyraziłyby się w postaci wstrząsającego, patetycznego monologu. Słowacki, jak gdyby bezwiednie nawiązując do tradycji misteriów średniowiecznych, a równocześnie wyprzedzając pomysły Maeterlincka i innych symbolistów, nadaje przywidzeniom Kordiana postać ludzką, ożywia i uplastycznia alegorie, dzięki czemu osiąga niepospolite efekty wzrokowe i to, co w dramacie dawniejszym byłoby abstrakcją słowną, zmienia w żywy obraz, wstrząsający swą niesamowitą fantastyczną wymową. Równocześnie zaś podłożem tej fantastyki jest realistyczne wyczucie wymagań sceny i wyciągnięcie z nich śmiałych konsekwencji.

6

W tym przeosobliwym pamiętniku osobistym i literackim, jaki Słowacki stworzył w *Beniowskim*, wśród wielu wypowiedzi znaleźć można również niejedno wyznanie o tym, jak poeta spoglądał na własną twórczość, czego po niej oczekiwał, jak sobie wyobrażał jej przyszłość. Do najciekawszych należy niewątpliwie powtórzona za Krasińskim uwaga, że gdyby słowa mogły się stać indywiduami, osobnikami ludzkimi, to jemu właśnie wystawiłyby pomnik z napisem *Patri patriae* — ojcu ojczyzny. W latach późniejszych Słowacki rozwinie całą rozległą naukę o „słowie" i jego doniosłym — jak sądził — znaczeniu w dziejach ludzkości i przede wszystkim Słowiańszczyzny, której sama nazwa, podobnie jak własne nazwisko, wiązała mu się z tym wyrazem. Tak w puściźnie literackiej poety raz po raz dochodziło do głosu poczucie własnej odrębności i niezrównanego mistrzostwa wielkiego artysty słowa — poczucie naturalne u człowieka, który przede wszystkim był pisarzem. Tę jego właściwość docenili również potomni, ci nawet, którzy nie umieli uchwycić, na czym polegała wielkość Słowackiego jako nowatora i rewolucjonisty, bo rewolucyjne poglądy dzieliły ich właśnie od niego. Ale i oni godzili się, że był

jednym z największych wirtuozów słowa poetyckiego. Brak do
dziś dnia odpowiedzi na pytanie, na czym to mistrzostwo po-
legało, nie może zbytnio dziwić, gdy się zważy ogrom twórczości
Słowackiego, która z istoty rzeczy występować musiała pod różnymi postaciami artyzmu i wykazywała znaczną rozpiętość środków wyrazu, od najbardziej wyszukanych po najprostsze. Wskutek tego próby opisu artyzmu Słowackiego, ilościowo bardzo ską-
pe, grzeszyły jednostronnością, skupiały uwagę na jego właściwo-
ściach bardzo wybitnych, ale nie jedynych.
      Gdy zaś całość jego dzieła usiłuje się ująć w rysach jej naj-
znamienniejszych, spotyka się wiele niespodzianek. Pierwszą z nich
jest sprawa słownictwa. Romantycy dbali niezmiernie o „barwę
miejscową" swych utworów i osiągali ją przez stosowanie obfitych
zasobów wyrazowych o charakterze narzeczowym lub nawet gwa-
rowym. Słowacki natomiast rzadko przekraczał granice języka
literackiego używanego w środowisku, z którego wyszedł. Przy-
miotnik „literacki" ma tu zastosowanie tym właściwsze, że język
poety od początku do końca jego działalności pisarskiej wyka-
zywał pewien nalot książkowy, normalny w mowie potocznej ludzi
rozmiłowanych w lekturze i chętnie się do niej odwołujących.
Toteż w wypowiedziach poetyckich Słowackiego uderza znaczna
przymieszka wyrazów obcych, zrozumiałych jedynie dla odbiorcy
bardzo oczytanego, mogącego zrozumieć sens życzenia: „Niech
przyjaciele moi w nocy się zgromadzą I biedne serce moje spalą
w aloesie", czy nawet: „Ty będziesz widział moje białe kości
w straż nie oddane kolumnowym czołom", trudno przecież na
pierwszy rzut oka przypomnieć sobie egipski obyczaj zawijania
serca zmarłych w liście aloesu czy odgadnąć, że „kolumnowe
czoła" stanowią odpowiednik „kapiteli". Zjawisko to szczególnie
wyraźnie obserwować można w *Beniowskim*, gdzie poeta celowo,
dla efektów komicznych, ale nie dla nich tylko, wplatał w tok
wypowiedzi własnych oddzielne wyrazy, a nawet całe zwroty
obce, angielskie, rosyjskie czy włoskie. Rzecz jasna, że nagroma-
dzenie zasobów słownikowych niepolskich wystąpić musiało w stylizacjach. Najsilniej zaznaczyło się to w dramatach barskich,
w których jedne osoby przemawiają z ukraińska, inne natomiast
zawzięcie makaronizują, stosując całe powiedzenia przykrojone
na ład łaciński. W dramatach tych pojawia się również sporo
archaizmów, którym w języku Słowackiego należy się osobna
wzmianka.
      Autor *Anhellego* w dwudziestym trzecim roku życia znalazł
się w środowisku językowym obcym i rychło począł odczuwać
to, co wyraził w słowach wygnańca syberyjskiego: „oto język

mój rodzinny i mowa ludzka zostanie we mnie jak harfa z porwanymi strunami". Lekarstwa na to szukał w obcowaniu z postaciami przeszłości, z Janem i Piotrem Kochanowskimi. Rozczytywanie się w nich groziło emigrantowi bezwiednym zabrnięciem w język staropolski, w archaizmy. Rzecz ciekawa, że niebezpieczeństwa tego Słowacki uniknął, że w jego niestylizowanych wypowiedziach archaizmów jest bardzo mało, a i te, które są, nie odbijają od swego otocza językowego. Podobnie ma się sprawa z neologizmami, którymi grzeszyło tylu rówieśników Słowackiego, zwłaszcza Krasiński i Norwid. Co niezwyklejsze, Słowacki posiadał niepospolite zdolności słowotwórcze, dowiódł tego zwłaszcza w *Królu-Duchu*, ale nigdy ich nie nadużywał i wyrazom przez siebie ukutym umiał nadawać postać naturalną, niemal pospolitą. Przykładem tego wymownym może być wiersz do matki: „Przebaczże mu, o moja ty piastunko droga, że się tak zaprzepaścił i tak zaczeluścił". Przez analogię do stosunku między „przepaść" i „zaprzepaścić" poeta od „czeluść" urobił tutaj „zaczeluścić" – ale w układzie tym nowotwór nie robi wrażenia sztuczności, tłumaczy się jasno jako wyraz potęgujący wymowę całego zdania.

Utrzymując się w ramach słownictwa języka literackiego Słowacki wyrazistość jego potęgował przy pomocy mnóstwa środków, z których dwa zasługują na bliższe przyjrzenie się. Jednym z nich było zastępowanie pospolitych imiesłowów pokrewnymi im przymiotnikami: „Widziałem lotne w powietrzu bociany Długim szeregiem" stanowi dobry przykład tej metody; zastąpienie wyrazu „lecące" wyrazem „lotne" nadaje wyrażeniu znamię pewnej, lekkiej zresztą, niezwykłości, podnosi nią jego ton poetycki. Dawno już zwrócono uwagę na inny zabieg podobnego rodzaju, mianowicie na zastępowanie przymiotników: biały, żółty, czerwony, zielony – ich odpowiednikami mineralogicznymi: srebrny, złoty, rubinowy, szmaragdowy, w których dana barwa ma postać daleko intensywniejszą, połączoną z blaskiem, a które równocześnie mają swoistą wartość uczuciową. Do tego dorzucić warto, że obok „złoty" równie obficie pojawia się „bursztynowy", odpowiednikiem zaś „czerwonego" bywa „rumiany" (krew rumiana), wywodzący się ze staropolszczyzny. Ten sam cel spotęgowania wyrazistości języka Słowacki osiągał przez pomysłowe stosowanie wulgaryzmów, wyrazów pospolitych, brukowych, zwłaszcza gdy chodziło o efekty komiczne. Poeta, w wypowiedziach swoich wręcz wytworny, nie gardził „mocnymi" wyrazami nie tylko w stylizacjach, ale również tam, gdzie mówił od siebie, jak w epigramie: „Małą jest wadą strój modny nowy, Lecz gdyby ujrzał cud Mojżeszowy, Myślałby o tym modniś zalękły, Że − gdyby ukłąkł − portki by pękły".

Niespodzianki pewne kryje również składnia Słowackiego. Na ogół nie odbiega ona od składni potocznej, uregulowanej przez przepisy gramatyki szkolnej − z wyjątkiem wypadków bardzo istotnych. Epik i dramaturg, umiejący równie świetnie opowiadać, jak przemawiać ustami postaci dramatycznych, i w liryce, i w innych rodzajach literackich wykazuje wyraźne upodobanie do składni retorycznej i jej efektów doprowadzonych do mistrzostwa przez poezję w XVIII w. Przede wszystkim tedy spotyka się u Słowackiego ogromną ilość zdań wykrzyknikowych i ich odpowiedników, zdań pozornie pytajnych. Utwory liryczne tak od siebie odległe, jak *Smutno mi, Boże, Testament mój, Grób Agamemnona, Tak mi, Boże, dopomóż, O nieszczęśliwa! o! uciemiężona*, poddane analizie składniowej, okazują się energicznymi apelami, bezpośrednimi lub pośrednimi, podobnie zresztą jak cały *Beniowski*, a poniekąd i cały *Król-Duch*. Obok jednak tej właściwości, raczej formalnej, składnia Słowackiego okazuje się w czym innym jeszcze dziedziczką osiemnastowiecznej tradycji stylistycznej. Poeci owej epoki wetowali sobie ograniczenie słownikowe środków wyrazu przez wyzyskiwanie ich wartości znaczeniowych; lubowali się w budowaniu wyrazistych kontrastów. Właściwość tę Słowacki przyswoił sobie i doprowadził do mistrzostwa, o którym pokoleniu Krasickiego ani się śniło. „Bądź zdrów − a tak się żegnają nie wrogi, Lecz dwa na słońcach swych przeciwnych Bogi" − „Aż was, zjadacze chleba, w aniołów przerobi" − „Jak dziś wielki − gdy wracasz tu niczem" − „Albo dzieckiem być musi, lub na serce chory" − oto kilka typowych, powszechnie znanych przykładów. Góruje nad nimi i inny. Załgany wewnętrznie wytworniś romantyczny, odebrawszy dotkliwe cięgi w rozmowie z pełną szlachetności panną, przygodę swą wyraża krótko i węzłowato: „Duchowi memu dała w pysk − i poszła". Zdanie to, jedno z najwspanialszych, na jakie zdobyła się literatura świata, ma swą osobliwą wymowę, gdy się zważy, że wyszło ono spod pióra, które rychło miało rzucić na papier *Genezis z Ducha* i *Króla-Ducha*, pisarza, dla którego wyraz „duch" miał swoiste, uświęcone znaczenie! Wypowiedź Fantazego świadczy wyraźnie zarówno o poczuciu realizmu, o rozumieniu nawyków i manier życiowych, właściwych pewnym układom i okresom kulturowym, jak o wrażliwości na efekty stylowe osiągane przez zastosowanie zwięzłego kontrastu jako klamry, zamykającej całe długie łańcuchy zdań.

Jeśli przedstawione dotąd środki wyrazu artystycznego, spotykane w poezji Słowackiego, nie odbiegały – z wyjątkiem ostatnich – nadmiernie od języka potocznego, to dziedziną, w której język poety odciął się stanowczo nie tylko od mowy zwykłych śmiertelników, ale również od języka poezji romantycznej, stała się kraina obrazu słownego, a więc tych zabiegów stylistycznych, którymi język poezji różni się od prozy, przekształca się w „mowę bogów". Z tego stanowiska szczególnie znamienne są trzy kategorie obrazów słownych, porównanie, przenośnia i zamiennia, a więc kategorie najpospolitsze.

Porównania Słowackiego są ozdobnikami wyrazistymi, ale dyskretnymi, bo pełnymi naturalności. „Imię moje tak przeszło jako błyskawica I będzie jak dźwięk pusty trwać przez pokolenia", „zniknęła jak sen jaki złoty". „Jak puste kłosy z podniesioną głową Stoję", „Żem był jak pielgrzym, co się w drodze trudzi Przy blaskach gromu" – oto typ ich najzwyklejszy, przy tym znamienną ich właściwością jest położenie nacisku na drugim ich członie, rozbudowanym szerzej i stanowiącym o istotnej wartości tego zabiegu stylistycznego. Przy takim sposobie ich stosowania nie dziwiłaby predylekcja poety do porównań homeryckich, odznaczających się właśnie rozbudowanym członem drugim. Istotnie też są one u Słowackiego bardzo częste, zarówno komiczne, jak poważne. „Małżeństwo jest jak czereśnie: Wprzódy je wróble oskubią złodzieje, A potem człowiek zjada nadgryzione" – oto przykład rodzaju pierwszego. Odmianę poważną ilustruje znane porównanie Mickiewicza do boga litewskiego pojawiającego się wśród mrocznych sosen na odwiecznym cmentarzysku. Opis skrzydła orlego, którym Popiel zdobi swój hełm, jest przykładem bogactwa nagromadzonych porównań, obliczonych na wytworzenie nastroju posępnej grozy:

Skrzydła sterczały z piasku takiej miary,
Że gdym na dzidę wziął i podniósł w górę
    Jedno... To jako wielki upiór szary
Wierzchem o ciemną kity mej purpurę
    Dostało – wstając leniwe z moczary:
Niby wyzwany czarodziejstwem runów
Duch śpiący w błocie przy blasku piorunów.

W ten sposób porównania wytwarzają w poematach Słowackiego ich zabarwienie, a przynajmniej potęgują je, narzucają je wyobraźni czytelnika. Tam zwłaszcza, gdzie poeta używa ich masowo, jak w *Beniowskim* czy w dramatach, gdzie demonstrują one całe bogactwo jego wyobraźni.

Najbardziej jednak ulubionym środkiem wypowiedzi Słowackiego jest przede wszystkim przenośnia, odtwarzająca normalny sposób jego widzenia, słyszenia czy nawet myślenia poetyckiego w ogóle. I jeśli słuszne jest upatrywanie w poezji obrazowości jako cechy jej podstawowej, to właśnie twórczość Słowackiego jest tego przykładem najbardziej typowym:

Idź nad strumienie, gdzie wianki koralów
    Na twoje włosy kładła jarzębina;
Tam siądź i słuchaj tego wichru żalów,
    Które daleka odnosi kraina;
I w pieśń się patrzaj tę — co jest z opalów,
    A więcej kocha ludzi, niż przeklina.

Słowem — pierwsza z brzegu zwrotka *Beniowskiego* ukazuje tę właściwość bardzo wyraźnie — „wianki koralów" bowiem, „kładła jarzębina", „wichru żale", „odnosi kraina", „w pieśń patrzaj", pieśń „z opalów", kochająca i przeklinająca — wszystko to są takie czy inne pierwiastki metaforyczne, których całość mieni się blaskami prawdziwej poezji. Bardzo często metaforyka poety wprowadza mnóstwo skrótów myślowych, obliczonych na bystrość czytelnika, który winien z wiersza wyczytać to, co poeta pragnął w nim wyrazić.

Klasycznym przykładem tej metody może być sławna zwrotka *Grobu Agamemnona*, gdzie składniki polskie i greckie, zuchwale ze sobą przemieszane, dają zagadkowy obraz o wstrząsającej wymowie:

Na Termopilach, bez złotego pasa,
Bez czerwonego leży trup kontusza,
Ale jest nagi trup Leonidasa,
Jest w marmurowych kształtach piękna dusza;

Przenośnia krzyżuje się tu z zamiennią, obrazem słownym, którego u romantyka by się nie oczekiwało. A jednak zamiennia występuje nie tylko w poezjach młodzieńczych, w których osad klasycyzmu, w zamienni właśnie gustującego, byłby zjawiskiem normalnym, ale również w *Królu-Duchu*. Oto obraz gniewnego Lecha odrzucającego czerwony, haftowany płaszcz na widok skrzydlatego Popiela:

Karmazyn, który świat od króla dzieli,
    Cały się w gwiazdy rozleciał i w kwiaty;
Pokazał się król w odblaskach rubinu —
Spojrzał — i berło upuścił z bursztynu.

Widziałem: jako Laskawość pogodna,
Jaskółka siwych włosów, Dobroć cicha,
Znikła. A nagle twarz trupia i chłodna
Zmroziła mię tak, żem stał na kształt mnicha.

Co osobliwsza, Słowacki nie stronił nawet od uczonego omówienia, od klasycystycznej peryfrazy, którą zastępowano suchość rzeczowego wyliczenia dat, nazw czy nazwisk. Popisowym przykładem są tu refleksje poety na widok Parnasu, z którym wyobrażenia greckie wiązały poezję, a któremu młody romantyk składa hołd w imieniu swych poprzedników, Kochanowskiego, Krasickiego, Trembeckiego i własnego ojca:

O romantyczna muzo, na kolana!
Bo ja ukłony mam tu dla tej góry
Od lipy wonnej klasycznego Jana
I od śpiewaka dzieci i tonsury,
I od śpiewaka Potockich ogrójca,
I cichy... łzawy pokłon mego ojca.

W wypadku tym można oczywiście mówić o świadomej stylizacji – chodzi wszak o odtworzenie sposobu wyrażania się klasycystów – ale od peryfraz roi się również w *Beniowskim*, by odwołać się choćby tylko do charakterystyki własnych utworów, *Anhellego, Lilli Wenedy* i *Kordiana*.

Niezwykłość jednak Słowackiego, jak każdego prawdziwego poety, polega nie na tym, że myślał obrazowo i że zgrabnie tworzył mnóstwo porównań, przenośni, zamienni, omówień i innych ozdób stylistycznych, lecz na tym, że składniki te łączył i wiązał w układy tchnące czarem poezji – zarówno tam, gdzie chodziło o przeróżne efekty komiczne czy tragiczne, jak i tam, gdzie szło o barwną opowieść czy o przejmujące wyznanie liryczne. Olśniewając przepychem obrazów, umiał równocześnie mówić „prosto i z krzykiem", a nawet prosto i cicho, tak jednak, że cichość ta wywołuje przejmujące wrażenie.

Czynnikiem, który wezbraną falę obrazów poetyckich, płynącą łożyskiem języka literackiego, porządkował i harmonizował, był rytm poetyki Słowackiego. Pisarz bowiem, po mistrzowsku władający prozą, zarówno melodyjną, poetycką, jak prostą, konwersacyjną czy opowiadającą, był przede wszystkim poetą, któremu słowa układały się automatycznie w szeregi rytmiczne, zwykle zaznaczone rymami, jakkolwiek i wiersz biały nie był u niego rzadkością. I znowuż rzut oka na rytmikę Słowackiego przynosi niejedną niespodziankę. Wirtuoz, który niemal fizycznie obcował z ulubionymi mu układami rytmicznymi, przenosił postaci ich

pospolite nad wyszukane osobliwości. Jego miarami ulubionymi
były tradycyjne jedenastozgłoskowce i trzynastozgłoskowce, zwrot-
kami zaś sekstyna i przede wszystkim oktawa, znana z *Beniowskiego* i *Króla-Ducha*. Nie obyło się wprawdzie i tu bez najrozmaitszych eksperymentów, na ogół jednak Słowacki wolał urozmai-
cać tok wierszowy elementami słownikowymi i składniowymi aniżeli czysto rytmicznymi. W sposób niezrównany mianowicie posłu-
giwał się dla tych celów rymami, których zasobnością przewyższył
zarówno swych poprzedników, jak i swych spadkobierców, „dzie-
dziców lutni". Sam sobie z tych zdolności posługiwania się rymem
dworował, gdy w dramacie o *Krakusie* wprowadził swego baśnio-
wego protoplastę:

                         jaka jest w acanu
Organizacja, że zawsze na język
Przychodzą — diabeł wie skąd — dwa wyrazy
Podobne sobie jak dwie małpy.

Ich bogactwo i rozmaitość, celowo i z uśmiechem ukazane
przede wszystkim w *Beniowskim*, gdzie niejednokrotnie służyły do
wyniesienia nad strumień rytmiczny pierwiastków znaczeniowych,
sprawiły — łącznie z melodyjną płynnością wiersza, iż o Słowackim powstało wyobrażenie jako o niezrównanym wirtuozie słowa,
jako o nieprześcignionym mistrzu formy poetyckiej. Jak jednak
poeta daleki był od zachwytów nad samą formą, jak dalece
uzależniał ją od wyrażanej przez nią treści, dowiódł w wysoce
wnikliwej krytyce poezji Zaleskiego, któremu przeciwstawiał rze-
czowość techniki pisarskiej Mickiewicza, przede wszystkim zaś we
własnej puściźnie, w której forma była zawsze staranną szatą
cennej zawartości.

7

Z niezwykłości i wielkości poezji Słowackiego poczęto u nas
zdawać sobie sprawę już za życia poety, co najmniej od poja-
wienia się *Beniowskiego*. Nie znano jednak wówczas ani całego
dorobku pisarza, ani też nie orientowano się w tych rozległych
horyzontach, które w poezji swej zakreślał. Chwytano raczej jej
okruchy, docierające zresztą w sposób nieoczekiwany bardzo daleko, jak dowodzi egzemplarz *Kordiana*, który znalazł się w bibliotece Puszkina. Dopiero jednak po śmierci Słowackiego sława jego
poczęła rozrastać się z rzadko spotykaną siłą, by szczyt najwyższy
osiągnąć u schyłku wieku i w początkach następnego, około

r. 1909, gdy stulecie urodzin poety spopularyzowało szeroko jego życie i twórczość. Pogłosem tych spraw stało się w lat kilkanaście później przeniesienie z cmentarza paryskiego prochów Słowackiego i pogrzebanie ich w podziemiach Wawelu. Stąd też najogólniejszym zarysem dziejów tej sławy niezwykłej zakończyć trzeba nakreślony tutaj, ogólnikowy wizerunek poety.

Szerzyli ją w pierwszym rzędzie ludzie na piękno słowa najwrażliwsi, a więc poeci, którzy poczynając od Z. Krasińskiego podziwiali w Słowackim niezrównanego wirtuoza. Podziw ich szedł wyraźnie w dwu kierunkach, które w świetle dotychczasowej wiedzy o Słowackim rysują się zupełnie wyraźnie. Z jednej więc strony poświęcono wielkiemu romantykowi tyle utworów rymowanych, iż w stulecie jego śmierci można z nich było sporządzić okazałą antologię. Równocześnie poeci wychowywani na lekturze Słowackiego, a więc młodsi romantycy i ich późniejsi dziedzice, wsłuchani w melodyjność jego wierszy, kroczyli jego torem, powtarzając mniej lub więcej samodzielnie jego motywy, rozwijając jego pomysły, niekiedy naśladując go bezceremonialnie. Rzecz oczywista, że utwory jego najpopularniejsze dostarczały bodźców najwięcej. Sporo materiałów, ilustrujących oddziaływanie autora *Smutno mi, Boże* na całe pokolenia wychowanych pod jego wpływem poetów, zebrał F. Hoesick w rozprawie *Siła fatalna poezji Słowackiego* (1921); wykazano tu jej pogłosy u K. Ujejskiego, C. Norwida, W. Syrokomli, A. Asnyka, M. Konopnickiej, K. Tetmajera, S. Wyspiańskiego i wielu, wielu innych, zaznaczono również jej echa w prozie polskiej, w powieściach i nowelach H. Sienkiewicza. Dokładne zbadanie tej sprawy wymagałoby okazałego tomu, jego wynik zaś przewidzieć już teraz łatwo. Jeśli Krasiński po śmierci Mickiewicza powiedział o nim: „My z niego wszyscy", o poezji polskiej w stuleciu, które nas od śmierci Mickiewicza i Słowackiego dzieli, rzec można: „Ona z nich wszystka".

W kulcie poety rolę niepoślednią odegrali również przedstawiciele sztuk plastycznych i muzyki. Dzieła Słowackiego znajdowały chętnych ilustratorów, przy czym – co najosobliwsze – szereg ich rozpoczyna A. Grottger swą „Córką Popiela" z *Księgi legend* w *Królu-Duchu*. Z prac w tej dziedzinie późniejszych na czoło wysunęły się ilustracje do *Lilli Wenedy* E. M. Andriollego oraz płótna W. Pruszkowskiego i J. Malczewskiego, natchnione przez lekturę *Anhellego*. Tutaj też niewątpliwie należy *Wernyhora* J. Matejki, w całym ujęciu oparty na pomysłach spotykanych w *Beniowskim*. Z kompozycji muzycznych, których sporą ilość zestawił A. Chybiński w studium *J. Słowacki w muzyce*, wystarczy wymienić jedną z niewielu prób stworzenia rodzimej opery, tj.

Goplanę W. Żeleńskiego, opartą na *Balladynie*, oraz M. Karłowicza ilustrację do urywku *W Szwajcarii*.

Rzecz jednak znamienna, iż popularność Słowackiego, tak rozległa i głęboka w Polsce, rzadko tylko wykraczała poza jej granice. W przeciwieństwie do Mickiewicza, którego tylokrotnie tłumaczono na gorąco, bezpośrednio po ukazywaniu się jego utworów, dzieła Słowackiego długo czekać musiały na przekłady. O ile w tej dziedzinie orientować się można, tłumaczenia godne oryginału poczęły ukazywać się w w. XX w czasach panowania symbolizmu, wśród którego przedstawicieli znaleźli się poeci rozmiłowani w twórczości wielkiego romantyka. Pozostawało to niewątpliwie w związku z „odkryciem" Słowackiego w Polsce, o czym niżej, że zaś tak było, dowodzi okoliczność, że tłumacze z upodobaniem porywali się na dzieła naszego poety najtrudniejsze. Niemal równocześnie ukazały się tedy przekłady *Anhellego*, włoski Pavoliniego i angielski G. R. Noyesa, oraz przekłady *Króla-Ducha*, rosyjski K. Balmonta i czeski A. Černego. Skoro zaś o nich mowa, dodać warto, że ostatnią nowością w tym zakresie jest piękny przekład poematu *Do autora Trzech psalmów* w książce polonisty praskiego, K. Krejčego, o *Wiośnie ludów* (1948); wybitny ten uczony równie pięknymi urywkami przekładów ozdobił swą książeczkę *Julius Słowacki polský básnik a revolucionář*, jedyny znaczniejszy hołd poza Polską złożony pamięci wielkiego dramaturga w stulecie jego zgonu.

Kult poety wśród obcych związany był ściśle ze stanem wiedzy o Słowackim w jego własnej ojczyźnie. Dzieje zaś tej wiedzy nie są wolne od osobliwości nieraz wprost dziwacznych. W mieszkaniu samotnika paryskiego pozostała bowiem puścizna rękopiśmienna, ilościowo znacznie bogatsza od jego dorobku poetyckiego, ogłoszonego drukiem, i już wskutek tego konieczna dla wyrobienia sobie pojęcia o twórczości Słowackiego. Udostępnienie jej jednak wymagało ogromnej pracy, której w granicach stulecia niepodobna było wykonać. Pierwszy stanął do niej wielbiciel i znawca poety, profesor lwowski Antoni Małecki, wydając *Pisma pośmiertne J. Słowackiego* (1866), w których zawarł jednak część tylko materiałów otrzymanych od rodziny poety. Wydania częściowe H. Biegeleisena, J. H. Rychtera, L. Méyeta przygotowały pojawienie się pierwszych większych prób poprawnego udostępnienia całego Słowackiego miłośnikom jego poezji. W r. 1908 wyszły tedy *Pisma...* w układzie A. Górskiego (7 tomów), w stulecie zaś urodzin poety *Dzieła, pierwsze krytyczne wydanie zbiorowe*, opracowane bardzo starannie przez B. Gubrynowicza i W. Hahna (10 tomów 1909). W piętnaście lat później J. Kleiner rozpoczął wzorowe wydanie *Dzieł wszystkich* (1924), przerwane przez drugą wojnę światową. Obok nich wymienić należy takie arcydzieła sztuki edytorskiej, jak *Genezis z Ducha* w opracowaniu W. Lutosławskiego, jak *Król-Duch* wydany przez J. G. i M. Pawlikowskich (1925), jak wreszcie *Beniowski* opracowany przez J. Kleinera (1923).

Wieloletnie wysiłki wydawnicze, z których tutaj wymieniono tylko rzeczy najwybitniejsze, szły w parze z wytężoną pracą badawczą, zmierzającą zarówno do uzyskania poprawnych tekstów dzieł i arcydzieł Słowackiego, jak do poznania kolei jego żywota, jak wreszcie do zdobycia jasnej orientacji w labiryntach jego twórczości. Studia dwu kategorii ostatnich, idące w tysiące pozycji, były znowuż przygotowaniem do wizerunków syntetycznych poety, usiłujących pokazać i człowieka, i pisarza. Wyjątek wśród nich stanowiło tylko dzieło, które z miejsca wywalczyło Słowackiemu jedno z czołowych miejsc w dziejach poezji polskiej, mianowicie książka Antoniego Małeckiego *Juliusz Słowacki, jego życie i dzieła w stosunku do współczesnej epoki* (1866 – 1867), oparte na znajomości rękopisów poety, na jego korespondencji z matką, bardzo obficie w książce wyzyskanej. Małecki jednak główny nacisk położył na drukowanej puściźnie Słowackiego, w rękopiśmiennej zaś orientował się daleko gorzej, po prostu nie miał klucza do niej ani myślowego, ani uczuciowego. Rzetelny filolog-klasyk czuł się bezradnie na manowcach myśli i wyobraźni Słowackiego, zwłaszcza w końcowym okresie twórczości poety.

Zmieniło się to, gdy na przełomie w. XIX i XX w zbiorowym życiu polskim wystąpił rozległy splot najróżniejszych czynników, zbliżających nowe pokolenie odbiorców do wielkiego poety. Przede wszystkim więc spotężniał radykalizm polityczno-społeczny, dzięki czemu rewolucjonizm Słowackiego nie tylko przestał być barierą między poetą a czytelnikiem, ale wręcz przeciwnie, kazał w twórcy *Kordiana* widzieć zwiastuna nowych czasów. Czynnikiem drugim, literackim, było upodobanie w pomysłach romantycznych, znamienne dla początku w. XX.

Ta nowa atmosfera umożliwiła też pojawienie się nowej monografii o „Historii ducha poety i jej odbiciu w poezji", jak brzmiał podtytuł głośnej książki J. Tretiaka o Juliuszu Słowackim (1904). Monografia stała się skandalicznym wydarzeniem dnia, wywołała mnóstwo protestów, Tretiak bowiem wobec życia Słowackiego, wobec jego pozy romantycznej i romantycznej przesady zajął stanowisko niemal paszkwilanta. Równocześnie jednak podbity – wbrew własnym zamiarom – przez czar poezji Słowackiego, pierwszy otworzył podwoje jego twórczości z okresu „łuny

przedzgonnej", ukazał jej niezwykłą wielkość i pozwolił ją nie
tylko odczuwać, ale i rozumieć. Tym samym jednak utorował
drogę pracy przedstawicielowi pokolenia, które namiętnie burzyło
się przeciw „historii ducha" jako zamachowi na powszechnie
uznaną świętość narodową. *Juliusz Słowacki, dzieje twórczości*, pięcio-
tomowa monografia J. Kleinera (1919 – 1927) pozostawiła w tyle
to wszystko, co przed nią się o Słowackim wiedziało, autor jej
bowiem nie tylko krytycznie sprawdził cały dorobek swych poprzedników, ale własnymi dociekaniami dorzucił doń drugie tyle.
Były to bowiem czasy, w których wytwory fantazji przenoszono
nad wyniki obserwacji, lubowano się w snach o potędze, której
nie umiano wydobywać z otaczającej rzeczywistości, a marzenie
o życiu tajemniczo pięknym przenoszono nad życia rozumienie
i tworzenie. Dlatego pokolenie to widziało w Słowackim „Króla-
-Ducha", genialnego marzyciela-mistyka, odwróconego od świata,
by tonąć w niesamowitych mrokach rojeń, nie dostrzegało zaś
tego, który mimo wszystko „twardo" i „jasno" stał w życiu
i promieniował ideami rewolucyjnymi. Spodziewać się wolno, że
wydanie jego puścizny, wprowadzające tysiące nowych czytelników Polski Ludowej w świat myśli i wyobraźni wielkiego poety-
rewolucjonisty, tępiciela przeżytków, „jak żuraw z wyciągniętą
szyją" lecącego w przyszłość, doprowadzi do nowego spojrzenia
na to wielkie zjawisko, któremu na imię Słowacki.

Warszawa 1949

8

Zdanie poprzednie, mające zamknąć wstęp do wydania jubi-
leuszowego *Dzieł* w r. 1949, wydrukowany dopiero w dziesięć
lat później, było podówczas pobożnym życzeniem, z perspektywy
więc ćwierćwiecza warto pokusić się o próbę odpowiedzi, jak
życzenie to z odległości lat, które nas od niego dzielą, wygląda.
Odpowiedź ta równocześnie winna rzucić światło na miejsce
twórcy *Anhellego* w kulturze Polski Ludowej.

Odpowiedź tę przynosi bibliografia, świadcząca, iż w dobie-
gającym końca ćwierćwieczu Ossolineum rzuciło na rynek księgar-
ski trzy wydania *Dzieł* (1949, 1952, 1959) w 70 000 egzemplarzy oraz siedemnastotomowe *Dzieła wszystkie* w nakładzie 10 000
egzemplarzy. Jeśli do tego dodamy pierwsze naukowe wydanie
korespondencji Słowackiego opracowane przez E. Sawrymowicza
(1962 – 1963), kilkakrotnie wznawiany wybór jego dzieł sporządzony przez Państwowy Instytut Wydawniczy i inne wznowie-
nia popularne, następnie okazały tom *W kręgu bliskich poety. Listy*

rodziny Juliusza Słowackiego (1960), cały wymieniony tu dorobek świadczy bardzo korzystnie o poczytności wielkiego poety w Polsce dzisiejszej.

Do tego dochodzi seria prac innych, dokumentarnych, studiów poświęconych badaniu jego życia i twórczości. Na czele tej grupy występuje ogromny, bo około 800 stronic liczący *Kalendarz życia i twórczości Juliusza Słowackiego* (1960) sporządzony przez E. Sawrymowicza przy udziale jego wychowanków S. Makowskiego i Z. Sudolskiego. Jest to znakomity przewodnik po świecie poety, sumujący krytycznie całą dotychczasową wiedzę o nim, bogato dokumentowaną cytatami z najrozmaitszych trudno dostępnych źródeł, zwłaszcza z prasy polskiej ukazującej się na owoczesnej emigracji, wystudiowanej przez autora *Kalendarza* w bibliotekach Paryża, Genewy i Rzymu. Szczególnie cenne są dociekania Sawrymowicza dotyczące zagadkowych wierszy politycznych Słowackiego, nad którymi biedzili się wydawcy jego liryki, usiłujący ustalać daty owych wierszy i ich stosunek do wydarzeń epoki. Dopełnienie *Kalendarza* stanowią dwa okazałe tomy, mianowicie zbiór blisko czterech setek dokumentów ukazujących *Sądy współczesnych o twórczości Słowackiego (1826—1862)*, opracowany przez wrocławskich miłośników poety B. Zakrzewskiego, K. Pecolda i A. Ciemnoczołowskiego (1963). Analogiczną pracę wykonali wspomniani poprzednio uczniowie Sawrymowicza w „Szkicach i materiałach" zatytułowanych *W kręgu rodziny i przyjaciół Słowackiego* (1967), stanowiących bezcenny komentarz do jego korespondencji.

Pracom wymienionym wtórują dwa tomy jubileuszowe, londyński (1951) i warszawski (1959), oba o tym samym tytule *Juliusz Słowacki*, pierwszy nazwany „Księgą zbiorową w stulecie zgonu", drugi „W sto pięćdziesięciolecie urodzin". Zbiór londyński przynosi prace 25 autorów polskich i obcych, dzisiaj w połowie nie żyjących, warszawski „Materiały i szkice" 20 badaczy krajowych; w sumie oba tomy zawierają – jak zawsze w wydawnictwach jubileuszowych – obok studiów błahych rozważania cenne, nieraz wręcz rewelacyjne, dowodzące, iż Słowacki ma w Polsce i świecie nie tylko wielbicieli, ale również świetnych znawców.

Przegląd ten obejmuje wreszcie trzy pozycje nowatorskie, zasługujące na specjalną uwagę, mianowicie monografie indywidualnych dzieł. Dwie z nich poświęcono *Balladynie*, jedną *Kordianowi*. Najwcześniejsza z nich pióra W. Kubackiego (1955) obok wywodów słusznych zawiera mnóstwo nieporozumień; widać je zupełnie wyraźnie, gdy pracę tę zestawi się z wydaniem tragedii

przez M. Bizana i P. Hertza (1970) z bogatymi *Glosami do
„Balladyny"*. Glosy te, pióra drugiego z autorów, stanowią dużą
książkę ukazującą zarówno stosunek tragicznej baśni do spraw,
które się w niej odbiły, jak jej walory artystyczne. Tę samą
metodę autorzy zastosowali do *Kordiana* (1967, wznowienie 1972),
kładąc główny nacisk na jego tło polityczne i związki z współ-
czesnymi mu widowiskami teatralnymi w Paryżu.

Skoro zaś wspomniało się o stosunku poety do teatru fran-
cuskiego, dodać warto, iż minione ćwierćwiecze było okresem
dużej popularności Słowackiego na scenach polskich. Wspaniałym
wydarzeniem była tu inauguracja życia teatralnego w zrujno-
wanej Warszawie, *Lilla Weneda* w Teatrze Polskim z wspaniałym
Osterwą w roli Ślaza dowodzącej, iż marna ta postać to „spiritus
movens" akcji w tragedii Wenedów. W ślad za tym widowiskiem
poszły przedstawienia innych dzieł Słowackiego, a więc *Kordiana*
w Warszawie i Krakowie, następnie *Fantazego* i *Mazepy* w Warszawie i Wrocławiu, a ostatnio ponownie *Lilli Wenedy* w Krakowie
i *Balladyny* w Warszawie oraz *Beatryks Cenci* w Teatrze Telewizji —
by do tych dzieł się ograniczyć — dowodzące, iż w klasycznym
repertuarze teatrów polskich Słowacki wciąż jest żywy.

A podobnie przedstawia się pozycja wielkiego pisarza w świecie pozapolskim, gdzie jednak jest on postacią ciągle nie znaną
i gdzie nasi poloniści zagraniczni powinni wszcząć kampanię, by
wprowadzić genialnego dramaturga europejskiego na sceny świa-
towe. Pierwsze kroki w tym kierunku zrobił profesor Sorbony
Jean Bourilly monografią o wczesnej twórczości autora *Kordiana*,
okazałym tomem *La jeunesse de Jules Słowacki. 1809—1833* (1961),
pierwszą imponującą pracą obcą o wielkim poecie polskim. Ten
zmarły przedwcześnie francuski miłośnik Słowackiego pozostawił
serię przekładów jego dzieł, m. in. *Balladyny*, *Mazepy* i *Lilli Wenedy*, o których druk warto by zadbać, podobnie jak o ogłosze-
nie przekładów polonisty amerykańskiego Edmunda Ordona i znanej miłośniczki literatury polskiej w Stanach Zjednoczonych,
Marion Moore Coleman. W każdym razie pierwsze lody zostały
przełamane. Do tego dochodzi coś jeszcze, mianowicie okoliczność,
że w latach 1945—1970 dziewięć dzieł Słowackiego pojawiło się
w przekładach na języki obce i drugie tyle wyborów jego poezyj,
przy czym wbrew poglądowi, iż utwory o tematyce polskiej są
dla czytelnika obcego niedostępne, *Anhelli* ukazał się nie tylko
w tłumaczeniach na języki europejskie, ale również w dwu egzo-
tycznych, arabskim i hebrajskim, *Balladyna* w sześciu przekładach,
Mazepa w trzech, a nawet *Genezis z Ducha* w dwu. Brak danych

nie pozwala wyjść poza przypuszczenie, ale godzi się zaryzykować pogląd, iż żadne z dawniejszych ćwierćwieczy takim dorobkiem pochwalić się nie może. Wolno więc żywić nadzieję, iż autor *Króla-Ducha* zdobywa nareszcie należne mu miejsce w kulturze naszego stulecia.

Warszawa 1973–1974 *Julian Krzyżanowski*

Liryki i inne wiersze

Księżyc

1

Wstąpiłeś już, księżycu, na niebieskie szczyty
I niepewnymi śniegi powlokłeś błękity,
A twój promień niepewny, blady i srebrzysty,
Odbija się o kryształ lodu przezroczysty,
Lub na gałęzie giętkiej i wzniosłej topoli,   5
Z którą szumny Akwilon lub Zefir swawoli
I opadłymi z liści gałęziami chwieje,
Twój promień to się skryje, to znów zajaśnieje.

2

Gwiazd tysiące, na nieba jaśniejąc błękicie,
Zdają się przyrodzeniu nowe wlewać życie;   10
Gdzieniegdzie pośrebrzone mijają się chmury;
Ty panem się wydajesz uśpionej natury.
Lecz czemuż twoje drżące i blade promienie
Nie rozpędzą zupełnie czarne nocy cienie?
Ty obrazem nadziei w smutnej jesteś duszy: 15
Otrze ona łez kilka, całkiem nie osuszy.

3

Ale oto już widać nadchodzącą chmurę,
Ta wkrótce w cieniu całą pogrąży naturę.
Nadeszła; już nie widać pięknego księżyca;
Lecz wiatr zawiał, znów niebo się rozjaśnia;   20
Wiatr burzliwy, gwałtowny przedarł obłok mglisty
I znowu w dawnym blasku błysnął księżyc czysty,
Jak cnota i poczciwość, czernione potwarzą,
Prędzej czy później zawsze w blasku się okażą.

4

O ty, imaginacją obdarzona żywą,   25
Która duszę posiadasz tak czułą, tak tkliwą,
Na której czarnych oczach i ustach z koralu
Maluje się twa dusza w radości lub w żalu, –
Ty, co tak często w wiejskiej samotna ustroni,
Wsparłszy głowę na białej jak alabastr dłoni   30
I wpół okryta ciemnym swych włosów pierścieniem,
Przeglądałaś sklepienie nieba z zachwyceniem,
Nie ścierając łzy czystej, nie tłumiąc westchnienia,

Księżycowi zwierzałaś swoje zasmucenia —
Ty doznałaś, ty pojmiesz, jak nasza myśl tkliwa   35
Mimowolnie się z więzów ciała wydobywa
I gdy pomiędzy światy urojone wzleci,
Tysiące miłych myśli w naszym sercu wznieci.
Wtenczas drżąca, jak w wodzie drzy promień księżyca,
Długo nie znana w duszy nadzieja zaświeca. .   40
Lecz jak po tych marzeniach straszne jest ocknienie!
Znów dusza w czarne smutku pogrąża się cienie,
Równie straszna, jak tego nieszczęsnego człeka,
Któremu gdy się zamknie zdjęta snem powieka,
W lubym śnie ukochane ogląda osoby: 45
Przebudza się — cóż widzi? niestety, ich groby.

5

Płyń, płyń, gwiazdo, spokojnie przez nieba obłoki!
A póki ty przebiegniesz horyzont wysoki,
Lub nim znikniesz, gdy zorzy nadejdą promienie,
Moją lirę tymczasem zajmie przypomnienie   50
Chwil, na które ty patrząc z nieba wysokości,
Widziałaś mnie w rozkoszy, smutku lub radości.

6

Siostry, na tę wspomnijcie!... przy szerokim stawie
Siedliśmy przy księżycu na pięknej murawie;
Pod nogami wód czystych spokojne przestrzenie;   55
W nich tysiąc gwiazd wzruszało jedno wiatru tknienie;
Kościołek opuszczony na jednym stał brzegu,
Na nim porósł mech biały, podobny do śniegu,
Czyli tak się wydawał przy świetle księżyca?
W nim prochy dawniejszego leżały dziedzica.   60
Lecz jakież jeszcze psalmów słychać w nim śpiewanie?
To miejsce smutny starzec obrał za mieszkanie;
Licząc lat dziewięćdziesiąt, upadłszy na sile,
Jedną nogą na ziemi, a drugą w mogile,
Przy prochach tego, dawniej któremu on służył,   65
Prosi, by jego dzieciom życie Bóg przedłużył.
Dalej chatki wieśniacze, w każdej ogień błyskał,
Wieśniak wracając z pola swoje dzieci ściskał,
A dla dziewcząt przywoził rwane w polu wianki:
Niezabudki, bławatki, lilije, tymianki.   70
Szum wody, co z wysokiej spadała góry,
Odległe psów szczekanie, szum wiatru ponury,

Co w swoim bystrym locie zatrzymany lasem,
Giął sosnowe konary z okropnym hałasem —
Z tym połączone głosów melodyjne brzmienie   75
Wprawiało duszę, serce w jakieś zachwycenie.

7

Lecz jakimiż światłami gmachy Wilna tleją?
Tysiącznymi lampami ulice jaśnieją,
Ogniami oświecony szczyt góry wysoki,
Niosąc zamek na barkach, wznosił się w obłoki   80
I jakby na powietrzu zawieszony sztuką,
Czarnoksięską się zdawał być stawian nauką.
Bulwary jak arabskie świetniały ogrody,
Oświecone w fontanny wytryskały wody —
I ty wtenczas, księżycu, wzniesion z miną hardą,   85
Na pałające światła patrzałeś z pogardą;
A gdy tylko się wzniosłeś na nieba lazurze,
Każden przyznał, że sztuka nie zrówna naturze.

8

I tę mi, o księżycu, przypomniałeś chwilę,
Gdy to po raz ostatni bawiłem się mile,   90
Gdy przy twoim srebrzystym i bladym promieniu
Pod gruszą na darniowym spocząłem siedzeniu.
Wilia się wydawała jako śrebrne błonie,
Zefir przyjemny kwiatów niósł w powietrzu wonie,
Rybacy w łódce czyste przepływali wody   95
I z radością ryb pełne ciągnęli niewody.
Ich głos echa bliskości w ciągłe wprawiał grzmienie,
Nad wodą tu [i] owdzie błyskały płomienie
Ogniów, które po dziennej chcąc odpocząć pracy
Zapalili do Niemna płynący wieśniacy: 100
Jak ten wieczór był piękny! lecz losie okrutny:
Byłem wesół — nazajutrz nieszczęśliwy, smutny.

9

Lecz cóż to? jakież słychać płacze i kwilenia?
Jakież łzy, jakież smutne spostrzegam odzienia?
To człowieka w wieczności prowadzą ustronie,   105
Co uwielbian za życia, opłakan po zgonie,
Co był sierot, ubogich [i] przyjaciół wsparciem,
Co nie mógł ścisnąć dzieci przed powiek zawarciem.
Tłumy ludu się snuły w milczeniu głębokiem;

Każden z wlepionym w trumnę, łzami zlanym okiem   110
Chce choć raz jeszcze miłe odebrać spojrzenie,
Co osładzało troski i nędzy cierpienie.
I ty wtenczas, księżycu, przyjemnie jak zorza
Zabłysnąłeś wśrzód nieba pysznego przestworza:
Chmury się rozstąpiły na twoje skinienie,   115
Zdawało się, że nieba otwarłeś sklepienie,
A oświeciwszy trumnę śrebrzystym promieniem,
Zdałeś się w niebo wznosić jego duszę z drzeniem.

10

Lecz księżyc zaszedł, struna zerwała się z brzękiem,
Ostatnim konającym żegnając mnie jękiem.   120

1825 roku, 26 marca.

Hymn

Bogarodzico, Dziewico!
Słuchaj nas, Matko Boża,
To ojców naszych spiew.
Wolności błyszczy zorza,
Wolności bije dzwon,   5
Wolności rośnie krzew.
                Bogarodzico!
Wolnego ludu śpiew
Zanieś przed Boga tron.

Podnieście głos, rycerze,   10
Niech grzmią wolności śpiewy,
Wstrzęsną się Moskwy wieże.
Wolności pieniem wzruszę
Zimne granity Newy;
I tam są ludzie — i tam mają duszę.   15

Noc była... Orzeł dwugłowy
Drzemał na szczycie gmachu
I w szponach niósł okowy.
Słuchajcie! zagrzmiały spiże,
Zagrzmiały... i ptak w przestrachu   20
Uleciał nad świątyń krzyże.
Spojrzał — i nie miał mocy
Patrzeć na wolne narody,
Olśniony blaskiem swobody,
Szukał cienia... i w ciemność uleciał północy.   25

O wstyd wam! wstyd wam, Litwini!
Jeśli w Gedymina grodzie
Odpocznie ptak zakrwawiony,
Głos potomności obwini
Ten naród — gdzie czczą w narodzie   30
Krwią zardzawiałe korony.

Wam się chylić przed obcemi,
Nam we własnych ufać siłach;
Będziem żyć we własnej ziemi
I we własnych spać mogiłach. —   35

Do broni, bracia! do broni!
Oto ludu zmartwychwstanie,
Z ciemnej pognębienia toni,
Z popiołów Feniks nowy
Powstał lud — błogosław, Panie!   40
Niech grzmi pieśń jak w dzień godowy.

Bogarodzico! Dziewico!
Słuchaj nas, Matko Boża,
To ojców naszych śpiew,
  Wolności błyszczy zorza,   45
  Wolności bije dzwon
  I wolnych płynie krew,
        Bogarodzico!
  Wolnego ludu krew,
  Zanieś przed Boga tron.   50

Oda do wolności

I

Witaj, wolności aniele,
Nad martwym wzniesiony światem!
Oto w Ojczyzny kościele
Ołtarze wieńczone kwiatem
I wonne płoną kadzidła! 5
Patrz! tu świat nowy – nowe w ludziach życie.

Spójrzał – i w niebios błękicie
Malowne pióry złotemi
Roztacza nad Polską skrzydła;
I słucha hymnów tej ziemi. 10

II

A tam już w cieniu wieków za nami się chowa
Duch niewoli i dumną stopą depcze trony.
Zgina się pod ciężarem skrwawionej korony,
Mówi – ale niezrozumiałe z ust wychodzą słowa.
Tak obelisk, co niegdyś pisanym wyrazem 15
Dziwił ludy, obwiany mgłą kadzideł dymu,
     Dziś przeniesiony do Rzymu,
Niezrozumiały ludom – umarły – jest głazem.

III

     Niegdyś Europa cała
     Była gotyckim kościołem. 20
     Wiara kolumny związała,
     Gmach niebo roztrącał czołem...
     Drżącym od starości głosem
     Starzec pochylony laty
     Trząsł dumnym mocarzy losem, 25
     Zaglądał w królów siedziby;
     Zaledwo promyk oświaty
Przez ubarwione gmachu przedzierał się szyby.

     Jakiś mnich stanął u proga,
     Kornej nie uchylił głowy, 30
     Walczył słowami Boga
     I wzgardził świętymi kary.
Upadł gmach zachwiany słowy.

Błysnęły światła promienie...
Pierwsze wolności westchnienie   35
Było i westchnieniem wiary.

IV

Jak sosny niebotyczne urośli królowie.
Deptane prawa ludów gdzież znajdą mściciela?...
    Na Albijonu ostrowie
    Kromwel. – Któż nie zna Kromwela?...   40
On dawną krwią Stuartów zalał stopnie tronu
I nie chciał na nie wstąpić – on pogardził tronem.

    I czymże dzisiaj jest król Albijonu?
    Błyszcząca mara – widziadło,
    Księżyc na niebie zamglonem,   45
    A słońce praw oświeca tę postać wybladłą.

Ale wielcy mężowie zasiedli do steru,
Świątynią praw dźwigają tysiączne kolumny –
Patrzcie, jak długim rzędem za trumnami trumny
    Wchodzą w posępne gmachy Westminsteru.   50

V

O świat nowy hiszpańskie uderzyło wiosło,
    Tam brat zaprzedawał brata...
    Na lądzie nowego świata
    Żałobne drzewo wyrosło,
    Pod którym schyleni w trudzie,   55
    Marząc o szczęściu boleśnie,
    Usypiali tłumem ludzie,
    Tłumami konali we śnie

I śmiercią sen płacili – bo o lepszej doli
Pod tym się drzewem ludziom o wolności śniło.   60
    Było to drzewo niewoli,
Rosło nad grobem – świat już był jedną mogiłą.

    Ostatni więc człowiek skona,
Śmiercią z należnych władcom wypłaci się danin?
    O nie! na głos Waszingtona   65
    Zmartwychwstał Amerykanin
    I zaprzysiężoną święcie
    Wolność okrył wieńcem sławy.

A drzewo śmierci było masztem na okręcie
I zgon niosło na ludy saksońskie – i nawy.   70

VI

Więc słońce już w wolności krajach nie zachodzi?
Wolności skrzydła całą osłoniły ziemię.
Godnym jest oczu Boga wolnych ludzi plemię,
    On bohaterów nagrodzi.

VII

    Jakiż to dzwon grobowy   75
    Z wiejskiego zabrzmiał kościoła?
Idzie tłum pogrzebowy –
Schylone do ziemi czoła;
Trumna – za trumną dzieci,
Smutna przyjaciół drużyna   80
Bladą gromnicą świeci,
Ciche modły powtarza.
Weszli we wrota cmentarza,
Pod trumną ramię syna.
Czarną dręczeni rozpaczą,   85
Czarną okryci żałobą...

    Czemuż płaczą nad sobą?
    Bogatą wezmą spuściznę.
    Dlaczegóż nad nim płaczą?
    W grobie zapomni troski...   90
Bracia! – on umarł – on był ostatnim z tej wioski,
    Co widział wolną ojczyznę.
Synowie jeszcze po nim nie zdjęli żałoby,
    Już na wolnej żyją ziemi.
    Idźmy więc nad ojców groby,   95
    Wołajmy, bracia, nad niemi –
    Może usłyszą w mogile?...

VIII

Widziałem, jak młodzieniec w samej wieku sile,
Strawiony własnym ogniem – przeklął ogień duszy.
Wołał: – ,,Czemuż Bóg więzów moich nie rozkruszy?..."   100
    Lecz wszędy cichość grobowa;
A więc sam odpowiadał: – ,,Jestem panem życia!" –
    Okropne rozpaczy słowa!
    Z umysłowych władz rozbicia

        Została ta myśl straszliwa.   105
I bladość śmierci lice wyniosłe okrywa.
Ta jedna myśl tysiączne urodziła myśli;
        Straszna cierpienia potęga,
        Umysł je rozwija — kryśli,
        Z niedowiarstwa marą sprzęga...   110
O niedowiarstwo! Ty piekieł pochodnią
Niszczysz mgłę marzeń i blask urojenia złoty.
        Gdzież cnota?... nie ma cnoty!...
        I zbrodnia nie jest zbrodnią.
        Na niepewnej ważysz szali   115
        Wzniosłe uczucia w człowieku...
Już wszyscy tak myśleli — i wszyscy wołali,
Jest to chorobą czasu! — jest to duchem wieku!
Ta ciemność była tylko przepowiednią słońca.

        IX

        Wolności widzim anioła,   120
        Wolności powstał obrońca.
        Podnieście wybladłe czoła!
        Dalej do steru okrętu!
        Dalej! na morskie głębinie!
        Rzućmy się w odmęt — z odmętu   125
        Może niejeden wypłynie!
        Podobni do nurków tłumu,
        Co do morskiej toną fali,
        Wśród wirów kręceni szumu,
        Już ich fala w głąb porywa;   130
        Ale niejeden wypływa,
        Bliski brzegu lub daleki,
        Ten niesie gałąź korali,
        Ów w Amfitryt trąbę dzwoni.
        Lecz niejeden zniknie w toni,   135
        W morzu zostanie na wieki.

Kulik

Oto zapusty, dalej kulikiem,
Każdy wesoły, a każdy zbrojny,
Jedzie na wojnę jak gdyby z wojny,
Z szczękiem pałaszy, śmiechem i krzykiem.
Dalej! kulika w przyjaciół chaty —   5
Zbudzimy spiących, zabierzem z sobą.
Nie trzeba wdziewać balowej szaty
Ani okrywać czoła żałobą.
Tak jak jesteśmy — daléj i daléj!
A gdzie staniemy? aż nad granicą...   10
        Gwiazdy nam świécą,
        Staniemy cali.
Ha! ha! koń parska — rade nam dwory —
Nie trzaskaj z bicza — niechaj spi licho.
Szybko po drodze, tak jak upiory,   15
Śmigajmy szybko — cicho — i cicho.
        Niech sanki świszczą
        Jak błyskawica,
        W okrąg księżyca
        Złote mgły koło.   20
        Kagańce błyszczą.
    Cha, cha, cha! jak nam wesoło.

Kto nas zobaczy — ten nie zostanie,
Z nami na nowe poleci tańce!
Mnogie hajduków świecą kagańce,   25
Szybkie po śniegu śmigają sanie.
A kto chce zostać — więc dobrej nocy,
Niech go nie zbudzi kogutów pianie,
Niech spi spokojnie. — My bez pomocy,
Tak jak jesteśmy — dalej i dalej!... etc.   30

Stójcie tu! stójcie! — oto dwór biały
I światło w oknach — dam znak — wystrzelę.
Odpowiedziały mnogie wystrzały.
Ha! dobra wróżba — wszak tu wesele,
Tu szlachta pije — wyprawia gody;   35
Drużby, za nami! swaty, za nami!
Od młodej panny chodź, panie młody,
Lecz nie patrz na nią — zalana łzami.

A łzy kobiece zmiękczą ci serce –
Wrócisz! nie zwiędną ślubne kobierce.   40
Teraz za nami – tak z bukietami,
Tak jak jesteście – dalej! i dalej! etc.

  Stójcie tu! stójcie! tu dwór szlachcica,
Dam znak, wystrzelę... nie, ciszéj! ciszéj!
Z nagła wpadniemy, nikt nie usłyszy –   45
Przebóg! tu pogrzeb – błyszczy gromnica –
Porozwieszane w oknach całuny
I stoi truna – a koło truny
Syn smutny w dłoniach ukrywa czoło...
Ha, ha! co robić? tu niewesoło,   50
Lecz po co długie prawić androny:
Mój panie synu, prosimy z sobą.
Daj na pacierze – zostaw na dzwony,
Zabierz przyjaciół. – Z czarną żałobą,
Tak jak jesteście – dalej! i dalej! etc.   55

  Stójcie tu! stójcie! tu znakomity
Szlachcic zamieszkał – więc drzwi uchylę...
Zielonym suknem stolik wybity,
A na stoliku świecą pamfile.
Panowie szlachta! do diabła karty –   60
Dalej do broni! a karty w kąty!
Niech Dej algerski, Karol dziesiąty
I Delfin grają... może kto czwarty
Do gry zasiądzie i na kozery
Będzie błękitne rzucał papiery,   65
Które już dawniej spadły na cztery
I jeszcze spadną... Mości panowie!
Niech w karty sami grają królowie!
A my do koni – dalej! i dalej! etc.

  Stójcie tu! stójcie! tu zamek stary,   70
Na hasło mnogi strzał odpowiada.
Zamorskie jakieś widzę maszkary.
Panowie bracia! to maskarada.
Szaty w dziwaczne lepione wzory –
Słuchaj no! słuchaj, mój włoski panie,   75
Czy sycylijskie znasz ty nieszpory?
Znasz ty Neapol? a ty, Hiszpanie,
Czy byłeś kiedy w Minny orszaku?

Nie — mniejsza o to. — Włoch, Korsykanin,
Żyd, Tatar, Turek, Amerykanin,   80
Chodźcie tu za mną wszyscy bez braku,
Tak jak jesteście — dalej! i dalej! etc.

Stójcie tu! stójcie! nowa gościna,
Już w oknach wszelkie światło pogasło,
Dam znak, wystrzelę... nie — po co hasło?   85
Tu spią — nie słyszą... nie nasza wina,
Że sen przerwiemy... Stukam we wrota...
Ha! stary sługa wychodzi, świeci.
Twój pan spi teraz? to mi to cnota!
— „O nie — on nie spi — pan mój i dzieci,   90
Nim trzecie grudnia błysnęło zorze,
Wyszli na czele zbrojnej czeredy,
A teraz cicho — pusto we dworze,
Wyszli na wroga — czy wrócą kiedy?"
Widzicie, bracia, mylą pozory,   95
Takiemu panu błogosław, Boże.
Oby tak wszystkie zastać nam dwory,
Jedźmy więc sami — dalej! i dalej!... etc.

Jakże noc pyszna — jak lecą konie!
Lecą i lecą — a spod kopyta   100
Pryskają iskry — połyska błonie,
Śmigają sanki — już świta! świta!
Na niebie blednie czoło księżyca,
Droga skończona — oto granica.
Wstrzymaj rumaka! wstrzymaj rumaka!   105
    Noc rozwidniała,
    Zagrzmiały działa.
  Oto jest kulik Polaka.

Paryż

Patrz! przy zachodzie, jak z Sekwany łona
Powstają gmachy połamanym składem,
Jak jedne drugim wchodzą na ramiona,
Gdzieniegdzie ulic przeświecone śladem.
Gmachy skręconym wydają się gadem,   5
Zębatą dachów łuską się najeża.
A tam — czy żądło oślinione jadem?
Czy słońca promień? czy spisa rycerza?
Wysoko — strzela blaskiem ozłocona wieża.

Nowa Sodomo! pośród twych kamieni   10
Mnoży się zbrodnia bezwstydna widomie
I kiedyś na cię spadnie deszcz płomieni,
Lecz nie deszcz boży, nie zamknięty w gromie,
Sto dział go poszle... A na każdym domie
Kula wyryje straszny wyrok Boga;   15
Kula te mury przepali, przełomie,
I wielka na cię spadnie kiedyś trwoga,
I większa jeszcze rozpacz — bo to kula wroga...

I już nad miastem wisi ta dział chmura,
Dlatego ludu zasępione tłumy,   20
Dlatego ciemność ulic tak ponura,
Przeczuciem nieszczęść zbłąkane rozumy;
Bez echa kona słowo próżnej dumy,
O wrogach ciągle toczą się rozmowy...
A straż ich przednia, już północne dżumy   25
Obrońców ludu pozwiewały głowy,
I po ulicach ciągły brzmi dzwon pogrzebowy.

Czy wrócą czasy tych świętych tajemnic,
Kiedy tu ludzie zbytkiem życia wściekli,
Jedni pod katem, drudzy w głębi ciemnic,   30
Inni ponurzy, bladzi, krwią ociekli,
Co kiedy śmieli pomyśleć — wyrzekli?
Lud cały kona, katy i obrońce,
Dnia im nie stało, aby się wysiekli;
I przeczuwając krwawej zorzy końce,   35
Jak Jozue wołali: Dnia trzeba — stój, słońce!

I nie stanęło – pomarli – przedwcześnie,
Lecz zostawili pamiątki po sobie:
Kraj po rozlewie krwi tonący we śnie
I lud, nie po nich ubrany w żałobie,   40
Krwi trójcę w jednej wcieloną osobie.
Ten jak rodyjski posąg świecznik trzyma
I jedną nogę wsparł na martwych grobie,
Drugą na zamku królów... Gdzie oczyma
Sięgnął – tam wnet i ręką dostawał olbrzyma.   45

A kiedy posąg walił się z podstawy,
Tysiące ludu sławą się dzieliło,
Każdy się okrył łachmanem tej sławy,
Każdemu było dosyć – nadto było...
Marzą o dawnej sławie nad mogiłą   50
I pod kolumną spiżu wszyscy posną;
Choć cięcie kata głowę z niej strąciło,
Choć na niej może jak na gruzach z wiosną
Chwasty i z lilijami Burbonów porosną.

Tu dzisiaj Polak błąka się wygnany,   55
W nędzy – i brat już nie pomaga bratu.
Wierzby płaczące na brzegach Sekwany
Smutne są dla nas jak wierzby Eufratu.
I całej nędzy nie wyjawię światu...
Twarze z marmuru – serca marmurowe,   60
Drzewo nadziei bez liścia i kwiatu
Schnie, gdy wygnaniec złożył pod nim głowę,
Jak nad prorokiem Judy schło drzewo figowe.

. . . .

Z dala od miasta szukajmy napisów,
Gdzie wielki cmentarz zalega na górze.   65
O! jak tu smutno, kędy wśród cyprysów
Pobladłe w cieniu chowają się róże.
A pod stopami – dalej – miasto w chmurze
Topi się we mgłach gasnących opalu...
A dla żałobnych rodzin przy tym murze   70
Przedają wianki z płótna lub z perkalu,
Aby dłużej świadczyły o kupionym żalu.

Patrz znów w mgłę miejską – oto wież ostatki,
Gotyckim kunsztem ukształcona ściana;

Rzekłbyś – że zmarła matka twojej matki,   75
W czarne, brabanckie korónki ubrana,
Z chmur się wychyla jak duch Ossyjana...
Ludzi nie dojrzysz... Lecz nad mgłami fali
Stoją posągi (gdzie płynie Sekwana),
Jakby się w Styksu łodzi zatrzymali   80
I przed piekła bramami we mgłach stoją biali...

Tam gmachy Luwru, gdzie tron Baltazara,
A na nim siedział wyrobnik umarły...
Przez dnie lipcowe panowała mara,
U nóg jej ludzie snuli się jak karły;   85
Bo nad nią· cienie śmierci rozpostarły
Wielkość olbrzymią – był to król narodu.
I aksamity krew mu z czoła starły,
Lecz jego dzieci umierały z głodu,
Zaczął dynastią trupów, był ostatnim z rodu. 90

Duma o Wacławie Rzewuskim

Po morzach wędrował – był kiedyś Farysem,
Pod palmą spoczywał, pod ciemnym cyprysem,
Z modlitwą Araba był w gmachach Khaaba,
    Odwiedzał Proroka grobowce.

Koń jego arabski był biały bez skazy.   5
Siedmiokroć na koniu przeleciał step Gazy,
I stał przed kościołem, i kornym bił czołem,
    Jak czynią w Solimie wędrowce.

Miał drogę gwiazdami znaczoną po stepie
I życie niósł własne w skrzydlatym oszczepie,   10
Błądzący po świecie zaufał w sztylecie,
    Bo sztylet mu dała dziewica.

Gdy nocą opuszczał haremu krużganki,
By odciąć drabinę, wziął sztylet kochanki;
Choć broń była żeńska, lecz stal damasceńska,   15
    Hartowna – i złota głowica.

A kiedy odjeżdżał – ta bladła i mdlała,
O sztylet prosiła, bo zabić się chciała.
,,Żyj długo – bądź zdrowa, dziewico stepowa,
    Twój sztylet położy mnie w grobie.   20

,,Bo kiedy już przeszłość ten step mi zakryje,
Gdy żyć będzie ciężko, to sam się zabiję,
Bo dziką mam duszę. Więc sztylet mieć muszę,
    Twój sztylet mieć muszę przy sobie".

Smutnego uniosły arabskie latawce,   25
Bo znikła z krużganku, bo widział w sadzawce
Pod oknem, w ogrodzie, fal koła na wodzie
    I białą zasłonę... O Lachu!...

I nocą obaczył kraj miły, rodzony,
Gdy księżyc się wznosił na stepach czerwony.   30
W noc nawet i ślepy poznałby te stepy
    Po kwiatów rodzinnych zapachu.

A niwa mu do stóp kłaniała się złota,
I marzył, że wierny druh wyjdzie przed wrota.
Lecz druhów nie było... Pod zimną mogiłą
    Posnęli, gdy błądził w pustyni.

Więc jechał samotny, nie znany nikomu,
Lecz jeszcze z dziedzińca, od wrót swego domu,
Odwrócić chciał konia i jechać na błonia,
    Gdzie błądzą jak wiatr Beduini.

Lecz konia podkowy rozkute od krzemion,
I koń był zmęczony... Więc skoczył ze strzemion
I wszedł do siedziby, bez zamka, bez szyby,
    Gdzie rosą próchniało obicie.

I miło mu było, gdy ujrzał te skały
Nad ciemnym Smotryczem — gdzie orzeł żył biały
I wił sobie gniazdo; nadziei był gwiazdą,
    Po nieba szybując błękicie.

Dla konia w ogrodzie budował altany,
I żłoby pozłacał — z kryształu dał ściany.
Przed cara żołdakiem mógł uciec tym ptakiem
    Daleko — i wolnym być zawsze.

I ludzi żałował, że żaden z nich nie miał
Szybkiego tak konia; więc każdy oniemiał,
I był jakby głazem pod cara rozkazem,
    A były rozkazy co krwawsze.

Raz, starym zwyczajem pomarłych już rodzin,
Ten Emir arabski w dzień Pańskich narodzin,
Na sianie, za stołem, z przyjaciół swych kołem
    Połamał opłatek i spożył.

A potem, jak przodków święcono zwyczajem,
Wniósł toast nadziei stoletnim tokajem:
„Żyj, Polsko, wiek sławy!" Wtem goniec z Warszawy
    Przyleciał — zawołał: „Kraj ożył!"

Więc Emir w stepowe zapuszcza się szlaki,
A za nim na koniach buńczuczne Kozaki,
W czerwieni i w bieli, po stepach płynęli,
    Po smutnych kurhanach przeszłości.

I cały ten szereg, błyszczący od stali,
Zrównanym galopem jak morze się fali;   70
Gdzie słychać dział huki, tam lecą buńczuki
    Jak gwiazdy z ogonem jasności.

Emira Kozaki gdy błądzą przez wrzosy,
Umieją pieśń dziką rozłamać na głosy.
Pieśń z echem odsyła stepowa mogiła,   75
    Pieśń grzmiącą: „Ho urra! nasz Emir!"

Do cara pieśń doszła — wściekłością się pienił
I głowę Emira na ruble ocenił;
Bo myślał, że w kraju z hordami Nogaju
    Czyngiskan szedł — Batt lub Kantemir.   80

Bo umiał Rzewuski jak Arab stepowy
Płachtami rumakom ogłuszyć podkowy,
I cicho, gdy spali, pod obóz Moskali
    Podkradać się — bić — i brać działa.

Więc ściągnął, jak wszyscy ściągali, pod Daszów,   85
Gdzie nasza konnica ze szczękiem pałaszów,
Z wesołym okrzykiem stanęła w mur szykiem
    I chmurą proporców powiała.

A kiedy z mgły srebrnej wybiło się słońce,
Ujrzeli Moskalów — straż przednią i Dońce.   90
Mur dział jak mur złota, a za nim piechota
    W bagnety porosła jak zboże.

I cicho... Wtem bomba śmierciami ciężarna
Upadła w szeregi zwichrzona i czarna.
A nasi w tej chwili jeszcze się modlili,   95
    Do nieba wołali: „O Boże!"

I razem bomb tysiąc zaryło się w stepy,
Rozpękłe wrącymi ciskały czerepy,
I grzmiały, dopokąd piechoty czworokąt
    Nasz Emir opasał konnicą.   100

I strasznie ją ściskał, w żelazne brał skręty,
Przednimi nogami na bagnet koń wspięty
Tak jak oczerety połamał bagnety,
    W złamanych miecz wiał błyskawicą.

Przemogliby nasi, choć bój był rozpaczny — 105
Wtem wódz od armaty dał rozkaz dwuznaczny:
„Konnica na skrzydła!" — zwinęli wędzidła,
    Odbiegli, ostygli w zapale.

I popłoch się wmięszał. Ów, co był przyczyną
Wszczętego popłochu, nie przeżył godziną. 110
Bojaźni nie dzielił, dwa działa wystrzelił
    I sam się zastrzelił na dziale.

On może wśród bolów ostatnich zgryzoty
Pamiętał, że dzieci zostawiał sieroty.
Lecz śmierć zwyciężyła, niech dziś więc mogiła 115
    Ma łzy, a nie skargi wygnańca.

A Emir, gdy ogień ucichał armatni,
Ujeżdżał z rozpaczą, choć zjeżdżał ostatni.
Któż męstwa zaprzecza? gdy szczerby nić miecza
    Powlekły jak perły różańca. 120

A kiedy opuszczał kraj miły, rodzony,
Znów księżyc się wznosił na stepach czerwony.
„Leć prędzej po błoniu, odpoczniesz, mój koniu,
    Gdy w ziemi staniemy tureckiej.

„O koniu! mój koniu, gdzie twoje zalety? 125
Czyś może się rozkuł deptając bagnety?
Czyś złaman w kul wiatrze? Stój, koniu, opatrzę,
    Czy nie ma gdzie kuli zdradzieckiej?

„Ha zdrowy!... To dobrze, lecz jechać w noc trudno".
Więc chatę na stepach upatrzył odludną, 130
Koń zimne gryzł kwiaty, a Emir wśród chaty
    Zmęczony zalegał na ziemi...

I zasnął głęboko — bo trud go osłabił...
Spiącego od cara najęty chłop zabił,
I sztylet dziewicy do złotej głowicy 135
    W pierś nurzył rękami drzącemi.

O! czemuś, Emirze, nie oddał kindżała
Stepowej dziewicy, gdy zabić się chciała?

Dziś ona śpi w fali, lecz dar jej ze stali
    Na wieki w twym sercu zostanie.   140

A w Moskwie z dział bito na górze pokłonnej
I miasto się trzęsło od pieśni studzwonnej.
Cieszył się car ruski, że Emir Rzewuski
    W stepowym śpi cicho kurhanie.

W sztambuchu Marii Wodzińskiej

Byli tam, kędy śnieżnych gór błyszczą korony,
Gdzie w cieniu sosen, bożym strzeżone napisem,
Stoją białe szalety wiązane cyprysem;
Gdzie w łąkach smutnie biją trzód zbłąkanych dzwony;
Gdzie się nad wodospadem jasna tęcza pali;   5
Gdzie na zwalonych sosnach czarne kraczą wrony:
Tam byli kiedyś razem i tam się rozstali.

A po latach wróconym ojczyźnie pielgrzymom
Bławatkami gwiaździste kłaniały się żyta.
Jechali błogosławiąc chat wieśniaczych dymom,   10
Wszyscy pod jeden ganek... Matka, siostra wita
Synów, braci, przyjaciół — są wszyscy! są wszyscy!
Przy jednym siedzą stole, przy czarach nalanych;
A wczoraj tak dalecy — a dzisiaj tak bliscy.
I nikogo nie braknie, oprócz zapomnianych.   15

Młoda Maria do tańcu każe stroić lutnie
I usiadła — spoczywa... Nagle do sąsiada
Rzekła: ,,Ach, kogoś braknie!'' — Tu podkówka utnie
W takt mazurka. — ,,On umarł!'' — sąsiad odpowiada.
— ,,Cichoż na jego grobie?'' — ,,Słowików gromada   20
Spiewa na srebrnej brzozie cmentarza tak smutnie,
   Że brzoza płacze''.

Luty 1835, Genewa.

Przeklęstwo
Do***

Przeklęta! Ty wydarłaś ostatnie godziny
Szczęścia mego na ziemi, ty żądłem gadziny
Wygnałaś na samotność! Bądź wiecznie przeklęta! –
Każdy mój jęk – zna ciebie, każda łza – pamięta!

Bo kiedy nieszczęśliwy zaklinałem ciebie,   5
Abyś mi dała nieco przyjaźni i ciszy,
Toś ty mi łzy w powszednim podawała chlebie,
I jęcząc – z jękiem w sercu mówiłaś: Niech słyszy!

Cierpiałem i uległem… Dziś samotny jestem,
Lecz wiedz, iż samotności okryty żałobą,   10
Oczy moje obracam za każdym szelestem,
Czekam – ale nie ciebie… Tęsknię – nie za tobą.

Tej czekam omamiony, tej samotny płaczę,
Która mi była siostrą na wygnania ziemi,
Myśląc, że kiedyś duszy oczyma zobaczę   15
Tę, co w duszę oczyma patrzy anielskiemi.

A nigdy serca mego nie umiała krwawić;
A tak się ze mną duszą i myślami dzieli,
Że już dziś sami boscy nie wiedzą anieli,
Czy ją dla mnie potępić, czy mnie dla niej zbawić.   20

A ty! a ty! co lałaś żółciowe gorycze,
Skoro się otwierała serca mego rana,
O! gorzej niż przeklęta – widmo tajemnicze
Złej przeszłości – przeklęta bądź i zapomniana!

Rozłączenie

Rozłączeni – lecz jedno o drugim pamięta;
Pomiędzy nami lata biały gołąb smutku
I nosi ciągłe wieści. Wiem, kiedy w ogródku,
Wiem, kiedy płaczesz w cichej komnacie zamknięta;

Wiem, o jakiej godzinie wraca bolu fala,   5
Wiem, jaka ci rozmowa ludzi łzę wyciska.
Tyś mi widna jak gwiazda, co się tam zapala
I łzę różową leje, i skrą siną błyska.

A choć mi teraz ciebie oczyma nie dostać,
Znając twój dom – i drzewa ogrodu, i kwiaty,   10
Wiem, gdzie malować myślą twe oczy i postać,
Między jakimi drzewy szukać białej szaty.

Ale ty próżno będziesz krajobrazy tworzyć,
Osrebrzać je księżycem i promienić świtem:
Nie wiesz, że trzeba niebo zwalić i położyć   15
Pod oknami, i nazwać jeziora błękitem.

Potem jezioro z niebem dzielić na połowę,
W dzień zasłoną gór jasnych, w nocy skał szafirem;
Nie wiesz, jak włosem deszczu skałom wieńczyć głowę,
Jak je widzieć w księżycu odkreślone kirem.   20

Nie wiesz, nad jaką górą wschodzi ta perełka,
Którąm wybrał dla ciebie za gwiazdeczkę-stróża;
Nie wiesz, że gdzieś daleko, aż u gór podnóża,
Za jeziorem – dojrzałem dwa z okien światełka.

Przywykłem do nich, kocham te gwiazdy jeziora,   25
Ciemne mgłą oddalenia, od gwiazd nieba krwawsze,
Dziś je widzę, widziałem zapalone wczora,
Zawsze mi świecą – smutno i blado – lecz zawsze...

A ty – wiecznie zagasłaś nad biednym tułaczem;
Lecz choć się nigdy, nigdzie połączyć nie mamy,   30
Zamilkniemy na chwilę i znów się wołamy
Jak dwa smutne słowiki, co się wabią płaczem.

Nad jeziorem Leman, d. 20 lipca 1835 r.

Ostatnie wspomnienie

Do Laury

Dawniej bez serca — dziś bez rozumu,
    O biedna Lauro! — nim zginę,
Dla ciebie z głuchych pamiątek tłumu
    Wianek Ofelii uwinę.
Ty go drzącymi weźmiesz rękoma,   5
    Jak wąż ci czoło okręci...
Oto bławatki, ruta i słoma,
    A to są kwiaty pamięci...

Burza żywota nad nami mija,
    Przeminie — lecz głowę zegnie: 10
Śmiech nie pociesza — ból nie zabija,
    Wkrótce i rozum odbiegnie.
Cicha spokojność nigdy nie wróci,
    Zniszczenia wicher nie wionie;
Słońce nie cieszy, księżyc nie smuci,   15
    A w nicość śmierć nie pochłonie...

Strętwiałość! — za cóż ten zimny kamień
    Na serca nasze się wali?
Żeśmy się niegdyś w kraju omamień
    Na jednej drodze spotkali?   20
Że cię tak długo dźwiękami lutni
    Budziłem i do snu kładłem,
A ty smutniejsza niż ludzie smutni,
    Za innym biegłaś widziadłem.

I coraz wyżej w niebo lecąca,   25
    Niknęłaś w marzeń lazurze,
I roztopiona w blasku miesiąca,
    Zwiędłą rzuciłaś mi różę.
I nie wiem nawet, czy z twego czoła,
    Czy twoją skropiona łezką,   30
Czy mi jakiego ręka anioła
    Rzuciła różę niebieską.

Ciemność twej duszy jak dżumy plama
    Od ciała przeszła do ciała.
Widzisz jad w sercu? — to łza ta sama,   35
    Którąś ty w serce nalała.

Widzisz, jak zagasł dziecka rumieniec,
   Gdzieś ty oddechem przebiegła?...
Nie laur na głowie – lecz z ognia wieniec
   Tyś skrami oczu zażegła.   40

Dziś, gdy mi włosy burza roztarga,
   Ogniami czoło mam sine,
A jakąś dumą drzy moja warga,
   Że w tych płomieniach nie ginę...
Lecz gdy do szczęścia świat mię zawoła,   45
   Nie biegnąc za szczęsnych śladem,
Przeklinam ciebie bladością czoła,
   Serca przeklinam cię jadem.

Więc niech mię prędko chmury czarnemi
   Porywa wicher nicości,   50
Bo już przekląłem wszystko na ziemi,
   Wszystko – w aniele przeszłości.
Tam, gdzie tłum ludzi huczy, ucieka
   I falą powraca ciemną,
Nic mię nie żegna, nic mię nie czeka,   55
   Nic za mną! i nic przede mną!

Gdy bracia moi, gdy wędrownicy
   Lecieli z szumem po niebie,
Ja, nieruchomy, gwiazdą źrennicy
   Patrzyłem w przeszłość – na ciebie.   60
Dziewice ziemi nieraz spostrzegły
   Łzawymi oczu błękity,
Że oczy moje za tobą biegły,
   Żem był na sercu zabity.

Okruszynami serca, miłości   65
   Karmiłem blade widziadła...
Ale łza taka, jak łza przeszłości,
   Na żadne serce nie spadła.
Jak moje oczy topią się – mdleją,
   Jak myśli rzucają ze dna,   70
Jak iskry sypią, jak łzami leją,
   Ty wiesz! – lecz tylko ty jedna.

A teraz, smutny przeszłości echem,
   O ludzie, idę za wami,

Choć śmiech wasz dla mnie – szalonych śmiechem,   75
    Łzy wasze – szalonych łzami.
Lecz gdy się znudzę łez zimnych rosą
    I zimnych uściskiem prawic,
Duszę mi od was wichry uniosą,
    Lecz wichry pełne błyskawic.   80

Veytoux, d. 30 lipca 1835 r.

Rzym

Nagle mię trącił płacz na pustym błoniu:
  „Rzymie! nie jesteś ty już dawnym Rzymem".
Tak śpiewał pasterz trzód siedząc na koniu.

Przede mną mroczne błękitnawym dymem
  Sznury pałaców pod Apeninami,   5
Nad nimi kościół ten, co jest olbrzymem.

Za mną był morski brzeg i nad falami
  Okrętów tłum jako łabędzie stado,
Które ogarnął sen pod ruinami.

I zdjął mię wielki płacz, gdy tą gromadą   10
  Poranny zachwiał wiatr i pędził dalej
Jakby girlandę dusz w błękitność bladą.

I zdjął mię wielki strach, gdy poznikali
  Ci aniołowie fal – a ja zostałem
W pustyni sam – z Rzymem, co już się wali.   15

I nigdy w życiu takich łez nie lałem,
  Jak wtenczas – gdy mię spytało w pustyni
Słońce, szydzący bóg – czy Rzym widziałem?…

[Rozmowa z piramidami]

Piramidy, czy wy macie
Takie trumny, sarkofagi,
Aby miecz położyć nagi,
Naszą zemstę w tym bułacie
Pogrześć i nabalsamować,   5
I na późne czasy schować?
— Wejdź z tym mieczem w nasze bramy,
Mamy takie trumny, mamy.

Piramidy, czy wy macie
Takie trumny, grobowniki,   10
Aby nasze męczenniki
W balsamowej złożyć szacie;
Tak by każdy na dzień chwały
Wrócił w kraj, choć trupem cały?
— Daj tu ludzi tych bez plamy,   15
Mamy takie trumny, mamy.

Piramidy, czy wy macie
Takie trumny i łzawice,
By łzy nasze i tęsknice
Po ojczystych pól utracie   20
Zlać tam razem i ostatek
Czary dolać łzami matek?
— Wejdź tu, pochyl blade lice,
Mamy na te łzy łzawice.

Piramidy, czy wy macie   25
Takie trumny zbawicielki,
Aby naród cały, wielki,
Tak na krzyżu, w majestacie
Wnieść, położyć, uśpić cały
I przechować — na dzień chwały?   30
— Złóż tu naród, nieś balsamy,
Mamy takie trumny, mamy.

Piramidy, czy została
Jeszcze jaka trumna głucha.

Gdziebym złożył mego ducha,
Ażby Polska zmartwychwstała?
— Cierp, a pracuj! i bądź dzielny,
Bo twój naród nieśmiertelny!
My umarłych tylko znamy,
A dla ducha trumn nie mamy.

Hymn

Smutno mi, Boże! — Dla mnie na zachodzie
Rozlałeś tęczę blasków promienistą;
Przede mną gasisz w lazurowej wodzie
    Gwiazdę ognistą...
Choć mi tak niebo Ty złocisz i morze,   5
    Smutno mi, Boże!

Jak puste kłosy z podniesioną głową
Stoję rozkoszy próżen i dosytu...
Dla obcych ludzi mam twarz jednakową,
    Ciszę błękitu.   10
Ale przed Tobą głąb serca otworzę,
    Smutno mi, Boże!

Jako na matki odejście się żali
Mała dziecina, tak ja płaczu bliski,
Patrząc na słońce, co mi rzuca z fali   15
    Ostatnie błyski...
Choć wiem, że jutro błyśnie nowe zorze,
    Smutno mi, Boże!

Dzisiaj, na wielkim morzu obłąkany,
Sto mil od brzegu i sto mil przed brzegiem,   20
Widziałem lotne w powietrzu bociany
    Długim szeregiem.
Żem je znał kiedyś na polskim ugorze,
    Smutno mi, Boże!

Żem często dumał nad mogiłą ludzi,   25
Żem prawie nie znał rodzinnego domu,
Żem był jak pielgrzym, co się w drodze trudzi
    Przy blaskach gromu,
Że nie wiem, gdzie się w mogiłę położę,
    Smutno mi, Boże!   30

Ty będziesz widział moje białe kości
W straż nie oddane kolumnowym czołom;
Alem jest jako człowiek, co zazdrości
    Mogił popiołom...

Więc że mieć będę niespokojne łoże,
  Smutno mi, Boże!

Kazano w kraju niewinnej dziecinie
Modlić się za mnie co dzień... a ja przecie
Wiem, że mój okręt nie do kraju płynie,
  Płynąc po świecie...
Więc, że modlitwa dziecka nic nie może,
  Smutno mi, Boże!

Na tęczę blasków, którą tak ogromnie
Anieli twoi w niebie rozpostarli,
Nowi gdzieś ludzie w sto lat będą po mnie
  Patrzący — marli.
Nim się przed moją nicością ukorzę,
  Smutno mi, Boże!

Pisałem o zachodzie słońca na morzu przed Aleksandrią.
[19 października 1836 r.]

Do Teofila Januszewskiego

Gdzie dziś Neapol jasny? Kto zasiadł nasz ganek?
Kto patrzy na rybackich sklepów złoty wianek?
Gdzie koczujące światła w pół okręgu zwite,
Od wiatru żagielkami białymi nakryte,
Jak te, o których prawi gdzieś Szecherazada,   5
Ptaków z ognistą piersią, z białym skrzydłem stada?
Nad błękitami siedzą. Przy świetle światełko,
Każde ma białe sobie dodane skrzydełko;
Rzekłbyś, że gwiazd znudzonych lazurami plemię
Bóg skrzydłami uzbroił — i przysłał na ziemię.   10
Lubiłeś taki widok — ludu ruchy — migi —
Krzyk — życie — otwierane nożami ostrygi —
Z polipów i gwiazd morskich malownicze wzorki —
Siarczaną wodą z hukiem wystrzelone korki —
Falę ludu, co z sobą po ulicach niesła   15
Osoby — granem widok płacące i krzesła...
Lubiłeś na to patrzeć, lecz poważnie — z tronu,
Z drżącego nad falami morskimi balkonu,
Którym architekt tkanki podrzeźniał pajęcze. —
Ja tymczasem, kolorów przeleciawszy tęczę,   20
Patrzałem na Wezuwiusz, aż po lawy ścianie
Drący się księżyc wejdzie, na kraterze stanie
I stamtąd białe czoło obróci do świata.
Tak zrodzone na grobie dziecko twego brata,
Któremu pierwsza grobu lilia rówieśniczką,   25
Zamyśloną na ludzi spojrzało twarzyczką
Z cichej ojca mogiły... Gdzie nasz lazurowy
Golf? i ciche przy białym księżycu rozmowy?
Jak się wieniec związanych ludzi prędko kruszy!
Wczoraj widziałem wróble spłoszone na gruszy;   30
Cała hurma na bliskie uniosła się drzewka
Tak zgodnie, że raz biała skrzydełek podszewka
Ku słońcu, to znów cała chyli się ku roli
Jak podśrebrzone liście rozchwianej topoli.
Lecz ludzie, piorunową spłoszeni ulewą,   35
Nigdy razem na bliskie nie usiędą drzewo,
Ale niezgodnym lotem rozchodzą się błędnie,
Ani tam listek róży, gdzie liść lauru więdnie...

Już miesiąc, jak z jednego wyjechawszy grodu,
Ty pod strzechę własnego domu, w cień ogrodu,   40

Ja w nieznane uciekam krainy południa
Przed ścigającą myślą i mrozami grudnia.
A gdy mi już na opak idą roku pory,
Gdy zima kwiatowymi ubrana kolory
Ani po górach lekkim płatkiem śniegu sypie,   45
Ani w kryształ ubiera brzozy, ani skrzypie
Pod saniami wieśniaka, ani pod stodoły
Zgania wróble, ni smutno zielone jemioły
Różami świegocących osypuje gilów,
W kraju porzniętym wstążką jasną siedmiu Nilów   50
Mógłbym o spokojnikach zapominać wiejskich,
Pijąc muł Etyjopów zamiast wód letejskich.
Lecz ja przeciwnie — wszystkie widziane obrazy
W myśl kładę jak na wielkie zwierciadło bez skazy
I chciałbym wam, gdy noc was zimowa zaskoczy,   55
Tym zwierciadłem Egiptu słońce rzucić w oczy.

Obłąkany nasz okręt zawołał o świcie:
Ziemia! I ziemia wyszła na morza błękicie
Jak złocistego piasku dzierzgany obrąbek.
Rzekłbyś, że biały siedzi na piaskach gołąbek,   60
Przypatrując się sobie w zwierciadlanej fali...
A to był pałac wielki Mohameda-Ali.
Rzekłbyś, że przed nim resztki wieśniaczego płota
Sterczą... to była Ali-Mohameda flota.
Nad tym brzegiem, a z twarzą, jak ją widzę co dnia,   65
Leżała nie splamiona purpura przedwschodnia;
Na niej stada gwiazdeczek bladego lazuru —
I jedna tylko palma na prawo z marmuru,
Otoczona rojami nie śpiących wiatraków.
W przezroczu nieba stada wędrujące ptaków,   70
Tak, jak je ręka boża w jeden łańcuch sprzęże,
Przede mną w czarne, długie wiązały się węże...
Tak mi się ukazały afrykańskie brzegi,
Smutne, obumarłymi południka śniegi
Zasypane, pod nieba sklepionego łuną,   75
Długą i rozciągniętą położone struną.
Z niej jak z boskiego łuku na niebieskie stropy
Strzał słonecznych wiązane wypadały snopy.
Chciałbym się teraz zbliżyć teleskopu szkiełkiem
Do brzegu — spoić z tęczą kolorów i zgiełkiem.   80
Tu przeszywany złotem, przetkany bławatem
Chce być człowiek bawiącym oczy twoje kwiatem;

Nawet w ubiorach ludu taka rozmaitość,
Że cię wkrótce dusząca opanuje sytość,
I szukasz znużonymi oczyma błękitu,   85
Lecz próżno! — bo dom szczytem przyrasta do szczytu;
Bo ledwo się oglądniesz, zaraz ciebie horda
Oślarzy ze złotego zwąchała milorda
I osiołkami drogę zwężoną przegradza —
Chwyta — piastuje — z ziemi podnosi — i sadza   90
Na szybkolotnym ośle, razów mu nie szczędzi,
Aż biegnąc pod złotego orła cię zapędzi.
Szczęśliwy, kto tak gnany, pod rozsądek ścisły
Oczy podda i wszystkie razem zwiąże zmysły!
Nieszczęsny, kto na boczne bramy się ogląda!   95
Schyl głowy!... osioł wleciał pod juki wielbłąda —
Patrzysz... nad tobą arka tłumoków i skrzyni —
Rozbiłeś się na lądzie — a okręt pustyni
Popłynął. — I znów idzie całunem nakryta
Jakaś trumna szeroka, czarna — to kobiéta!   100
Płaszczami rozszerzona na całą ulicę,
Z oczami błyszczącymi. jako dwie gromnice,
Przez dwa białe otwory, z jedwabiu szelestem
Biegnąca... zda się tobie, że pyta: Kto jestem?
W łokciach ufaj, jak ryba pływająca w skrzelach,   105
Rozpychaj tłum — błękitny ustępuje felach.
Tu pilnująca głową równowagi dzbanka,
Wyprężona przy murach staje Egipcjanka,
Podobna kariatydzie w ścianę wmurowanej;
Jej koszula, posłuszna piersi z brązu lanej,   110
Nad łonem się podnosi i na dół opada,
O każdy kształt jak wodna łamiąc się kaskada.
Tu europejski ubior, wielki równacz stanów,
Dalej żebrzące stado postaci bocianów
Goni za tobą, prośbą grzechoczącą klaszcze —   115
Czarne, wychudłe, w białe obwinięte płaszcze.
Ledwoś wyrobił w tłumie ulicowym szczerby,
Ledwoś dopadł do bramy: — przy bramie, jak herby,
Żywe wielbłądy okiem przerastając kratę,
Wodą w skórzanych workach zamkniętą skrzydlate,   120
Stają ci się przed progiem domowym zagrodą,
Odstraszając sączącą się przez skóry wodą.

Nim się myślą o wiekach ubiegłych zasępię,
Bawi mię to. co widzę i słyszę na wstępie:

Dziś ludzi kolorami rozkwiecone klomby – 125
Jutro ujrzę pomniki – trumny – katakomby –
Wszystko, co pozostało na tym piasku z wieków
Od Egipcjan przez Rzymian podbitych i Greków.
Dosyć już... dziś znużony arabskimi gwary,
Siędę w oknie i będę patrzał na port stary 130
Wielkiego Aleksandra, gdzie się jeszcze trzyma
Latarnia morska, świecąc puszczyków oczyma.

Aleksandria, 22 października 1836.

Z listu do księgarza

Jeszcze chodzą przed oczyma
Róże, palmy, wieże, gmachy,
Kair, Teby, Tyr, Solima,
    Mój Eustachy.

Jeszcze głowa diabła warta,   5
Jeszcze morskie czuję strachy,
Wycia hyjen, lwa, lamparta,
    Mój Eustachy.

Jeszcze długo spocząć trzeba,
Nim przywyknę widzieć dachy   10
Zamiast płócien, palm i nieba,
    Mój Eustachy.

Lecz ty wyrwiesz mnie z letargu,
Ty pomięszasz róż zapachy
Księgarskiego wonią targu,   15
    Mój Eustachy.

Będę tobie wdzięcznym za to,
Przypomnisz mi kraj i Lachy
Zniechęceniem, troską, stratą,
    Mój Eustachy.   20

Ty napiszesz mi, jak stoją
Poetycznej muzy gachy,
I co piszą, i co broją,
    Mój Eustachy.

Dla nich rosły świeże laury·   25
I szczękały druku blachy,
Gdym ja gonił Kofty, Maury,
    Mój Eustachy.

Niech spiewają więc „Te Deum",
Żem rok zgubił, budząc Grachy   30
I Scypiony w Kollizeum,
    Mój Eustachy.

Lecz się wmięszam do antyfon,
Na egipskie klnę się Ptachy,
Na kościoły, gdzie Bóg Tyfon,   35
            Mój Eustachy.

Klnę się tobie i na Athor,
Co w Tentyrze ma swe gmachy,
Że się porwę, jak gladiator,
            Mój Eustachy.   40

Lipca d. 9 w kwarantannie Livourno 1837.

Do Zygmunta

Żegnaj, o żegnaj, archaniele wiary!
Coś przyszedł robić z moim sercem czary,
Coś w łzy zamienił jego krew czerwoną,
Wyrwał je z piersi, wziął we własne łono,
Ogrzał, oświetlił, by nie poszło w trumnę,   5
Ani spokojne mniej, ani mniej dumne...

Więc gdzieś daleko, u boskiego celu,
Chwała dla ciebie, o serc wskrzesicielu,
A dla mnie pokój, dla ducha i kości,
Bo tym obojgu trzeba – spokojności...   10
Lecz jeśli ducha nadchodzą morderce?
Lecz jeśli walka jest? – dałeś mi serce!

Florencja, 4 grudnia 1838 r.

Na sprowadzenie prochów Napoleona

I

I wydarto go z ziemi – popiołem,
   I wydarto go wierzbie płaczącej,
Gdzie sam leżał ze sławy aniołem,
   Gdzie był sam, nie w purpurze błyszczącej,
Ale płaszczem żołnierskim spowity,   5
A na mieczu jak na krzyżu rozbity.

II

Powiedz, jakim znalazłeś go w grobie,
   Królewicu, dowódzco korabli? –
Czy rąk dwoje miał krzyżem na sobie?
   Czy z rąk jedną miał przez sen na szabli?   10
A gdyś kamień z mogiły podźwignął,
Powiedz, czy trup zadrżał, czy się wzdrygnął?

III

On przeczuwał, że przyjdzie godzina,
   Co mu kamień grobowy rozkruszy;
Ale myślał, że ręka go syna   15
   W tym grobowcu podźwignie i ruszy,
I łańcuchy zeń zdejmie zabojcze,
I na ojca proch zawoła: – Ojcze!

IV

Ale przyszli go z grobu wyciągać,
   Obce twarze zajrzały do lochu;   20
I zaczęli prochowi urągać,
   I zaczęli nań wołać: – Wstań, prochu!
Potem wzięli tę trochę zgnilizny
I spytali – czy chce do ojczyzny? –

V

Szumcie! szumcie więc morza lazury,   25
   Gdy wam dadzą nieść trumnę olbrzyma!
Piramidy! wstępujcie na góry
   I patrzajcie nań wieków oczyma!
Tam! – na morzach! – mew gromadka szara
To jest flota z popiołami Cezara.   30

VI

Z tronów patrzą szatany przestępne,
    Car wygląda blady spoza lodów,
Orły siedzą na trumnie posępne
    I ze skrzydeł krew trzęsą narodów.
Orły, niegdyś zdobywcze i dumne,   35
Już nie patrzą na słońce – lecz w trumnę.

VII

Prochu! prochu! o leż ty spokojny,
    Gdy usłyszysz trąby śród odmętu,
Bo nie będzie to hasło do wojny,
    Ale hasło pacierzy – lamentu...   40
Raz ostatni hetmanisz ty roty!
I zwyciężysz – lecz zwycięstwem Golgoty.

VIII

Ale nigdy, o nigdy! choć w ręku
    Miałeś berło, świat i szablę nagą,
Nigdy, nigdy nie szedłeś śród jęku   45
    Z tak ogromną litości powagą,
Z taką mocą... i z tak dumnym obliczem,
Jak dziś, wielki! gdy powracasz tu niczem.

1 czerwca 1840.

Testament mój

Żyłem z wami, cierpiałem i płakałem z wami,
   Nigdy mi, kto szlachetny, nie był obojętny,
Dziś was rzucam i dalej idę w cień — z duchami —
   A jak gdyby tu szczęście było — idę smętny.

Nie zostawiłem tutaj żadnego dziedzica   5
   Ani dla mojej lutni, ani dla imienia; —
Imię moje tak przeszło jako błyskawica
   I będzie jak dźwięk pusty trwać przez pokolenia.

Lecz wy, coście mnie znali, w podaniach przekażcie,   10
   Żem dla ojczyzny sterał moje lata młode;
A póki okręt walczył — siedziałem na maszcie,
   A gdy tonął — z okrętem poszedłem pod wodę...

Ale kiedyś — o smętnych losach zadumany
   Mojej biednej ojczyzny — przyzna, kto szlachetny, 15
Że płaszcz na moim duchu był nie wyżebrany,
   Lecz świetnościami dawnych moich przodków świetny.

Niech przyjaciele moi w nocy się zgromadzą
   I biedne serce moje spalą w aloesie,
I tej, która mi dała to serce, oddadzą —   20
   Tak się matkom wypłaca świat, gdy proch odniesie...

Niech przyjaciele moi siądą przy pucharze
   I zapiją mój pogrzeb — oraz własną biedę:
Jeżeli będę duchem, to się im pokażę,
   Jeśli Bóg [mię] uwolni od męki — nie przyjdę...

                                                       25
Lecz zaklinam — niech żywi nie tracą nadziei
   I przed narodem niosą oświaty kaganiec;
A kiedy trzeba, na śmierć idą po kolei,
   Jak kamienie przez Boga rzucane na szaniec!...

Co do mnie — ja zostawiam maleńką tu drużbę   30
   Tych, co mogli pokochać serce moje dumne;
Znać, że srogą spełniłem, twardą bożą służbę
   I zgodziłem się tu mieć — niepłakaną trumnę.

Kto drugi tak bez świata oklasków się zgodzi
  Iść... taką obojętność, jak ja, mieć dlà świata?
Być sternikiem duchami napełnionej łodzi,   35
  I tak cicho odlecieć, jak duch, gdy odlata?

Jednak zostanie po mnie ta siła fatalna,
  Co mi żywemu na nic... tylko czoło zdobi;
Lecz po śmierci was będzie gniotła niewidzialna,
  Aż was, zjadacze chleba — w aniołów przerobi.   40

Polska! Polska! o! królowa...

Polska! Polska! o! królowa,
Polska! Polska Bogdanowa.
Za nią lecą wszystkie dusze
I żupany, i kontusze.
Polska! Polska! o wesoła,
Gdy w objęciach archanioła
W gwiazdę błyska, w kwiat rozkwita,
O! zbawiona... choć zabita.
Choć zabita męczennica,
Sławiańszczyzny to siostrzyca,
A wolności to stolica,
A dla wiary ołtarz złoty.

Wieje ku niej hymn tęsknoty,
Weseli się ród wybrany;
Apostoły, świata pany,
Uwielbieni w całym mirze,
Niosą kwiaty, niosą krzyże,
Polszczy! Polszczy na zbawienie...

Głupie mędrców pokolenie
O! coś sumne, coś doradza...
Na ołtarzu ciernie sadza .
I zamyka pańskie progi.
Płacze, płacze lud ubogi,
Płacze, płacze, powątpiewa;
Owoc gorzki z tego drzewa!
Owoc gorzki, pełny pleśni,
Lud omdlewa – czeka pieśni!

Wyszła, wyszła ziem nadzieja,
Złote dźwięki – epopeja!
Lud się krzepi i weseli;
Cherubiny i anieli
Zaśpiewali, z ranną rosą
Wzięli kwiaty, w niebo niosą,
W niebo niosą hymn pamięci
Cherubiny – dusze – święci...
I hymn leci, i hymn wieje,
Słyszę, słyszę epopeję...

A na świecie coraz gorzej,
Świat okwita — mędrcy chorzy.
Chorzy! chorzy! o! morderce,   40
A chorująż o! na serce.
Nie słuchają... schorowani.
A hymn wieje od otchłani,
Wieje, dzwoni... a zabawka,
A cackoż to — a przegrawka   45
Złota, cudna, niesłychana —
Wypieszczona pieśń Bohdana...

A na świecie coraz gorzej,
Kto wie, może się ukorzy...
Ale gdzie tam!... Mędrcy chorzy,   50
A na dumęż oj! chorują,
Epopeja... a nie słyszą,
Epopeja, a nie czują,
A śpiewają wciąż — a piszą...

Świat okwita — mędrca słowo   55
Bezechowe — rusza głową,
A wciąż spiewa — a wciąż pisze.
Światy w kwiaty... pieśni słyszę,
A od stepów lecą z rosą,
Ludziom dobrym pokój niosą,   60
A złym ludziom utrapienie.
Epopeja — blaski — cienie,
Cherubinów hymn ograny,
Wypieszczony — wyśpiewany,
Ale mądry! ale wielki!   65
Hymn do Panny Zbawicielki...

Ciągła, ciągła epopeja,
A cudowna, tajemnicza,
A nieznana, a dziewicza,
A dźwiękami świat okleja,   70
A słowami dźwięczy wiecznie,
O! niebiańsko — o! słonecznie...
A tak błyszczy jak kometa...

Święty! święty to poeta,
Epopeja, spiewa, dzwoni...   75
A do nieba oj wciąż goni,

W cherubinów patrzy lice,
Światy, słońca, błyskawice
Ciągle nad nim się promienią,
Ciągle dzwonią, słowa żenią...
Światy w kwiaty – światów dzieje
Układają w epopeję.

W albumie E. hr. Krasińskiej

Chciałbym, ażeby tu wpisane słowo,
    Jeśli na wieki ma słowem pozostać,
    Aby słów miało nieśmiertelnych postać
Albo posągów piękność marmurową,
Lub jak Walkhirie, co noszą nad głową   5
    Wieniec z piorunów i we krwi szeleszczą,
    Chciałbym, ażeby miało taką wieszczą
Groźbę i skrzydła, i twarz piorunową.

Lecz słowo martwe. — Ale wy jesteście
    Jako Walkhirie z północy przybyłe: 10
    Pod wasze stopy rzucamy niewieście
Grobowce nasze. — A wy na mogiłę
    Wstąpcie, a kto wart życia, tego wskrzeście.

Paryż, d. 29 czerwca 1841 r.

Pogrzeb kapitana Meyznera

Wzięliśmy biedną trumnę ze szpitalu,
    Do żebrackiego mieli rzucić dołu;
Ani łzy jednej matczynego żalu,
    Ani grobowca nad garstką popiołu!
Wczora był pełny młodości i siły —
Jutro nie będzie nawet — i mogiły.

Gdyby przynajmniej przy rycerskiej śpiewce
    Karabin jemu pod głowę żołnierski!
Ten sam karabin, w którym na panewce
    Kurzy się jeszcze wystrzał belwederski,
Gdyby miecz w sercu lub śmiertelna kula —
Lecz nie! — szpitalne łoże i koszula!

Czy on pomyślał — tej nocy błękitów,
    Gdy Polska cała w twardej zbroi szczękła,
Gdy leżał smętny w trumnie Karmelitów,
    A trumna w chwili zmartwychwstalnej pękła.
Gdy swój karabin przyciskał do łona —
Czy on pomyślał wtenczas, że tak skona?!

Dziś przyszedł chciwy jałmużny odźwierny
    I przyszły wiedmy, które trupów strzegą,
I otworzyli nam dom miłosierny,
    I rzekli: „Brata poznajcie waszego!
Czy ten sam, który wczora się po świecie
Kołatał z wami? — Czy go poznajecie?"

I płachtę z głowy mu szpitalną zdjęto,
    Nożem pośmiertnych rzeźników czerwoną;
Źrennicę trzymał na blask odemkniętą,
    Ale od braci miał twarz odwróconą;
Więceśmy rzekli wiedmom, by zawarły
Trumnę, bo to jest nasz brat — ten umarły.

I przeraziła nas wszystkich ta nędza,
    A jeden z młodszych spytał: „Gdzież go złożą?"
Odpowiedziała mu szpitalna jędza:
    „W święconej ziemi, gdzie przez miłość bożą

Kładziemy poczet nasz umarłych tłumny, 35
W jeden ogromny dół — na trumnach trumny".

Więc ów młodzieniec, męki czując szczere,
 Wydobył złoty jeden pieniądz drobny
I rzekł: „Zaśpiewać nad nim Miserere,
 Niechaj ogródek ma i krzyż osobny..." 40
Zamilkł: a myśmy pochylili głowy,
Łzy i grosz sypiąc na talerz cynowy.

Niech ma ogródek — i niech się przed Panem
 Pochwali tym, co krzyż na grobie gada:
Że był w dziewiątym pułku kapitanem, 45
 Że go słuchała rycerzy gromada,
A dziś ojczyźnie jest niczym nie dłużny,
Chociaż osobny ma kurhan — z jałmużny.

Ale Ty, Boże! który z wysokości
 Strzały Twe rzucasz na kraju obrońce, 50
Błagamy Ciebie przez tę garstkę kości,
 Zapal przynajmniej na śmierć naszą — słońce!
Niechaj dzień wyjdzie z jasnej niebios bramy,
Niechaj nas przecie widzą — gdy konamy!

Paryż, d. 30 października 1841 r.

Anioły stoją na rodzinnych polach...

Anioły stoją na rodzinnych polach
    I chcąc powitać lecą w nasze strony,
Ludzie schyleni w nędzy i w niedolach
    Cierniowymi się kłaniają korony,
Idą i szyki witają podróżne,   5
    I o miecz proszą tak jak o jałmużnę.

  — Postój, o postój, hułanie czerwony!
    Przez co to koń twój zapieniony skacze?
  — To nic... to mojej matki grób zhańbiony,
    Serce mi pęka, lecz oko nie płacze. —   10
Koń dobył iskier na grobie z marmuru
I mściwa szabla wylazła z jaszczuru.

Do Pani Joanny Bobrowej

O! gdybym ja wiódł Panią do kaskady!
    To tak jak ludzie przyjaciołom wierni,
Aż tam bym zawiódł, gdzie pył leci blady
    Śród leszczyn w Gisbach — a śród laurów w Terni.

Dzikie bym zrywał na murawie kwiaty,   5
    A Pani w skałach siadłabyś myśląca,
Jak anioł skrzydłem kaskady skrzydlaty —
    Czekając znad skał śpiewu — i miesiąca.

Gdybym ja Panią do kaskady woził,
    Może bym wieczną tam zatrzymał siłą —   10
Śpiewem skamienił i lodem zamroził,
    I kazał tęczom świecić nad mogiłą.

Lecz nie powiodę do takiego zdroja,
    Bo teraz straszna jest ducha kaskada;
To cały duch mój i cała krew moja,   15
    Która na Polskę chce upaść — i spada.

Raz ty, porwana tym strumieniem gminnym,
    Byłabyś nigdy nie wrócona światu;
Dlatego poszłaś gdzie indziej — z kim innym;
    Ręki się bojąc dać dawnemu bratu.   20

Bo dzisiaj Polka ciekawość pokona,
    A jej nie karmi to, co tłum paryski,
Gdy w sercu Polska duchem urodzona
    Jak nimfa wstaje z perłowej kołyski.

Dzisiaj siedżącej przed kaskadą w koczu   25
    Sumnienie Pani powie samo głuche...
Że niegdyś łzy się tak sączyły z oczu!
    A dzisiaj! oczy patrzą — takie suche!

Czyś tym przeklęta, czy błogosławiona,
    Że serce zimne — oczy łez nie leją?   30
Powie ci kiedyś mogił druga strona,
    Gdzie serca pękną — albo się rozgrzeją.

Co do mnie – wiem ja, jak to praca pusta
    Serce kobiece na czas prze-anielić!
Dlatego odtąd – wiecznie zamknę usta   35
    I wolę nie być z Panią – niż zgon dzielić.

Bo to okropnie! rany pozamykać,
    Zagoić wszystkie dawne serca blizny!
Iść – i aniołów już nie napotykać!
    Już nie mieć ani serca! – ni ojczyzny!   40

Gdybym był duchem wersalskiej natury,
    A taką Ciebie między tłumem zoczył,
Zleciałbym na cię jak kaskada z góry,
    Porwał – i rzucił w przepaść – i sam skoczył.

1842 r. 14 maja.

Tak mi, Boże, dopomóż

Idea wiary nowej rozwinięta,
    W błyśnieniu jednym zmartwychwstała we mnie
Cała, gotowa do czynu i święta;
    Więc niedaremnie, o! nienadaremnie
Snu śmiertelnego porzuciłem łoże.   5
Tak mi dopomóż, Chryste Panie Boże!

Mały ja, biedny, ale serce moje
    Może pomieścić ludzi milijony.
Ci wszyscy ze mnie będą mieli zbroje −
    I ze mnie piorun mieć będą czerwony,   10
I z mego szczęścia do szczęścia podnoże.
Tak mi dopomóż, Chryste Panie Boże!

Za to spokojność już mam i mieć będę,
    I będę wieczny − jak te, które wskrzeszę −
I będę mocny − jak to, co zdobędę −   15
    I będę szczęsny −`jak to, co pocieszę −
I będę stworzon − jak rzecz, którą stworzę.
Tak mi dopomóż, Chryste Panie Boże!

Chociaż usłyszę głosy urągania,
    Nie dbam, czy wzrastać będą − czy ucichać...   20
Jest to w godzinie wielkiej zmartwychwstania
    Szmer kości, który na smentarzach słychać.
Lecz się umarłych zgrają nie zatrwożę.
Tak mi dopomóż, Chryste Panie Boże!

Widzę wchód jeden tylko otworzony   25
    I drogę ducha tylko jednobramną...
Trzymając w górę palec podniesiony
    Idę z przestrogą − kto żyw − pójdzie za mną.
Pójdzie − chociażbym wszedłszy szedł przez morze.
Tak mi dopomóż, Chryste Panie Boże!   30

Drugi raz pokój dany jest na ziemi
    Tym, którzy miłość mają i ofiarę...
Dane zwycięstwo jest nad umarłemi,
    Dano jest wskrzeszać tych, co mają wiarę...
Na reszcie trumien − Ja − pieczęć położę.   35
Tak mi dopomóż, Chryste Panie Boże!

Lecz tym, co idą — nie przez czarnoksięstwa,
    Ale przez wiarę — dam, co sam Bóg daje:
W ich usta włożę komendę zwycięstwa,
    W ich oczy — ten wzrok, co zdobywa kraje —   40
Ten wzrok, któremu nic dotrwać nie może.
Tak mi dopomóż, Chryste Panie Boże!

Z pokorą teraz padam na kolana,
    Abym wstał silnym Boga robotnikiem.
Gdy wstanę — mój głos będzie głosem Pana,   45
    Mój krzyk — ojczyzny całej będzie krzykiem,
Mój duch — aniołem, co wszystko przemoże.
Tak mi dopomóż, Chryste Panie Boże!

Lipca 13. — [1842]

Wiesz, Panie, iżem zbiegał świat szeroki...

Wiesz, Panie, iżem zbiegał świat szeroki
  Szukając jednej prawdy człowiekowi,
Śród tęcz chodziłem skalnych — przez obłoki,
  I rzekłem: „Wola ich nie zastanowi,

„Człowiek nie wyrwie piorunu z chmurzycy,   5
  Lecących niby stadami srebrnemi
Gwiazd nie zatrzyma — ani z błyskawicy
  Miecza ukuje, chcąc być panem ziemi..."

I byłem jeszcze tam, gdzie Ateńczyki
  W lasach oliwnych gwarzyli poważnie,   10
Duchem być sądząc wodę lub płomyki,
  A prawdą: przeciw nędzom stać odważnie.

Więc i tam, Panie! pod tymi niebiosy
  Turkusowymi, kiedym słuchał blady,
Leciały do mnie różne prawdy głosy,   15
  Jak echa od harf umarłej Hellady.

A jednak smętny odszedłem od echa
  Partenońskiego, gdzie marmur różany
I gładki — wiecznie z nieba się uśmiecha,
  Jak Wenus w srebrne wracająca piany,   20

Skąd była wyszła kwiatem. — I tak, Boże!
  Słuchałem znowu lecących bocianów,
Które się wlekły girlandą przez morze,
  A niosły mi pieśń z mych ojczystych łanów.

Ale i głosy ptaków nic nie rzekły   25
  Rozumieć tworów nie umiejącemu,
Tylko girlandy smętnych jęków wlekły,
  Szum skrzydeł dając wiatrowi wielkiemu,

A smętek morzu... Lecz teraz, o Panie,
  Radosny jestem i rozweselony,   30
Przyszedłszy na to natury poznanie,
  Które mi staje za skarby i trony

A z Ciebie wyszło...
        Niechże nie powiada
Człowiek, że w moich słowach kościołowi
Jaka nienawiść jest lub jaka zdrada   35
    Albo strach jaki...
        Bośmy w nim nie nowi,

Bośmy go dawniej, pełni złotej wiary —
    Ani krwi nie żałując, ani stali —
Stroili w straszne tureckie sztandary,
    A sztandarami w miesiące ubrali,   40

A miesiącami dzisiaj błyszczy tymi
    I tą odwieczną sztandarów purpurą,
Błyszczy jakoby pióry anielskimi
    Pod Apeninu rozwinięty górą.

Oto więc proszę, aby mi na progu   45
    Pozwolił z mego narodu żebraki
Usiąść, a nie siał tam ciernia i głogu,
    Gdzie człowiek zbity niby orzeł jaki

Piersią upadnie... Proszę, niech już przecie
    Z litości nad swą wiarą wyziębioną   50
Pozwoli, że kto czarta w nim rozgniecie
    I z błyskawicą się zetrze czerwoną,

Pozwól, że strzegąc krzyżowego znaku
    I polskiej wiary, i Boga Rodzicy
Polak aż w kościół wjedzie na rumaku,   55
    Z szablą dobytą na pół i w przyłbicy.

Ledwom to wyrzekł, ktoś wykrzyknął: ,,Roma!
    Nie jesteś ty już panią i królową,
Boś jest jak szatan cielesny łakoma,
    A niższa sercem od ludów i głową''.   60

Spojrzałem wtenczas, kto w powietrzu gada,
    A oto obok jednego grobowca,
Na którym w locie jaskółka usiada,
    Tak jest samotny, a biały jak owca,

Na ciemnej tych pól kampańskich zieleni,   65
    Na którą słońce. gdy bije. to broczy.

I niby dawną, rzymską krwią rumieni,
  I niby w jakiś sen wtrąca proroczy,

Ujrzałem mary dwie, niby młodzieńca
  Z dziewicą, cudnej i smukłej urody,   70
Braniem łącznego zatrudnionych wieńca
  Albo czerpaniem łez źródlanej wody,

Która z fontanny dawnej po Rzymianach,
  Rzadkie już perły srebrzyste sypała,
Oboje bowiem byli na kolanach   75
  Przed nią, a ona, ta fontanna, stała

Płacząca... Rzekłem więc: ,,Czego szukacie
  I czemuście tu klękli przed źródłami?"
Na ten głos obie cudowne postacie
  Wyprostowały się mówiąc: ,,My sami   80

,,Nie wiemy, czemu u zrzódeł tej wody
  Schylamy kolan, nie mając ni dzbanka,
Ani potrzeby picia i ochłody,
  Ani trzód, jako gdzieś Samarytanka".

Na to im rzekłem: ,,Wiem, czego szukacie   85
  I czego chcecie od zrzódeł". – A oni:
,,Od zrzódeł, które są w powojów szacie,
  Piękności tylko żądamy i woni".

,,O biedni!" – rzekłem – ,,piękność, woń i świéca
  Jest w duchu... a wy na zewnątrz wyciekli   90
Jak rozwiązana w chmurze błyskawica".
. . . .
. . . .

Do pastereczki
siedzącej na Druidów kamieniach
w Pornic nad oceanem

Boże, błogosław tej małej pasterce
    Na druidycznych siedzącej kamieniach,
    Tak że jej głowa w zorzowych płomieniach
Była... a za nią morza pas — po serce.
A jej chodaki na białych krzemieniach   5
    Podkute jasnym ćwiekiem w półmiesiące,
    A włoski złote z wiatrem igrające,
A jakieś przeszłe anielstwo w spojrzeniach.

Błogosław miejscu, gdzie ona usiadła
    I o swej nędzy mówiąc łzy perłowe   10
Lała — i perły te nieszczęsne jadła,
    Albowiem w dziecku tym słychać królowę
Ducha, która tu w nieszczęście popadła
    I na ciernisku położyła głowę.

Jak ty mi jesteś wdzięczna,   15
    Duszeczko moja mała,
Słoneczna i miesięczna,
    Prawie bez krwi i ciała.
Gdyś wysoko siadała   20
Z główką w zorzy pierścieniach,
    Na Druidów kamieniach,
    Śród jałowcowych krzaków
Ćwieki twoich chodaków
    Błyskały mi na lice   25
    Jako dwa półksiężyce
Czerwoną zorzą ranną;
    I byłaś mi zarazem
    Chłopeczką i Dyjanną,
Zjawieniem i obrazem,   30
    Kochanką i dziecięciem,
Smutkiem — i niebowzięciem.

Włoski twoje jak zboże
    Złote i przezroczyste
Wiatr unosił na morze,

A we włoskach ogniste   35
Ranunkuły z doliny,
Jak maki Ukrainy,
   Zdawały się ogniami,
   Które tobie do lica
   Przypięła upiorzyca   40
Spiąca w grobie pod nami.

Za tobą — szafir mórz
   Dzielił kibić na dwoje;
   Nad głową — jak zawoje
Jutrzenki pełne róż   45
I chwasty w dyjamentach
   Około ciebie skrzyły,
A ty na monumentach
   Stróżka — i duch mogiły,
Z niewinnością na licach,   50
Z nóżkami na księżycach.

W pamiętniku Zofii Bobrówny

Niechaj mię Zośka o wiersze nie prosi,
Bo kiedy Zośka do ojczyzny wróci,
To każdy kwiatek powie wiersze Zosi,
Każda jej gwiazdka piosenkę zanuci.
Nim kwiat przekwitnie, nim gwiazdeczka zleci,   5
Słuchaj — bo to są najlepsi poeci.

Gwiazdy błękitne, kwiateczki czerwone
Będą ci całe poemata składać.
Ja bym to samo powiedział, co one,
Bo ja się od nich nauczyłem gadać;   10
Bo tam, gdzie Ikwy srebrne fale płyną,
Byłem ja niegdyś, jak Zośka, dzieciną.

Dzisiaj daleko pojechałem w gości
I dalej mię los nieszczęśliwy goni.
Przywież mi, Zośko, od tych gwiazd światłości,   15
Przywież mi, Zośko, z tamtych kwiatów woni,
Bo mi zaprawdę odmłodnieć potrzeba.
Wróć mi więc z kraju taką — jakby z nieba.

13 marca 1844. Paryż.

Do Ludwiki Bobrówny

Gdy na ojczyznę spojrzą oczy Lolki,
    Karmione złotem i tęczową czczością,
Niechajże patrzą tak, jak oczy Polki,
    Spokojnie — ale z ogniem i z miłością.

Jeśli je patrzeć na hańbę przymuszą   5
    I na lud, który tam w łańcuchach pędzą:
Niechaj te oczy łzami się zaprószą,
    Lecz niech się nigdy nie zamkną przed nędzą.

Kiedy z tych oczu łez opadnie rosa,
    A ludzie dobrzy będą w nie patrzali: 10
Pokaż im w oczach otwartych niebiosa
    Aż do błękitu dusz — i jeszcze dalej...

Gdy przyjdą wieszcze porwać naród z trumny
    I rzucić w ogień tych, co skry się boją:
Z oczu rzuć takie dwie światła kolumny,   15
    Jak ognie, które na wulkanach stoją.

Wtenczas ja, widząc te łzy i wulkany,
    Powiem i w rymy to włożę królewskie:
Że choć widziałem w oczach cztery zmiany,
    Prawdziwie Lolka ma oczy niebieskie.   20

Paryż, d. 14 marca 1844.

Śmierć, co trzynaście lat
stała koło mnie...

Śmierć, co trzynaście lat stała koło mnie,
 Poszła i wbiegła do carskiej komnaty,
Car ją jak wariat przyjął — nieprzytomnie —
 I oddał ducha przy strzale harmaty,
Który gromowi bożemu podobny,   5
Poszedł na Moskwę jako dzwon żałobny.

Moskwa w powietrze blade zasłuchana,
 W czepcach złocistych jak matuszka stara,
Słysząc to rzekła: „Albo śmiech szatana,
 Albo też pękło czarne serce cara".   10
I cała wyszła na zielone błonia
Czekać na jezdca pierwszego i konia.

Pierwszy koń leciał, a był jako smoła,
 I cały czarny jeździec na nim siedział,
Przez lud przeleciał i wpadł do kościoła, 15
 Przez lud przeleciał — słowa nie powiedział;
A kiedy kościół odemknięto z trwogą,
W tej ciemnej Ławrze nie było nikogo.

Drugi przeleciał — lecz resztkami włosa
 I chustą krwawą się krył przed narodem, 20
Jak człowiek, który nie ma ust i nosa
 I twarz ma całą zgniłą jednym wrzodem.
Ten, jako zwykle car czynić przywyknął,
Wbiegł w zamek — usiadł na tronie i zniknął.

Trzeci przeleciał — ale był z daleka   25
 Widny ludowi... że był jak ruina,
Która ma okna tam, gdzie u człowieka
 Serce się mieści i szyja się wcina...
Ten nie doleciał, bo nań wpadły kruki
I rozerwały przed ludem na sztuki.   30

Wtenczas lud krzyknął: „To nasze trzy cary,
 Które w człowieku teraz jednym były;

Najpierwszy: to duch i proch, i car wiary,
   A drugi to proch i duch, i car siły;
A trzeci – od tych rozerwany ptaków,   35
To car-kat... który był królem Polaków".

[1845]

Chór duchów izraelskich

[Doktor Gut]
Nu to niemiecki cud,
Pan Chemik,
Akademik,
Aptekarz,   5
Czego ty z Litwy jechasz?

A Towiański
Człek Pański,
Oni z Gutem
Pokutę   10
Odprawili,
Że tu z Litwy przybyli.

Nu a [Szarlota]
[Za] żywota
Nu ta także   15
Przy [szwagrze]
Osoba
Większa niż oni oba.

Nu a [niewielka]   20
Pani Dejbelka
Ta chodzi
I [uwodzi]
Bez [węża,]
Gdy Pan Bóg spuści męża.

                                                               25
A Adam
Do nóg upadam.
On co rok
Jak prorok
Na kursie   30
Z Panem Bogiem w dyskursie.

A tu Koło,
Tak w nim wesoło,
Gdy czeka
Z daleka,
Aż Pan Bóg   35
Uczyni jaki krok.

Mój Adamito — widzisz, jak to trudne...

Mój Adamito — widzisz, jak to trudne
   Uprawiać cnoty pustynie odludne,
Jaki pot wielki z człowieka się leje,
   Gdy o ideał stoi lub idee.

Dawniej ci ręce jezuitów plotły   5
   Wianeczki i te spiącemu wkładali,
Leciałeś jako komeciane miotły,
   Sił nie zużywszy — byłeś coraz dalej.

Dawniej ploteczka szła na kształt zegarka
   I ciągle twymi wiewała sztandary,   10
Lepsza niż sonet, plotka soneciarka,
   Pełniejsza miodu — niż obce puchar

Medale rosły w olbrzymie posągi,
   Kurwy odeskie zmieniały [w] grafinie,
Nie tak to widzisz, Adamitku, nynie,   15
   Nie tak to nynie — jak to było ongi.

Dziś jezuityzm jak wąż ciebie łamie,
Sam go wskrzesiłeś... widzisz, mój Adamie!

Oto Bóg, który łona tajemnic odmyka...

Oto Bóg, który łona tajemnic odmyka,
Podniósł wreszcie zasłonę czarną z matecznika
I pokazał... okropną umysłów ruinę,
Oczy krwią zaszłe, twarze zielone i sine,
Dogasające oczy przy ofiarnej czarze,   5
Zabójstwa serc i skryte na trupy cmentarze,
Kijami po moskiewsku nasiekane grzbiety,
Żywe zwierzęce widma – włóczęgi – szkielety,
Chodzące lůdzi szczątki – ciał ruchome ćwierci,
Pełny wężowisk ducha matecznik, gród śmierci...   10

Tamże jest tron jako grób straszliwy i czarny,
Na którym się pokazał ów niedźwiedź polarny,
Figura z krwi i z ciała, wewnątrz chora, pusta,
Mocarz zapowiedziany w proroctwie oszusta.
Przed jego pożyczoną już od cara mocą   15
Szkielety waryjatów kładną się, gruchocą,
Podlą się i za podłość mu składają dzięki.
Słychać trzask czaszek, grzechot piszczeli i jęki.
Któż by powiedział wczora,. że ta, ach, kotara
Kryje takie tam uczty straszne Baltazara,   20
Że ten, co miał serdeczne niegdyś w Polsce państwo,
Dzisiaj osławiony zapadł w ducha pijaństwo
I bachanalią kończy z uczuciem wieczności,
Nie wiedząc, że ma z trupów śmiejących się gości,
Że tam nie oświęcony jest dom bez miesiąca   25
I ręka carska ogniem po ścianach pisząca,
Że przy stole okropne zbierając okruchy
Siedzą ciała nie swymi napełnione duchy,
Liczba jakaś szatanów, która ciał używa.
Ten mówi ja – a drugi duch się w nim odzywa –   30
Drugi – którego przeszłość w siebie zajrzeć znęci,
Spojrzy – i cudzą pamięć znajdzie w swej pamięci.
Inny... gdzieś pod Grochowem naznaczony blizną,
Zapomni się i Moskwę nazywa ojczyzną.
Tamten rozczochra włosy i podniesie pięście,   35
I krzyknie jak kobieta: Boże! o! nieszczęście!
I zaszlochaniem, w którym już brakie oddechu,
Zakończy jak dziecinna harmonika śmiechu,

Z tonu na ton spadając, aż głosem zaleci
W te jamy, gdzie psy wyją piekielne jak dzieci...   40

Tam, patrzaj, człowiek niby zachłyśniony Bogiem,
Ojczyzny, swojej matki dawnej, stoi wrogiem;
W serce, gdzie ona jeszcze święty ogień trzyma,
Swymi sztyletowymi utkwiwszy oczyma...
Wariat, a mądry! Sztandar zaguby rozwinie,   45
Wszystkich wyszle i straci, ale sam nie zginie —
Jako płaz będzie pływał w skorupach i ślinie...

I teraz stoi, patrzaj, jak trup w grobie cały,
Od którego robaki sto lat uciekały,
I nareszcie z przestrachem rzuciły trumnicę,   50
Gdzie kości wypróchniałe gorzały jak świéce.

I nad okropnym, ciemnym piekła malowidłem
Szary tak machnął ręką, jak niedoperz skrzydłem...

Prowadził mnie
na bardzo ciemne wężowisko...

Prowadził mnie na bardzo ciemne wężowisko
I rzekł: „To miejsce było proroka kołyską,
Proroka... o którym już dziś nie gada sława;
Ta w błotach wyspa... wyspą jest i zwie się Jawa,
A ten człowiek, który był wierny lokaj pański,   5
Od wyspy był nazwany w proroctwie Jawański..."

Tu mi wydobył starą i żółtą kronikę
W skórze cielęcej... i żab głośną harmonikę
Uciszywszy... bo ducha miał moc i potęgę
Mojżeszową... otworzył zapyloną księgę   10
I czytał...

Bo to jest wieszcza najjaśniejsza chwała...

Bo to jest wieszcza najjaśniejsza chwała,
Że w posąg mieni nawet pożegnanie.
Ta kartka wieki tu będzie płakała
I łez jej stanie.

Kiedy w daleką odjeżdżasz krainę,
Ja kończę moje na ziemi wygnanie,
Ale samotny – ale łzami płynę –
I to pisanie...

Wierzę

Wierzę w Boga Ojca wszechmogącego,
    Ojca naszego,
Przez któregom jest duch rodzony,
Twórczością i wolą udarowany,
    Abym się objawił światłością.

Wierzę w Chrystusa Pana,
    Słowo świata całego,
Który wszelką sprawę czyni,
    Żywot ku Ojcu prowadzi,
    A urodził się z Dziewicy
      Przez natchnienie Ducha Świętego
    Za śćmieniem się ludzkiej natury.
I rozpięty był na krzyżu;
    Trzy dni przetrwał w łonie ziemi,
A po trzech dniach zmartwychwstał
    I niesion jest z ciałem w obłoki,
    Skąd przyjdzie rządzić Królestwo Boże.

Wierzę w Ducha Świętego,
    Trzecią Świętej Trójcy osobę,
    Nieśmiertelną i wszechmocną,
Z Ojca i Syna urodzoną,
    Równą Ojcu i Synowi,
Przez którąm jest napełnion świętością.

Wierzę w święty Kościół powszechny,
    I w najwyższego Ducha pasterstwo;
Wierzę w świętych Duchów związek,
    Widzialnych i niewidzialnych —
Wierzę w świata przemienienie,
W ostateczne zmartwychwstanie
    Ciała wszelkiego na ziemi.
W Królestwo Boże widzialnie
    Przychodzące z przemienieniem
      Natury naszej cielesnej,
      Z przełamaniem grzechu wszelkiego —
Wierzę. I w żywot wieczny. — Amen.

Sowiński w okopach Woli

W starym kościółku na Woli
Został jenerał Sowiński,
Starzec o drewnianej nodze,
I wrogom się broni szpadą;
A wokoło leżą wodze   5
Batalionów i żołnierze,
I potrzaskane armaty,
I gwery: wszystko stracone!

Jenerał się poddać nie chce,
Ale się staruszek broni   10
Oparłszy się na ołtarzu,
Na białym bożym obrusie,
I tam łokieć położywszy,
Kędy zwykle mszały kładą,
Na lewej ołtarza stronie,   15
Gdzie ksiądz Ewangelią czyta.

I wpadają adiutanty,
Adiutanty Paszkiewicza,
I proszą go: „Jenerale,
Poddaj się... nie giń tak marnie”.   20
Na kolana przed nim padli,
Jak ojca własnego proszą:
„Oddaj szpadę, Jenerale,
Marszałek sam przyjdzie po nią...”

„Nie poddam się wam, panowie —   25
Rzecze spokojnie staruszek —
Ani wam, ni marszałkowi
Szpady tej nie oddam w ręce,
Choćby sam car przyszedł po nią,
To stary — nie oddam szpady,   30
Lecz się szpadą bronić będę,
Póki serce we mnie bije.

„Choćby nie było na świecie
Jednego już nawet Polaka,
To ja jeszcze zginąć muszę   35
Za miłą moją ojczyznę,

I za ojców moich duszę
Muszę zginąć... na okopach,
Broniąc się do śmierci szpadą
Przeciwko wrogom ojczyzny,

„Aby miasto pamiętało
I mówiły polskie dziatki,
Które dziś w kołyskach leżą
I bomby grające słyszą,
Aby, mówię, owe dziatki
Wyrósłszy wspomniały sobie,
Że w tym dniu poległ na wałach
Jenerał — z nogą drewnianą.

„Kiedym chodził po ulicach,
I śmiała się często młodzież,
Żem szedł na drewnianej szczudle
I często, stary, utykał.
Niechże teraz mię obaczy,
Czy mi dobrze noga służy,
Czy prosto do Boga wiedzie
I prędko tam zaprowadzi.

„Adiutanty me, fircyki,
Że byli na zdrowych nogach,
Toteż usłużyli sobie
W potrzebie — tymi nogami,
Tak że muszę na ołtarzu
Oprzeć się, człowiek kulawy,
Więc śmierci szukać nie mogę,
Ale jej tu dobrze czekam.

„Nie klękajcie wy przede mną,
Bo nie jestem żaden święty.
Ale Polak jestem prawy,
Broniący mego żywota;
Nie jestem żaden męczennik,
Ale się do śmierci bronię
I kogo mogę, zabiję,
I krew dam — a nie dam szpady..."

To rzekł jenerał Sowiński,
Starzec o drewnianej nodze.

I szpadą się jako fechmistrz
Opędzał przed bagnetami;
Aż go jeden żołnierz stary
Uderzył w piersi i przebił...
Opartego na ołtarzu
I na tej nodze drewnianej.

Śni mi się jakaś wielka
a przez wieki idąca...

Śni mi się jakaś wielka a przez wieki idąca
Powieść... niby na twarzy ogromnego miesiąca
Ludy wymalowane... krwią swoją purpurową
Idące błagać Boga i wiekuiste Słowo
Na niebiosach zjawione... O pomóż, Zbawicielu,   5
Abym te wszystkie rzeczy... do gwiazdy i do celu
Doprowadził... a ludzkim się nie zmieszał oklaskiem
Ani łzami się zalał... ani śćmił twoim blaskiem.

Ojczyzny nieśmiertelnej serce wielkie niech słyszę
Ciągle w sobie bijące... a na wielką się ciszę   10
Przygotuję... że żadnych stąd oklasków nie będzie...
Chyba gdzie jakie pary... białe, wodne łabędzie
Po stawach ukraińskich... albo też i nad nami,
Które są echem kraju... tych... i muzykantami
Niebios... Cecylii świętej... za życia poślubione...   15
Głos słysząc... złote palmy... niewidzialną koronę
Spuszczą z chmur turkusowych... i ze złotego nieba
Róż ognistych nasypią... więcej też nie potrzeba
Kaznodziei poecie...
              Prześwięte więc żywoty
Opiszę... i tych jasnych duchów słonecznik złoty,   20
Ciągle ku przejasnemu słońcu odwracający
Oblicze... więc i wielki ów kraj teraz płaczący
Wolności... i wierzbami rozwieszony nad grobem
Zbudzę... i ojce nasze nad Zbawiciela żłobem
W gwiaździe wschodniej zjawione... ubiorę w dawne ciała, 25
Więc i Litwę — co wtenczas nad jeziormi siedziała.

Bo mię matka moja miła...

Bo mię matka moja miła
Na słowika urodziła,
A ja wziąwszy taki głos,
Ze słowika jestem kos...
A to wszystko są nonsensa,   5
Te moje wierszyki nowe,
Gdzie się język mój wałęsa
I bawi zęby trzonowe...

Los mię już żaden nie może zatrwożyć...

Los mię już żaden nie może zatrwożyć,
   Jasną do końca mam wybitą drogę,
Ta droga moja — żyć — cierpieć — i tworzyć,
   To wszystko czynię — a więcej nie mogę.

Dawniej miłością różane godziny   5
   I w zorzach jeszcze jaśniejsze pochodnie;
Dzisiaj, przy schyłku dnia, ważniejsze czyny,
   Wielkie i smętne jak słońce zachodnie.

Na nich się zegar życia zastanowi
   I puści ducha-skowronka w otchłanie,   10
Pomóżże, Boże, temu skowronkowi,
   Niech wesół leci — niech wysoko stanie.

A raczej powiem — gdy się żywot zmierzcha,
   Dusza-jaskółka daleko od ziemi,
Pomóż jaskółce, co mi z oczu pierzcha   15
   Z oczkami w światło rozweselonemi.

Dusza się moja zamyśla głęboko...

Dusza się moja zamyśla głęboko,
  Czuje, że tu jak słońcu zajść potrzeba,
  A innym ludziom zabłysnąć na oko...

Jakiego kraju i jakiego nieba
  Światło powita mię w progu żywota?   5
  Nie wiem — lecz rad bym żył z polskiego chleba...

Bądźże mi lepsza, o młodości złota,
  Niż ta, która mi tutaj się skończyła,
  Strzegącemu się szlachetnością — błota.

Bądźże mi blisko, o matczyna, miła   10
  Duszo, abym mógł znów ukochać ciebie,
  Nie wiedząc, żeś mię tutaj raz — rodziła.

Do matki

W ciemnościach postać mi stoi matczyna,
Niby idąca ku tęczowej bramie —
Jej odwrócona twarz patrzy przez ramię,
I w oczach widać, że patrzy na syna.
. . . .

Wielcyśmy byli i śmieszniśmy byli...

Wielcyśmy byli i śmieszniśmy byli,
Bośmy się duchem bożym tak popili,
Że nam pogórza, ojczyste grobowce
Przy dźwięku fletni skakały jak owce,
A górom onym skaczącym na głowie   5
Stali olbrzymy — miecza aniołowie.

Ustały dla nas bić godzin zegary,
Duch nie miał czasu, a czas nie miał miary;
Szedł błyskawicą do wieczności progu
Duch — a stał wieczność — kiedy stanął w Bogu.   10
Zaprawdę powiem, bracia moi mili,
Żeśmy się duchem przeświętym popili.

Teraz jesteśmy z ducha wytrzeźwieni,
Bracia rozumni — czciciele pieczeni...
W głowach się nie ćmi, jak pierwej, słonecznie,   15
Fletnie nie grają, mogiły spią wiecznie,
Czas nasz zgodzony z ziemi zegarami —
Stoim i spiemy... a świat spi pod nami.

Anioł ognisty — mój anioł lewy...

Anioł ognisty — mój anioł lewy
    Poruszył dawną miłości strunę.
Z tobą! o! z tobą, gdzie białe mewy,
    Z tobą w podśnieżną sybirską trunę,
Gdzie wiatry wyją tak jak hyjeny,   5
Tam, gdzie ty pasasz na grobach reny.

Z grobowca mego rosną lilije,
    Grób jako biała czara prześliczna —
Światło po nocy spod wieka bije
    I dzwoni cicha dusza muzyczna.   10
Ty każesz światłom onym zagasnąć,
Muzykom ustać — duchowi zasnąć.

Ty sama jedna na szafir święty
    Modlisz się głośno — a z twego włosa,
Jedna za drugą, jak dyjamenty,   15
    Gwiazdy modlitwy lecą w niebiosa.

Jeżeli ci Pan nie zbuduje domu...

Jeżeli ci Pan nie zbuduje domu,
    Próżno składają ci cegły mularze;
Jeśli nie broni miasta od pogromu,
    Próżno czuwają po szyldwachach straże.

Na próżno wstajesz przed świtem, człowiecze,   5
    A przy świeczniku nad robotą ślęczysz:
Z gorzkiego żyta chleb ci się upiecze,
    Bo Ty, o Panie! te, co kochasz, wieńczysz!

Zaprawdę, nie ma hojniejszej nagrody
    Nad narodzone w domu twoim plemię,   10
Nad syny, które mąż i człowiek młody
    Jak winne grona wyprowadza z ziemie.

Synowie jego powadze przystoją,
    Potęgę mnożą, miłość k'niemu niecą,
W kołczanie jako złote strzały stoją,   15
    W poselstwa jako złote strzały lecą.

A kiedy takich strzał mnóstwo w kołczanie
    Pan mu dozwoli mieć – ubranych w ciało,
Przeciw wrogowi swemu śmiało stanie,
    Odepchnie napaść i powróci z chwałą.   20

O Panie! rozpuść twoje wielkie moce,
    Przez lud się twój rzuć ognia strumieniami.
. . . .
. . . .

Zachwycenie

. . . .

Bo mój Stworzyciel znalazł mię na ziemi
I napadł w nocy ogniami złotemi...

Bo Pan, mówiący w objawieniu: Jestem,
Napadł mię w ogniach z trzaskiem i szelestem.

Przetoż się, Panie, wiecznie upokorzę 5
Pomnąc na ono płomieniste łoże.

Gdy Pan nade mną stał w ognia oponach,
Gdym był jak ptaszek w Pana mego szponach,

Gdy stał nade mną jak ogień straszliwy,
Kiedym się w strachu sądził już nieżywy – 10

Dlaczegoż bym się, o Panie, zapierał,
Żem drżał i cały z przestrachu umierał...

Dlaczegoż bym się miał zapierać strachu,
Żem drżał jak listek w Pana mego gmachu?

Takiej bojaźni bym nie doznał, Panie, 15
Choćbym się dostał pod mieczów ścinanie.

Choćbym czuł w sobie to, co ludzie święci,
Tak bym nie stracił wiedzy i pamięci.

Przywalon byłem twej lekkości skałą,
Serce jak ptaszek zlękniony latało. 20

Światłem zalały się moje alkierze,
A jam był porwan jako lekkie pierze.

I przez wiatr lekki, i przez szelest święty
Byłem pochwycon, a z łoża nie zdjęty.

. . . .

Na drzewie zawisł wąż...

Na drzewie zawisł wąż,
    I rzekł szatan do Ewy:
    „Patrz, pod ciemnymi drzewy
We śnie leży twój mąż.

„Jemu mówił Jehowa   5
    Tajemnicę stworzenia
    Ze światła i z promienia,
Z miłości i ze słowa.

„Ja ci dam tajemnicę
    Duchów, Jehowy sług,   10
    Że Duch w Trójcy — to Bóg,
Słowo — trzy błyskawice.

„Zwycięż na ziemi zgon,
    Rozwesel cały Eden;
    Ja w was dwóch będę jeden,   15
A we mnie ty i on.

„Zdołaj duchy spłomienić,
    Spokojny ciała dom,
    Chwilę zamienić w grom!
Trójcę w jedność zamienić!   20

„Sama ogniami stlej,
    A gdy się mąż zamroczy,
    Patrz mu ogniście w oczy,
Usta z ustami zlej!

„Szepcząc do ucha wciąż,   25
    Czyń bez żalu i skruchy,
    Ty i on — to dwa duchy,
Z wami trzeci ja, wąż.

„Jeśli masz ognia mało,
    To ściągnij oto dłoni   30
    Po owoc tej jabłoni,
Jej duchem podkarm ciało.

„Ty będziesz świata panią!..."
    Lecz już z jabłkiem od drzewa
    Biegła w płomieniach Ewa,   35
A szatan poszedł za nią.

Oto z ziemią się stało,
    Co z gwiazdy trapionemi:
    Promienność poszła z ziemi,
A duch węża wziął ciało.   40

O Polsko moja! tyś pierwsza światu...

O Polsko moja! tyś pierwsza światu
Otwarła duchem tajemnic wrota,
Czeluść, co błyszczy święta i złota,
Królestwo potęg i majestatu.
[I w] tobie widać bijące serca,   5
Zjawisk ci widać otwarte łona,
A ty jak orzeł w duchy wpatrzona,
W stronę prawdziwą stworzeń kobierca,
Widzisz, jak silna dłoń robotnika
Napina postaw, wiąże tkaninę,   10
Złotą i srebrną nicią przemyka.
Wieki sprowadza w jedną godzinę.
Nie zna przypadku ani humoru,
Ani się cofa, ani kołysze —
Według jednego Chrystusa wzoru   15
Wszystko na ziemi wiąże i pisze.

Raduj się, Polsko! Tobie słodycze
Wiedzy i mądrość, i moc przychodzi —
Anioł twój patrzy w Boga oblicze,
W Bogu pracuje, z miłości rodzi   20
Tą siłą, która skrą jest przed Panem,
Zaledwo w duchów świecie zjawiona...
On tu widzialnym tryska wulkanem,
Świat w piorunowe ciska ramiona.

Narodzie mój...

Narodzie mój,
Coś widział miecz
Na niebie ciemnym świecący,

Powrócę ja —
Patrz, Furia zła,
Przyjdę jak płomień gorący.

Wezmę wichrzyce
I na stolicę
Wpadnę i dachy pozrywam;

W rzeki się rzucę,
W krew je obrócę,
W domy zlęknione powpływam.

Przez nocne cienie
Tak jak płomienie
Pójdę, a wam wzroki wypalę —

Przez błyskawice
Mocarze chwycę,
Nagie postawię na skale.

*

Przepuść jeszcze ludowi,
On sędzie postanowi
I proroki swe boskie wybierze.

Oto leżą jak snopki
Błękitne twoje chłopki
I baranków duchowi pasterze.

Przez błękitne niebiosy
Rozwiń słoneczne włosy,
Nie trwoż biednych — patrz — jęczą znędzniali;

Tysiąc lat w gwiazdę twoją
Idą, a w miejscu stoją,
A tak drżą, jak gdyby po fali.

*

A jakiż to lud,
Który broni swych trzód?
Jak przewinił, że nie pomógł żadnemu?

Jeżeli mieczem władnie
A stoi, to upadnie   35
I blaskowi się pokłoni złotemu.

Obnażę jego wstyd,
Spod sztandarów i kit
Oberwanych, twarz jego zawstydzę;

Bo on sam sobie płacił,   40
Z chwał się swoich zbogacił,
Kwiat swój wydał na ludu łodydze.

*

Duchu, na mały czas,
Proszę, pozostaw nas,
Pozwól dożyć spokojnie starości —   45

Właśnieśmy jak anieli
Wytrzeźwieli, dojrzeli
Krajów naszych cudownej piękności.

Promień nowej oświaty
Na tureckie makaty   50
W nasze ciemne uderzył alkowy —

Od stepów przyszły szumy
Wiatrów, smętki i dumy,
A od Litwy szum drugi sosnowy. —

Ziemi wrócona siła   55
Oto nas upowiła
I wonnymi oblała balsamy;

Świat snem — snu ziemia łożem —
Ze snu powstać nie możem,
Ale z łoża do Boga wołamy.   60

Jeżeli kiedy w tej mojej krainie...

Jeżeli kiedy w tej mojej krainie,
Gdzie po dolinach moja Ikwa płynie,
Gdzie góry moje błękitnieją mrokiem,
A miasto dzwoni nad szmernym potokiem,
Gdzie konwaliją woniące lewady   5
Biegną na skały, pod chaty i sady —

Jeśli tam będziesz, duszo mego łona,
Choćby z promieni do ciała wrócona:
To nie zapomnisz tej mojej tęsknoty,
Która tam stoi jak archanioł złoty,   10
A czasem miasto jak orzeł obleci
I znów na skałach spoczywa i świeci.

Powietrze lżejsze, które cię uzdrowi,
Lałem z mej piersi mojemu krajowi.

Wspomnienie
Pani De St. Marcel z domu Chauveaux

(14 stycznia 1846)

Staruszko moja! o staruszko moja!
 Twoje mieszkanie takie wonne tobą,
Na murach twoich jak z obrazów zbroja,
 A każdy obraz był jakąś osobą.
Dziś raz ostatni widząc pożegnałem,   5
Wszedłszy do domu — bym poszedł za ciałem.

Dawno bez męża — i bez towarzysza,
 Który niedawno ciebie odszedł stary,
Przycichłaś w domu — dziś ta sama cisza
 W domu — a w bramie stoją twoje mary.   10
Gdym wszedł... myślałem, że szata szeleszcze,
Ogień się palił — zegary szły jeszcze.

Lecz jakaś ciemność... dziwne jakieś mroki
 Nad twym kominem — nad łoża kotarą,
Jakby te dziwne śmiertelne obłoki,   15
 Które zmieniają dzień w godzinę szarą,
A człowiekowi bronią słów i ruchów,
Bo są z poważnych i ze smętnych duchów.

Lat dziewięćdziesiąt ciałoś ty nosiła,
 Przez krew szły twoje panieńskie nożeczki,   20
Przez smutek starość szła twoja pochyła,
 A w trumnie leżą już tylko kosteczki;
Wszystkoś wybrała ze skarbu żywota,
Czemuż po tobie — ta wielka tęsknota?

Może dlatego, że gdym twoje ściany   25
 Odwiedzał... dawno światem niezabawne,
To spotykały mnie Republikany
 I wielkich imion — dawne duchy sławne,
I wszystkie stały z odkrytymi głowy
Słuchając we mnie grzmiącej polskiej mowy.   30

Gdym nieraz siedział przy twoim kominie,
 A ty myślałaś, że ja sobie drzymię,

Jam na mownicy stał w tych duchów gminie
    I brałem sobie między nimi — imię;
Od głów zaczynał — i do serc im sięgał,
I znów na wielkąm ich sprawę sprzysięgał.

A ty jak trupek w krześle, pod zamętem
    Cicha, podobna do Park — życia matek,
Byłaś jakby tych sejmów prezydentem
    Duchem — próchenko ciała i opłatek,
Co miejsca przez lat dziewięćdziesiąt bronił,
A nie ustąpił — aż Pan Bóg zadzwonił.

Dlategom ja cię czuł pod suchą kością
    Dobrą, choć ludzie o złość oskarzali,
Tyś sławne imię nosiła ze złością;
    A ja sam także mam to, co mię pali.
Gdym jest wielkimi burzami natchnięty,
A w burzach nawet czuję się sam święty.

Wszystko to w głębi twojego pokoja
    Czułem dziś, patrząc na złoconą ścianę,
Żegnajże, cicha staruszeczko moja,
    A popamiętaj — na sejmy zerwane
I pomóż zgrają twoich duchów tłumną
Mnie, który szedłem dziś jeden — za trumną.

Do Franciszka Szemiotha

Nie zapominaj, że kiedyś ubogi
Twój przodek, włosy zarosły długiemi,
Miał swoję puszczę i miał swoje bogi
I swoich duchów opiekę na ziemi.

A kiedy mówił pacierz tajemniczy   5
I o potomstwo wielkie prosił ducha,
To krzyczał z piersi — tak jak morze krzyczy,
A Bóg go słuchał, tak jak morze słucha.

Dziś, z jego domu rozwalonej ściany
Na krąg kamieni gdyś trafił w młodości,   10
Ciekawy byłeś, lecz nie zapłakany;
Nie ducha jego ciekawy — lecz kości.

Dziś, gdy cię ręka prześladowcza losu
Nad morze wiedzie, a tajemnic uczy:
W żywiołach — przodków ty nie słyszysz głosu,   15
Nie po litewsku tobie bałwan huczy.

Duchy twe jednak wodzą cię na pasku
I niańczą — i dziś to sprawiły rano,
Żem kląkł przed tobą i pisał na piasku
Te rzeczy, które w puszczy już wiedziano.   20

Pamiętaj ten dzień, gdy cię duch gołębi
Ostrzegał, własnych zapomniawszy krzyży;
Bo wkrótce w piasku tym ja jeszcze głębiej
Będę — i u nóg ludzkich jeszcze niżej...

Ale ci wtenczas tęsknota nakaże   25
Po mego ducha iść w duchów krainę,
Aż — odświeconych myśli moich twarze
Ujrzysz i piasek ten, i tę godzinę.

Dieppe, w niedzielę 1846, 23 sierpnia
w dzień moich imienin.

Nastał, mój miły, wiek Eschylesowy...

Nastał, mój miły, wiek Eschylesowy:
  Poemata się rodzą wielkie, ciemne,
Na skrzydłach złotych straszne bogów głowy
  Jak Samuele wychodzą podziemne.
Ale nie widzi, kto w duchu nie nowy   5
  Albo kto serce ma w sobie nikczemne,
Taki nie słyszy ech spiewanych w niebie,
Ale ma swoje wieszcze — podług siebie.

Ci jemu niosą, jeśli się rozwściekli,
  Słowa, przez które wściekłość swą wyleje,   10
Lub będą przed nim ludzkość biczem siekli
  I szkalowali potąd ludzkie dzieje,
Aż się ów człowiek cały na kształt Hekli
  Rozogni błotem i w sobie rozgrzeje,
Słowami pieśni wzniesion jak gadzina,   15
Że gwizdem głośniej nad innych przeklina.

Takim (o miły, a mojego losu
  Świadomy!), takim zamknijmy na kłódki
Usta; — a cierpią... to nie dajmy głosu,
  Aż w moc przetrawią w sobie swoje smutki;   20
Wtenczas to i z nich spodziewać się kłosu,
  W którym ziarn pełność, a wąs będzie krótki.
Trzeźwych mieć będziem buntowników w carstwie
Z tych, co pogardzą pijaństwem — w rytmiarstwie.

Ty głos cierpiący podnieś –
i niech w tobie...

[Do A. Czartoryskiego]

Ty głos cierpiący podnieś – i niech w tobie
    Krzyknie i naraz poważnie zaśpiewa
Wszystko, co naród sądził, że śpi w grobie
    Albo się ze krwią ludzką w krew przelewa.
Bo nie ten, który z rdzy pancerz oskrobie   5
    Albo w mogiły dawnej zajrzy trzewa,
A prochom dawny spoczynek naruszy,
Wiek pomknie – lecz ten, kto się dotknie duszy.

Mów, otwórz drogi Świętemu Duchowi,
    Mów, a do niebios bożych pokaż wrota;   10
Cały się naród z ducha niech wysłowi,
    Cały o przyszłość niech się zakłopota;
Niech dusze kładą za siebie, aż nowi
    Obaczą się tu, jaśni, jak spod młota
Myncarni złoto wychodzi świecące,   15
Jagnięta pańskie na słonecznej łące.

Stój! stój! – gdy przyjdzie w powietrzu ów święty,
    Wróci raj, naszą utracony winą,
Liczyć zaczniemy rok nowo zaczęty
    Z Panem w jasnościach; pieśni nawet miną,   20
Poganie ducha pójdą ze zwierzęty
    Otaczać obóz ducha, lecz poginą:
Światłość je miasta świętego uderzy,
Odejmie im głos, wzrost grobami zmierzy.

Nie mów – leniwych duchów nie budź rzeszy,   25
    Bobyś obudził ogień nienawiści;
Kto grzeszny teraz, niechaj jeszcze grzeszy,
    A kto jest czysty, niech się jeszcze czyści.
Czas bliski, który święte z nas pocieszy,
    A złymi pogna jak wiatr chmurą liści;   30
I będą się jak zwiędły liść sypali
W czarne jeziora, które duch zapali.

Biada tym, które koniec znajdzie świata,
    Że jeszcze ciała takie, jak my, noszą;

Biada tym, które raz przez ogień kata ³⁵
    Dla prawdy bożej nie przeszły z rozkoszą;
Biada tym, którzy chcą jednego lata
    Owoców, a o męczeństwo nie proszą,
A o dar ducha do nieba kołacą
Jak ty, nie wziąwszy go czynem i pracą. ⁴⁰

Ten sam duchowi płomienny szlak...

Ten sam duchowi płomienny szlak,
   Ten sam słowiański orzeł i lew,
Tam gdzieś na wiedźmie Krokt czy Krak,
   Ścierwo — orłowie — ogień i krew.

A tam gdzieś ludu słowiański syn
   W zagrodzie swojej w modlitwie śni
Niebo — jak złotych aniołów gmin,
   Wieczność — jak złotych tysiące dni.

Niebo — jak w kwiatkach błękitny len,
   Przyszła ojczyzna piękna — jak sen,
Bo on nie sławy, lecz słowa syn,

   On wie, co wielki znaczy się lud,
Nie padnie, on krwi szanuje czyn,
A czyn najwyższy — odda za cud.

W dziecinne moje cudne lata...

W dziecinne moje cudne lata
Nieraz dziecinne ucho słyszało
Jaką – od ojców prawdę – niecałą,
Jako dyjament z innego świata,
Dziwnie błyszczącego.

5

Dajcie mi tylko jednę ziemi milę...

Dajcie mi tylko jednę ziemi milę –
    Może, o bracia, za wiele zachciałem!
Dajcie mi jedną bryłę – na tej bryle
    Jednego – duchem wolnego i ciałem,
A ja wnet z siebie sprawię i pokażę,   5
    Że taki posąg – dwie będzie miał twarze.

Dajcie mi gwiazdę mniejszą od miesiąca,
    Kometę złotym wiejącą szwadronem,
Niechaj po lasach będzie latająca,
    A tylko święta jednym polskim zgonem,   10
A ja wnet siły dobędę nieznane,
    Skrzydła wyrzucę – i wnet na niej stanę...

O bracia moi! kiedy krzyżem leżę
    A proszę Boga o kraj, o człowieka –
To mi się zdaje, że tętnią rycerze,   15
    A wróg z piorunem przed nimi ucieka...
Chcę biec – lecz kiedy na blask gwiazd wynidę,
    Gwiazdy mię drwiące pytają, gdzie idę.

O gwiazdy zimne, o świata szatany,
    Wasze mię wreszcie niedowiarstwo zwali...   20
Już prawie jestem człowiek obłąkany,
    Ciągle powiadam, że kraj się już pali,
I na świadectwo ciskam ognia zdroje –
    A to się pali tylko serce moje!...

Do matki

Zadrży ci nieraz serce, miła matko moja,
    Widząc powracających i ułaskawionych,
Kląć będziesz, że tak twarda była na mnie zbroja
    I tak wielkie wytrwanie w zamiarach szalonych.

Wiem, żebym ci wróceniem moim lat przysporzył; —   5
    Mów, kiedy cię spytają, czy twój syn powraca,
Że syn twój na sztandarach jak pies się położył,
    I choć wołasz, nie idzie — oczy tylko zwraca.

Oczy zwraca ku tobie... więcej nic nie może,
    Tylko spojrzeniem tobie smutek swój tłumaczy;   10
Lecz woli konający — nie iść na obrożę,
    Lecz woli zamiast hańby — choć czarę rozpaczy!

Przebaczże mu, o moja ty piastunko droga,
    Że się tak zaprzepaścił i tak zaczeluścił;
Przebacz... bo gdyby nie to, że opuścić Boga   15
    Trzeba by — to by ciebie pewno nie opuścił.

Snycerz był zatrudniony
Dyjany lepieniem...

Snycerz był zatrudniony Dyjany lepieniem.
Stała już czysta, cała, miesięcznym promieniem
Świecąca z oczu; brakło już tylko na głowie
Położyć srebrną, jasną skrę – księżyca nowie.
Wtem do snycerni przyszedł człek, co wszędy biega   5
Tak, że doń zawsze błoto uliczne przylega.
Chodził, patrzał, trząsł sobą i błotem, i światem;
Sam z gliny, więc posągów wnet się nazwał bratem,
Ojcem snycerza, który przed statuą ukutą
Stał cicho... oczy w ziemię spuściwszy i dłuto.   10
Już się mieli pożegnać, gdy snycerz, zajęty
Statuy skończeniem, marząc owe dyjamenty
I półkręgi srebrzyste, miesięczne, różowe,
Które będą wieńczyły posągowi głowę,
A nie widząc, skąd by miał w szaleństwie zapału   15
Na stworzenie miesiąca dostać materiału,
Nagle, z wielką pokorą wielkiego człowieka,
Ujrzał na ziemi błoto odpadłe od ćwieka
I od podkówki gościa, na ziemi leżące
(Zwykłe po błotnych ludzi śladach półmiesiące).   20
Te snycerz wziął i z wielką położył pokorą
Tam, gdzie nad posągami zwykle gwiazdy gorą
Albo przez lat tysiące w kamień duszą wlany
Płomyk się genijuszu podnosi różany.
Zaledwo to uczynił, aż błotna istota   25
W gościu zaczęła krzyczeć o tę kradzież błota
I pełny krwi na twarzy – w oczach błyskawicy,
Wrzeszczał ów gość: „Ja błoto przyniosłem z ulicy,
Jam przyniósł i wydeptał, i miesiącem zrobił.
A tyś skradł, abyś siebie u ludzi ozdobił   30
I zarobił majątek u polskich szlachciców
Tajemnicą, jaką mam, lepienia księżyców.
Więc nie tylko, żeś plagiat popełnił haniebny,
Ale mnie w dom przyjmujesz, boć jestem potrzebny,
Bo twych posągów czoła byłyby bez wieńca,   35
Bez piękności..." – To słysząc snycerz, bez rumieńca
Na twarzy, wobec gościa, który się szamotał
Po snycerni – ciął młotem w posąg i zdruzgotał.

Do hr. Gustawa Ol[izara] podziękowanie za wystrzyżynkę z gwiazdeczką i Krzemieńcem

Ta ręka, która Krzemieniec wystrzygła,
    Bogdajbym kiedyś ją uścisnął szczerze
I ukłuł jako magnesowa igła,
    Która od słońca swój kierunek bierze.

Róże — gwiazdeczki i nieśmiertelniczki   5
    To nic — u Boga piękniejszych dostanie. —
Lecz miłe mi są Gustawa nożyczki
    I to żelazem serdeczne władanie.

Bo wszystko w czasu rosnącego pędzie
    Zwiększyć się musi idąc w Ducha sfery,   10
Urośnie kiedyś strzygące narzędzie,
    Gdy będzie strzygło wpół kirasyjery.

Wtenczas idąca za widzialne kresy
    Dusza Gustawa pozna w jednym rzucie,
Co znaczą ręki przyjaznej magnesy   15
    I to posłane w uścisku ukłucie.

Córka Cerery

I

Przez miedzę, która podobna do szlaków
    Różnych kolorów, między złotym kłosem
    Tyś szła, owieczka, białością i losem
Podobna owcy śród kłosów i maków.

Wtem Pluton, ogniem wylatując z krzaków,   5
    Porwał cię w ręce i uniósł do piekła,
    Córko Cerery — a tyś nic nie rzekła;
Weselił cię gwałt i wrzask nocnych ptaków.

Jakaż cię teraz cudotwórcza siła
    Porwie i znowu cudownie przemieni   10
    W córkę świecącą kłosów i promieni,

Kiedyś ty piekłu jak miesiąc świeciła
    I tam, gdzie ludzie jadem są żywieni,
Tyś nie umarła — lecz jadła i żyła!

II

Patrząc w twe oczy i w księgę twych losów,   15
    Pojąłem, czemu Pluton niegdyś chwycił
    I żądze swoje ogniste nasycił
Córką Cerery — onej bożki kłosów.

Wieńczoną makiem, ludy cię połosów
    Królową swoją piekielną uczuły,   20
    Płacz cię nie zabił — jady nie otruły,
Ogień się nie jął twoich zimnych włosów.

Pluton cię kochał, boś mu w dom książęcy
    Zarażającej miłości nie wniosła,
A nad ogień go nie kochałaś więcéj,   25

    Więc ci zaufał i użył za posła.
A matce oddał cię na sześć miesięcy,
    Abyś piekielne w domu jajo zniosła.

Uspokojenie

[Ujęcie wcześniejsze]

Co nam zdrady! — Jest u nas kolumna w Warszawie,
Na której usiadają podróżne żurawie,
Spotkawszy jej liściane czoło śród obłoka;
Taka zda się odludna i taka wysoka!
Za tą kolumną, we mgły tęczowe ubrana, 5
Stoi trójca świecących wież Świętego Jana;
Dalej ciemna ulica, a z niej jakieś szare
Wygląda w perspektywie sinej Miasto Stare;
A dalej jeszcze we mgle, która tam się mroczy,
Szkła okien — jak zielone Kilińskiego oczy, 10
Czasami uderzone płomieniem latarni,
Niby oczy cichego upiora spod darni.

Więc lada dzień, a nędza sprężyny dociśnie:
To naprzód tam na rynku para oczu błyśnie
I spojrzy w Świętojańską na przestrzał ulicę; 15
A potem się poruszą wszystkie kamienice,
A za kamienicami przez niebios otchłanie
Przyjdzie zorza północna i nad miastem stanie;
A za zorzą wiatr dziwne miotający blaski
Porwie te wszystkie zemsty i te wszystkie wrzaski; 20
Wicher jakiś z aniołów urobiony Pańskich,
Oderwany jak skrzydło z widzeń Świętojańskich,
Przezroczysty jak brylant, a jak ogień złoty,
Który chwyci te zemsty, te światła, te grzmoty.
Zwinie i nimi ciemną uliczkę zalęże, 25
Jako brąz w niej zakipi, zaświszcze jak węże
I naprze tak, że będzie trzęsąca się cała
Jako wół sycylijski na miasto ryczała.
Usłyszycie wy wtenczas, serc naszych złodzieje,
Jaki wiatr z tej ulicy na miasto powieje; 30
Przez harmonikę tonów swój krzyk przeprowadzi,
O kościół katedralny skrzydłami zawadzi,
Porwie królewski zamek, otworzy jak trumnę,
A potem na Zygmunta uderzy kolumnę
I z marmuru wyciągnie jakieś echo skalne, 35
Jakieś smętne, dalekie muzyki chóralne,
Które ja dziś już chwytam myślą na pół senną,
Słysząc ten wiatr i strunę pod wiatrem kamienną.

Więc kiedy kościół zadrży od stóp aż do skroni
I płaczącym się głosem na miasto rozdzwoni,   40
Więc kiedy ta kolumna w pomroku miesiąca
Zostanie gdzieś na placach jak harfa grająca...
To wtedy co? — Krzyk jeden jak burza ponura,
Nie wiem, „Niech żyje Polska!" czyli też krzyk „Hurra!"
Wyleci jak koń śmierci zerwany z wędzidła,   45
O katedralny kościół otrze głośne skrzydła...
A miasto co? — Słuchając z wyciągniętą szyją
Powie: że tam się ciemni aniołowie biją,
Że tam szatan ogniste przywoławszy moce
Koń swój brązowy ciska i piorun gruchoce;   50
Że jako Machabeusz pod zwalonym słoniem,
Tak szewcy pod piorunem padają i koniem
Zgruchotani; że księżyc na niebie odkryty
Pokaże tę ulicę pustą, lud wybity,
Piorun zagasły, walkę okropną skończoną,   55
Ulicę całą ciemną i krwią zadymioną...

Więc kiedy miasto całe przestrachem ogłuchnie,
To znowu ta ulica jednym wiatrem buchnie,
Jednym krzykiem . . . .
A potem co? — Stojący uliczce na strychu   60
Kościół się katedralny odezwie po cichu,
Walkę i krzyk, różnymi wiejący głosami,
Jak organ rzuci miastu — głucho — akordami —
Coraz głośniej; — i całą tę harmonią senną
Roztrąci o kolumnę, tę strunę kamienną.   65

Wtem znów jeden z tych wrzasków, od których natura
Wzdryga się — jeden „Vivat" uliczny i „Hurra!"
Jeden z tych krzyków, które czynią, że skrzydlata
Natura ducha w kościach tak jak ptaszek lata;
Że duch na ustach staje i już nie jest zdolny   70
Zatrzymać śmiech serdeczny i płacz mimowolny;
Jeden z tych krzyków, który wnikając w człowieka
Tak śpiewa w nim jak anioł, a jak szatan szczeka;
Jeden z tych krzyków... szumem błyskawic nawalnym
Uderzy, na kościele pęknie katedralnym,   75
Pójdzie mimo, lecz skrzydłem o kościół otarty,
Kamienie w nim wrzeszczące zostawi jak czarty,
I wiele innych głosów, które zmartwychwstanie
Zapieją, jak anioły związane w organie.

I jeszcze ta harmonia nie zamilkła senna,   80
A już kolumna placu, ta struna kamienna,
Tym samym wichrem bita, z rozwahanym czołem,
Prym wzięła przed chóralnie jęczącym kościołem.
I dwa te śpiewy odtąd już, bez odpoczynku
Będą miastu ogłaszać lud idący z rynku.   85
Jeśliż ma ta ulica taką ciasną szyję,
Że z niej — by słowo wyszło, to jak działa bije;
Jeśliż na każdą formę naszego uczynku
Tak srogo ona patrzy oczyma aż z rynku;
Jeśliż lada noc, a z niej wystrzeli powstanie   90
I w proch tego rozrzuci, kto na rychcie stanie;
Jeśliż jest taka mocna, że przez nocy cieni
Muzykę ciemną strachu wyrzuca z kamieni,
A kolumny na swoje muzykanty stroi:
To człowiek, który zawsze o zdradę się boi   95
I wszędzie widzi tylko postrachu upiory,
Albo dzieckiem być musi, lub na serce chory.

Uspokojenie

[Ujęcie późniejsze]

Co nam zdrady! – jest u nas kolumna w Warszawie,
Na której usiadają podróżne żurawie
Spotkawszy jej liściane czoło wśród obłoka,
Taka zapraszająca i taka wysoka.
Za tą kolumną, we mgły tęczowe ubrana,   5
Stoi trójca świecących wież Świętego Jana;
Dalej ciemna ulica, a z niej jakieś szare
Wygląda w perspektywie siwej Miasto Stare;
A dalej we mgle, która na rynku się mroczy,
Dwa okna – jak zielone Kilińskiego oczy   10
Uderzone płomieniem ognistej latarni,
Niby oczy cichego upiora spod darni.

*

Więc lada dzień, a nędza sprężyny dociśnie:
To naprzód tam na rynku para oczu błyśnie
I spojrzy w Świętojańską na przestrzał ulicę –   15
A potem się poruszą matki-kamienice,
A za kamienicami przez niebios otchłanie
Przyjdzie zorza północna i nad miastem stanie;
A za zorzą wiatr dziwne miotający blaski
Porwie te wszystkie zemsty i te wszystkie wrzaski, 20
Wicher jakiś z aniołów rozigrany Pańskich,
Oderwany jak skrzydło z widzeń Świętojańskich,
Przezroczysty jak brylant, a jak ogień złoty,
Który porwie te zemsty, te światła, te grzmoty,
Zwinie i nimi ciemną ulicę zalęże,   25
Jako brąz w niej zakipi, zaświśnie jak węże
I naprze tak, że będzie trzęsąca się cała,
Jako wół sycylijski na miasto ryczała.

*

A miasto co? – Słuchając z wyciągniętą szyją
Powie: że tam się ciemni aniołowie biją,   30
Że tam szatan ogniste przywoławszy moce
Koń swój brązowy ciska i piorun gruchoce,
Że jako Machabeusz pod zwalonym słoniem
Tak szewcy pod piorunem padają i koniem
Zgruchotani... że księżyc na niebie odkryty   35

Pokaże tę ulicę pustą, lud wybity,
Piorun zagasły, walkę okropnie skończoną,
Ulicę całą ciemną i krwią zadymioną.

*

A wtem jeden z tych wrzasków, od których natura
Cofa się — jedno vivat szewieckie i hura,   40
Jeden z tych krzyków, które czynią, że skrzydlata
Natura ducha w piersiach tak jak ptaszek lata,
Że duch na ustach staje i już nie jest zdolny,
Ażeby śmiech powstrzymać lub płacz mimowolny;
Jeden z tych krzyków, któren wstąpiwszy w człowieka   45
Tak śpiewa w nim jak anioł i jak szatan szczeka;
Jeden z tych krzyków... z szumem gwałtownym, nawalnym
Uderzy, na kościele pęknie katedralnym,
Pójdzie dalej, lecz skrzydłem o kościół otarty,
Kamienie w nim wrzeszczące zostawi jak czarty   50
I szklanne inne głosy, które zmartwychwstanie
Zapieją, jak anioły związane w organie.

*

Jeszcze się ta harmonia nie zakończy senna,
A już kolumna z placu, jak struna kamienna
Tym samym wichrem tarta, z rozwahanym czołem,   55
Prym weźmie przed choralnie jęczącym kościołem
I odtąd te dwa głosy już bez odpoczynku
Będą miastu głosiły lud idący z Rynku.
Jeśliż ma ta ulica taką ciasną szyję,
Że z niej by słowo wiało, to jak z działa bije;   60
Jeśliż lada noc, a z niej wystrzeli powstanie
I w proch tego rozerwie, kto na rychcie stanie;
Jeśliż w niej wiatr jest taki, że śród nocnych cieni
Muzykę niewidzialną wyrywa z kamieni,
A kolumny na swoje muzykanty stroi: 65
To człowiek, który zawsze o zdradę się boi
I wszędzie widzi tylko postrachu upiory,
Albo dzieckiem być musi, lub na serce chory.

Kiedy prawdziwie Polacy powstaną...

Kiedy prawdziwie Polacy powstaną,
   To składek zbierać nie będą narody,
Lecz ogłupieją — i na pieśń strzelaną
   Wytężą uszy, odemkną gospody.

I będą wieści z wichrami wchodziły,   5
   A każda będzie serce ludów pasła;
Nieznajomymi świat poruszą siły
   Na nieznajome jakieś wielkie hasła.

Nie pojmie Francuz, co to w świecie znaczy,
   Że jakiś naród wstał w ciemności dymie,   10
Choć tak rozpaczny — nie w imię rozpaczy.
   Choć taki mściwy — a nie w zemsty imię.

Nie pojmie, jaką duch odbył robotę
   W przeświętych serca ludzkiego ciemnicach,
Iż przez sztandary je tłumaczy złote,   15
   I przez bój wielki — i [w] dział błyskawicach.

„Cóż to" — zapyta — „są za bezimieńce,
   Którzy na dawnym wstali mogilniku?
Bój tylko widać i ogniste wieńce,
   A zwierzęcego nic nie słychać krzyku!   20

„Nie, to nie ludzie z krwi i ciał być muszą,
   Lecz jacyś pewnie upiorni rycerze,
Którzy za duszę walczą tylko duszą
   I ogniem biją niebieskim w pancerze".

Wyjdzie stu robotników...

Wyjdzie stu robotników,
  Oborzą miasta grunt,
  Wyrzucą łokieć — funt.
Klatki pełne wróblików
Otworzą — i przed tłuszczą   5
Ptaszki na wolność puszczą...
  Muzyka nieustanna:
Wolność! Wolność! — Hosanna.

Święci staną w katedrze
  Trzej... i zawezwą ducha,   10
Lud księgi praw rozedrze,
  Próchno kart porozdmucha;
  Weźmie stare sztandary,
  Wyprowadzi jak mary
Za kościół — na mogiły,   15
Zapali, by świeciły
  Światu dawnymi dzieły,
  Błysnęły — i spłonęły.
Bije godzina ranna,
Mary znikły: Hosanna!   20

Baranki moje...

Baranki moje,
　　Zaświtał czas,
Nad piękne zdroje
　　Powiodę was.
Puszczę was, owieczki,
Na piękne kwiateczki
　　I będę pasł.

Baranki z ducha,
　　Ja pasterz wasz;
Pan Bóg mię słucha,
　　Ozłocił twarz.
Bogiem promienny,
Odprawiam bezsenny
　　Anielską straż.

Proroctwo

Kiedy róża stanie złączona z kamieniem,
    A nad nimi się dąb zakołysze:
Cała emigracja zagore płomieniem
    I o paszport do Boga napisze.

I wstanie jako człowiek, i mocarze zatrwoży,   5
    I wywróci oddechem bezbożne;
Sam Pan Bóg wyda paszport, Chrystus słońce położy,
    A Duch-piorun nam da podorożnę.

I szable się zapalą, zasłocznią się znaki,
    Serca wszystkie jak lampy zagorą,   10
Jak miesiące zabłyszczą nasze biedne chodaki,
    Jak w pioruny nas łachmany ubiorą.

I polecą zwiastować w Polszcze niebieskie ptaki,
    Że idziemy jak chłopki z kijami:
A żelazni rycerze i brązowe rumaki,   15
    Nim zobaczą – już pierzchną przed nami.

Prędzejże, Panie Boże, Twym ognistym ramieniem
    Łam, a przemoż cielesne opory!
Niechaj róża zakwitnie połączona z kamieniem,
    Niech dąb Bogiem zabłyśnie spod kory!   20

Bo nie prędzej to będzie, aż się to wszystko stanie,
    Co w poety ogniło się słowie,
Aż z duchów będzie chmura, a w tej chmurze błyskanie,
    A w błyskaniu, jak Chrystusy, wodzowie.

W ostatni dzień
W ostatni dzień...

W ostatni dzień − w ostatni dzień
    Wyście, podróżne tu ptaki,
Spotkały suchy dębu pień,
    Co od piorunów miał znaki.

Lecz gdy go spiew poruszył wasz,   5
    Gdy głos doleciał z ojczyzny,
Wylazła nagle człecza twarz
    Spod kory − ze spalenizny.

Spod liści błysnął złoty łuk
    I ręka − i kawał korony.   10
W dębie słowiański mieszkał Bóg
    I wam się pokazał zjawiony...

Gdy noc głęboka
wszystko uspi i oniemi...

Gdy noc głęboka wszystko uspi i oniemi,
Ja ku niebu podniósłszy ducha i słuchanie,
Z rękami wzniesionymi na słońca spotkanie
Lecę — bym był oświecon ogniami złotemi.

Pode mną noc i smutek — albo sen na ziemi,
A tam już gdzieś nad Polską świeci zorzy pręga,
I chłopek swoje woły do pługa zaprzęga.
Modli się. — Ja się modlę z niemi i nad niemi. ⁵

Tysiące gwiazd nade mną na błękitach świeci,
Czasem ta, w którą oczy głęboko utopię,
Zerwie się i do Polski jak anioł poleci; ¹⁰

Wtenczas we mnie ta wiara — co w litewskim chłopie,
Że modlitwa w niebiosach tak jak anioł kopie,
A czasem ziarno ducha wrzuci i zanieci.

Niedawno jeszcze wasze mogiły...

Niedawno jeszcze wasze mogiły
Traciłem piosnką moją, wygnanko,
I wnet się ze snu grobów ruszyły,
Wnet się ruszyły, o Krakowianko!

Niedawno mój duch ogniami dmuchnął   5
Na górę Heklę, tak jak prorocy,
I wnet spod ziemi wulkan wybuchnął,
Od stu lat śpiący... wulkan północy.

I wstał Anhelli z grobu
za nim wszystkie duchy...

I wstał Anhelli z grobu — za nim wszystkie duchy,
   Szaman, Eloe... cała ćma z grobów· wstawała
   I wszystkie brały dawno porzucone ciała.

A Sybir był zaćmiony jakby zawieruchy
   Ciemnymi i powietrze się ciągle mięszało,   5
   I chmury szły, i grady błyskały, i grzmiało.

Wstaliśmy i ku Polszcze szli — a na cmentarzu
   Zatrzymał Szaman ową straszną duchów zgraję
   I spytał głośno: „Kogo z mogilnych nie staje?"

A wszyscy byli; — straszny i zimny grabarzu   10
   Śmierci, gdzież jest twój oścień, gdzie zwycięstwo twoje?
   Wszyscyśmy byli — i krwi naszej poszły zdroje.

Niedawno jeszcze   kiedym
spoczywał uspiony...

Niedawno jeszcze – kiedym spoczywał uspiony,
　　A sen mój się zarzęśnił strzałem pełnym dymu
I w dymie stanął anioł jak ogień czerwony,
　　I szepnął mi do ucha: „Ja Mord – lecę z Rzymu..."

Jam uciekał i tęczę tak za sobą snował   5
　　Jak Irys... a po tęczach gnał mię ów przeklęty
Tak, żem spytać go musiał: „A któż tam mordował?"
　　A oń mi znowu szepnął w ucho: – „Ojciec święty".

I znowu uciekałem... i kwiatów kielichy,
　　I róże z ducha mego ciskałem za siebie   10
Broniąc się... a on za mną jak kurz i wiatr cichy
　　Gnał i szeptał: „Spełnione tu... osądzą w niebie".

Pośród niesnasków Pan Bóg uderza...

Pośród niesnasków Pan Bóg uderza
   W ogromny dzwon.
Dla Słowiańskiego oto Papieża
   Otwarty tron.
Ten przed mieczami tak nie uciecze
   Jako ten Włoch,
On śmiało, jak Bóg, pójdzie na miecze,
   Świat mu — to proch!

Twarz jego, słońcem rozpromieniona,
   Lampą dla sług,
Za nim rosnące pójdą plemiona
   W światło — gdzie Bóg.
Na jego pacierz i rozkazanie
   Nie tylko lud —
Jeśli rozkaże, to słońce stanie,
   Bo moc — to cud.

     *

On się już zbliża — rozdawca nowy
   Globowych sił;
Cofnie się w żyłach pod jego słowy
   Krew naszych żył;
W sercach się zacznie światłości Bożej
   Strumienny ruch,
Co myśl pomyśli przezeń, to stworzy,
   Bo moc — to duch.

A trzebaż mocy, byśmy ten Pański
   Dźwignęli świat:
Więc oto idzie Papież Słowiański
   Ludowy brat; —
Oto już leje balsamy świata
   Do naszych łon,
Hufiec aniołów kwiatem umiata
   Dla niego tron.
On rozda miłość, jak dziś mocarze
   Rozdają broń,
Sakramentalną moc on pokaże,
   Świat wziąwszy w dłoń.

*

Gołąb mu słowa usty wyleci,
   Poniesie wieść,
Nowinę słodką, że Duch już świeci
   I ma swą cześć.
Niebo się nad nim piękne otworzy
   Z obojgu stron,
Bo on na tronie stanął i tworzy
   I świat — i tron.

On przez narody uczyni bratnie
   Wydawszy głos,
Że duchy pójdą w cele ostatnie
   Przez ofiar stos.
Moc mu pomoże sakramentalna
   Narodów stu,
Że praca duchów będzie widzialna
   Przed trumną tu.

*

Wszelką z ran świata wyrzuci zgniłość,
   Robactwo, gad,
Zdrowie przyniesie, rozpali miłość
   I zbawi świat;
Wnętrza kościołów on powymiata,
   Oczyści sień,
Boga pokaże w twórczości świata,
   Jasno jak dzień.

Odpowiedź na „Psalmy przyszłości"

[Ujęcie wcześniejsze]

Podług ciebie, mój szlachcicu,
Cnotą naszą — znieść niewolę.
Ty przemieniasz ziemską dolę
W żywot ducha na księżycu;
Głosem dziecka wołasz: Czynu!   5
Czynu — czynu naród czeka!
Lecz ty wiesz, bez ducha gminu
Jaka słaba pierś człowieka...
A ty, który budzisz czyn,
Gdy spojrzałeś w ludu oczy,   10
Rzekłeś, że z nich rzeź wyskoczy!!
A kto inny jest — niż gmin?

*

    Nie tak — nie tak, mój szlachetny,
Bo czyn ludu nie piosenka.
To nie w herbie z mieczem ręka,   15
To nie ród imieniem świetny,
To nie pieśni próżny twór,
To nie buntu próżna mara,
To nie chmurny lot Ikara,
Gdzie zasługą upaść z chmur!   20
To nie na słońc, gwiazd granicy
Z kochankami mdlejąc latać,
Włosy splatać i rozplatać,
Tchnienie tracić w błyskawicy;
Ale twardo, ale jasno   25
Śród narodu swego stać,
Myślą bić, chorągwie rwać.
Świecić czynu tarczą własną!
W drogę, choćby niepowrotną,
Ale prostą — naprzód twarzą,   30
Z piersią czystą, choć samotną,
Choć ją sztyletami rażą,
Z twarzą smętną, ale białą,
Chrystusową, choć zwiędniałą,
A ciągnącą lud do siebie   35
Niesłychanym bożym czarem:

Takim duchem i sztandarem
Być na ziemi — jest być w niebie!

*

Jam spróbował na mej głowie,
Na kształt gwiazdy kałakuckiej,   40
Nosić gwiazdę myśli ludzkiej
I z tą gwiazdą żyć surowie.
I przybiegli aniołowie,
Aniołowie betleemscy —
A odbiegli ludzie ziemscy   45
I drzwi moje pożegnali,
I przeklęli... me domowe
Duchy — serce — moję głowę —
Każdy włos poprzeklinali...
A jam przecie bez ich wiedzy   50
I bez serc ludzkiego ciepła
Czuł, że w żyłach krew nie krzepła.
Ani na rozstajnej miedzy,
Która świat od Boga dzieli,
A do przyszłych idzie światów,   55
Rosło mniej tęczowych kwiatów,
Choć suszyli ją i klęli.
I dlatego, żem się umiał
Pohamować — być nad zgraję —
Wichr przeleciał i wyszumiał,   60
I legł martwy... a ja wstaję;
Bo ojczyznę mą w łańcuchu
Widząc, miałem tę pokorę,
Żem żadnego nie klął ruchu...
Czuł gorących — bo sam gorę,   65
Modlił się o czasy nowe
I o wrogów mych zwycięstwo,
Choć groziło mi męczeństwo
I w sąd... mogło pójść o głowę.
Bo ty nie myśl, że z anioły   70
Tylko boża myśl nadchodzi;
Czasem Bóg ją we krwi rodzi,
Czasem rzuca przez Mongoły!...

*

A ty, jasny jakiś panie,
Bo cię nie znam, ale słyszę,   75

Słysząc twoję wierszowanie,
Że ktoś jak perłami pisze,
Że ktoś na kształt się proroka
Stawia ludziom — ale modny,
Jak historyk świata — chłodny,   80
Obejrzawszy świat z wysoka,
Wieszcze rymy jako cugi
Posłał na świat równym kłusem
I napełnił wóz Chrystusem
Jak Owidiusz Faetonem,   85
I rozesłał swoje sługi,
Swe kolory czcić pokłonem.

*

  Honor myślom, z których błyska
Nowy duch i forma nowa!
Bo są światu, jak zjawiska,   90
Jako jutrznia są różowa.
Jak ogniste meteory,
Stopom ludu podścielona
By gościńce Irydiona
Pielgrzymowi, który od nich   95
Bierze ogień i kolory,
Gdy już gwiazd dochodzi wschodnich.

*

  Taką była dawniej dana
Poetyczna karm dla ludu,
Objawienie pełne cudu;   100
Myśl jak mara niespodziana
Z piersi naszej wychodziła
Na kształt gwiazdy lub miesiąca,
Narodowi dźwiękiem miła,
Ludu sen wspominająca,   105
To jak słońce w półobłoku
Oczom wschodziła i rosła,
To jak róża na potoku
Albo lekki Sylf bez wiosła,
Jakaś siła niewidzialna,   110
Przez poetę na świat lana,
Wolna — jako anioł Pana!
Silna — jako skra zapalna!

*

Dziś co? – Każdy wieszcz z rozkazem,
Każdy patron... lecz za sobą;   115
Nie z promieniem, lecz z wyrazem,
Nie duch-duchem, lecz osobą;
Kiedy gore świat cierpieniem,
Kiedy wzbiera czynu fala,
On się kładzie sam kamieniem,   120
Na ruch ludzki nie pozwala;
Chce zawrócić w stare łoże
Nowe fale – rzeki boże;
Do zbolałych serc nie wnika,
Gromu ludu nie ma w dłoni,   125
Ale w uszy formą dzwoni,
Albo dzwoni – albo syka.
Jego dźwiękiem, jego mową
Nie odetchnie pierś szeroka.
Nie pomyśli jego głową,   130
Skier nie weźmie z jego oka;
Tylko nędzne ujrzy płachty,
Zamiast wieszcza – sztandar jego
I krzyk: „Na Boga żywego!
Ty, kto jesteś? nie rznij szlachty!!..."   135

*

Któż i gdzie zagroził nożem?
Któż i gdzie ci stanął sporem? –
Możeś spotkał się z upiorem,
Z całym dawnym Zaporożem?
Możeś widział pochód głuchy,   140
Krzyki krwawe i namiętne
I księżyce nad krwią smętne,
I sokoły w mgle jak duchy?
Może tobie zastąpiły
W poprzek twojej sennej stecki   145
Same tylko ich mogiły –
A ty zląkł się! – wódz szlachecki!! –

*

Może tylko w noc póljasną
Upiór taki nadlatywał,
Strzały sobie z ran wyrywał   150
I mgły krwią czerwienił własną.

Hełm rozpalił w błyskawicę,
Miecz potrząsnął purpurowy,
A okropne cztery głowy,
Jako perły zausznice
Z twarzą nieznajomych plemion,
Niby róże — niósł u strzemion.
— A ty zaraz — w ręku kord,
W kosach przed nim cała wieś!
Duch ten — krzyczysz — jest to rzeź!
Duch ten to czerwony mord!...
— Nie mord, nie rzeź: — to z girlandy,
Co leciała ponad Lidą,
Jakiś sługa dziewki Wandy,
Jakiś złoty husarz z dzidą,
Jakiś krzyża kapłan świecki,
Z tęczy widzeń oderwany,
Znów powracał na kurhany —
A ty zląkł się! — syn szlachecki!! —

*

Duchy lecą i nie giną —
Czasem pełne słów czerwonych:
Czy ty jeden z·przestraszonych
Ręką rzezi — gilotyną?
Skądże taka w tobie trwoga
I od ludu rów i przedział?
Prawdę mówisz?... Nie, na Boga,
Wiem, żeś prawdy nie powiedział!
Tylko jakieś sny czerwone,
Zaludnione czartów gminem,
Twych firanek karmazynem
Owionięte, osłonione,
Jak róż jasne — jak sen płone,
Pełne, mówię, mar szkaradnych,
Bez słońc, bez gwiazd, kwiatów żadnych,
Przestraszyły cię, żeś krzyknął;
„Stójmy tak — na ojców kości!"
I twój anioł, już w przyszłości
Zabłyśniony, — jak sen zniknął.

*

Jeszcze co? ani zamachu —
Naród cały hasła czeka —

A krzyk pierwszy z ust człowieka
Był krzyk: Stójmy! był krzyk strachu.
Bo to sen na końcu pieśni,
Że magnaty — kiedyś — staną
Z wielką tęczą chorągwianą   195
Otrząśnięci z wieków pleśni,
Z wielką myślą w sercu — w głowie —
Chatom — niby aniołowie;
I bunt święty rozpłomienią,
I świat cały od nich zgore...   200
— W tych magnatach serce chore:
Wąż im sercem, a proch rdzenią!...

     *

   Kiedyś ze sto was tysięcy
Było szlachty z serc i z lica;
Dziś jednegom znał szlachcica   205
I kraj cały nie znał więcej.
Jeden tylko serca męką,
Zamiarami, choć nie skutkiem,
Wielkim, cichym, dumnym smutkiem,
Pełną zawsze darów ręką,   210
Smętną jakąś nieszczęść sławą
Był szlachcicem — i miał prawo...
Dziś i ten nie został z wami
I godności swej nie trzyma;
Poszedł gnić między królami,   215
Już go nié ma — i was nié ma!

     *

   Nie myśl, że wszystko na naszej łące
Smutnieje, więdnie, zachodzi nocą,
Że nietoperze ociemniające
W powietrzu cicho skrzydły łopocą,   220
Gdzie znajdą lampę — skrzydły zaduszą,
Gdzie znajdą ciepłą polską krew w żyłach,
To ją wysmokczą — serce wysuszą —
Mózg o wariackich zostawią siłach.
Nie tak, tu nie tak... jak ci się może   225
Przyśniło, głośny szlachty upiorze!

     *

Duch, ogień, młodość
Orla i żywa

Ogniem porywa
I z ducha czerpie.   230
Nad nią, na sierpie
Z blasków księżyca,
Boga Rodzica
W zorzy czerwonej,
Na wywróconej   235
Tęczy porannej!
A pod nią mgła
Z ognia i szkła
W skrze nieustannej
Bałwany wznosząca,   240
By znieść ją z miesiąca,
Z gwiazdami złotemi
Postawić na ziemi,
Ogłosić królową,
Piękność z płomieniem w sercu, z gwiazdami
                  [nad głową.   245

*

Wyszła, wyszła zza obłoku,
Ludom się pokaże,
I na żniwie, i na toku
Ujrzą ją żniwiarze!
Cała w słońcach, cała w błyskach,   250
Z kwiatem złotym w dłoni;
Pastuszkowie przy ogniskach
Zaśpiewają o niej!...
Ujrzą ją na polu trzody
I smętnie zaryczą;   255
Zadrzą drzewa, staną wody,
Sny z niej tęcz pożyczą!
I zgromadzą się włódarze
Z kosami na roli;
Bo się w sercach — w śnie pokaże   260
Człowiek dobrej woli...

*

Bądźże żywotniejszej cery,
Bo cię żywym być przymuszę;
Wygnaj z myśli Maryjusze,
Cezary i Robespiery.   265
Z komet, z meteorów cyfer

Czytaj przyszłość, wieszczu młody,
Nie bądź w przyszłą noc pogody,
Jako gwiazda zła – Lucyfer,
Gdy słoneczny wóz wyciąga,   270
Jak pies – węża mając szyję,
I zła skrzy... i w oczy bije,
I bezsennym się urąga. –
Bo my z bezsennego łoża
Wzrok rzucamy gorączkowy,   275
A ty łyskasz blaskiem noża,
Dziecko lub zły duch Jehowy,
Bo nam tworzysz czarną marę
I w zrodzoną rodzisz wiarę.

*

Ten, kto ojcu powie: Raka!   280
Ten przeklęty: – więc się bój!
Polski lud to ojciec twój.
Zeń, jak z cierniowego krzaka.
Gotów znowu Bóg wybuchnąć,
Z wichru mając twarz i lice,   285
I na ciebie, jak na świécę –
Iść – i dalej pójść – i zdmuchnąć!

*

Więc się bój: – bo nie ja grożę,
Marny człowiek i twój brat,
Ale jakiś straszny świat   290
I widzialne światła boże,
Z ciszą, z wiatrem i z szelestem
Rzucające się na lud,
Strachy, które mówią: Cud!
Ognie, które szepcą: Jestem!   295

*

Więc się bój: – bo Duch się wdziera
Zewsząd i podważa wieże.
Słaby – mówisz – rzeź wybiera;
A czy wiesz, co on wybierze?
Może ludów zatracenie.   300
Może nam przyniesie w dłoni
Komet wichry i płomienie,
W których drzy król, matka roni.

Działa, wozy, hufce, konie
Ogień pali, ziemia chłonie;
A nikt z mogił nie korzysta,
Jeno wszczynający ruch,
Wieczny Rewolucjonista,
Pod męką ciał — leżący Duch!

*

We łzach, Panie, ręce podnosimy do Ciebie,
Odpuść nam nasze winy!
Niech będzie twoja wola na ziemi i na niebie;
Przez nas czyń twoje czyny!
Niechaj się twoje imię na wysokościach święci,
Niech się święci trzy razy!
Abyśmy już nie byli z ksiąg żywota wyjęci
Dla naszych ran i zmazy.
Wspomnij, cośmy cierpieli pod chłostą tych mocarzy,
A duchaśmy nie dali;
Nie poznaliby ojce naszych bolesnych twarzy,
Gdyby z grobowca wstali.
Gdyśmy cierpieli mocno, wołaliśmy do góry
Jak gołębie: „Nie ciśnij" —
Duchy jak gołębice rozleciały się w chmury;
Zatrwóż! niech wrócą!... błyśnij!
W tej błyskawicy, Panie, ujrzym się i z daleka
Brat pozna swego brata —
I wejdzie nieśmiertelność jako anioł w człowieka,
I staniem ludem świata!...

*

A tu niżej
Pan poniży
Namiętnych.
Głos uciszysz,
A usłyszysz
Jęk smętnych.
Zebrzydowscy
I Zborowscy
W czerwonych deliach,
Błyskawice
I dziewice
W bladych kameliach.
Chór przychodzi

Zda się w łodzi,
O brzegi trąca.
Nad smętnemi   345
Lampa ziemi
Okrąg miesiąca.
Zegar świata,
Ptak Piłata
Godzinę pieje.   350
Strach i nudności,
W grobach drzą kości,
Bez-duch szaleje.
Duch uciska,
Mroczy i błyska,   355
Aż uzupełni
Wiek idący,
Bogiem błyszczący
Jak miesiąc w pełni.

                    *

W takim hymnie, wieszczu, stój;   360
Bo pieśń taka pójdzie górą,
Nad podlejszych dusz naturą
Panująca — boży strój,
Do którego Bóg nagina
Wszystkie tego wieku struny,   365
Złączy dźwięki i pioruny,
Świat, co kocha i przeklina,
I błękitu rzuci na tła,
Przemienioną krwawość w światła.
Anioł się z aniołem zetrze,   370
Chrystus wyjdzie na ciał złamy
I z Chrystusem się spotkamy,
A spotkania plac... powietrze!...

                    *

Lecz dopóki ty i twoi,
Duchem bożym nie skrzydlaci,   375
Chcecie stać na głowach braci,
Tak jak szatan dotąd stoi
Ciałem — formą, która kuta
Od tysięcy lat we świecie,
Choć spróchniała — duchy gniecie,   380
Wyrobiona i przeżuta,

Przeświecona piekłem mara,
Dla was święta tym, że stara...
Póki wy jakby z kamienia,
A kryjący strach kobiecy,   385
Opieracie wasze plecy
O ten wiatr z gwiazd i z płomienia,
Który się jak słońce pali
I lud niesie, a was wali —
Lecz dotychczas jeszcze szczędzi   390
Najpiękniejszych od zagłady,
A nie mogąc, dusz gromady
Przerażone z ciał wypędzi; —
To ja — pomny na potrzebę
Przyszłych ludzi, tych cezarów,   395
Którym każdy stary narów
Kładł pod nogi kamień, glebę,
Męczenników pełną chatę,
Swój interes i prywatę;
To my święci, to my młodzi   400
Jutrzenkami i błyskaniem
Charonowej Twojej łodzi,
Pełnej trupów — poprzek staniem!

Odpowiedź na „Psalmy przyszłości" Spirydionowi Prawdzickiemu

[Ujęcie późniejsze]

Podług ciebie, mój szlachcicu,
   Cnotą naszą – znieść niewolę?
   Ty przemieniasz ziemską dolę
W żywot dziecka na księżycu.
W pieśniach wołasz: „Czynu! Czynu!   5
   Czynu!" Czynu naród czeka!
A ty drżysz przed piersią gminu,
   Drżysz, gdy błyśnie Bóg z człowieka,
Drżysz, gdy kos cię ukraińskich
   Długi, smętny brzęk zaleci,   10
   Drżysz, gdy w marzeń mgle zaświeci
Groźna, stara twarz Kilińskich.

     *

Nie tak, nie tak, mój szlachetny!...
   Bo czyn ludu – nie piosenka –
   To nie w herbie z mieczem ręka,   15
To nie ród imieniem świetny,
To nie pieśni próżny twór,
   To nie buntu próżna mara,
   To nie chmurny lot Ikara,
Gdzie zasługą upaść z chmur;   20
To nie na słońc, gwiazd granicy
   Z kochankami mdlejąc latać,
   Włosy splatać i rozplatać,
Tchnienie tracić w błyskawicy –
Ale twardo – ale jasno   25
   Śród narodu swego stać;
   Myślą bić – chorągwie rwać,
   Świecić czynu tarczą własną;
W drogę – choćby niepowrotną,
   Lecz ofiarną – naprzód twarzą!.   30
Z piersią czystą – choć samotną,
   Choć ją sztyletami rażą;
Z twarzą smętną – ale białą,
Chrystusową – choć zwiędniałą,
   A ciągnącą lud do siebie   35

Niesłychanym bożym czarem:
Takim duchem i sztandarem
Być na ziemi — to być w niebie.

*

A ty, jasny jakiś panie!
    Bo cię nie znam, ale słyszę,   40
Słysząc twoje wierszowanie,
    Że ktoś jak perłami pisze,
Że ktoś na kształt się proroka
    Stawi ludziom — ale modny,
    Jak historyk świata, chłodny,   45
Obejrzawszy glob z wysoka,
Swoje wiersze, gdyby cugi,
    Wysłał na świat równym kłusem
    I napełnił wóz Chrystusem
Jak Owidiusz Faetonem;   50
    I rozesłał swoje sługi,
Swe kolory — czcić pokłonem.

*

Honor myślom! z których błyska
    Nowy duch i forma nowa!
Bo są światu jak zjawiska,   55
    Jak jutrzenka są różowa,
Jak ogniste meteory
    Stopom ludu podesłane
    By gościńce Irydiane
Pielgrzymowi — a my od nich   60
Bierzem ogień i kolory
    I gwiazd dolatujem wschodnich.

*

Taka była dawniej dana
    Poetyczna karm dla ludu —
Objawienie pełne cudu,   65
Myśl — jak mara niespodziana
    Z piersi naszej wychodziła
    Na kształt gwiazdy lub miesiąca,
Narodowi dźwiękiem miła,
    Ludu sen wspominająca;   70
Czasem słońce, w półobłoku
    Oczom, wychodziła, rosła,

Czasem lekka − na potoku,
   W listku róży Sylf bez wiosła.
Jakaś siła niewidzialna,
   Przez poetę na świat lana;
   Wolna − jako anioł Pana,
Silna − jako skra zapalna.

      *

Dziś co? − Każdy wieszcz z rozkazem,
   Każdy patron − sam za sobą;
Nie z promieniem − lecz z wyrazem,
   Nie duch-duchem − lecz osobą...
Kiedy gore świat cierpieniem,
   Kiedy wzbiera czynu fala,
   On się kładzie wstecz kamieniem,
Na ruch ludzki. nie pozwala;
Chce zawrócić w stare łoże
Nowe fale − rzeki boże −
Do zbolałych serc nie wnika,
   Czynu ludu nie ma w dłoni;
   Ale w uszy formą dzwoni,
Albo dzwoni − albo syka.
Jego dźwiękiem, jego mową
   Nie odetchnie pierś szeroka,
   Nie pomyśli − jego głową,
Skier nie weźmie z jego oka!
Tylko z nędznej starej płachty,
   Zamiast wieszcza − sztandar jego:
   Krzyk: „Na Boga czerwonego!
Ty − kto jesteś! Nie rżnij szlachty!"

      *

Któż i gdzieć zagroził nożem?
   Któż i gdzie ci stanął sporem?
Możeś spotkał się z upiorem,
   Z całym dawnym Zaporożem?
Możeś słyszał pochód głuchy,
   Krzyki krwawe, krwi namiętne,
I księżyce nad krwią smętne,
   I sokoły w mgle, jak duchy?
Może tobie zastąpiły
   W poprzek twojej sennej stecki

    Już nie duchy — lecz mogiły...
A ty zląkł się? Syn szlachecki!

      *

Może tylko w noc półjasną
    Jeden upiór nadlatywał,
    Strzały sobie z ran wyrywał
I mgły — krwią czerwienił jasną,
Hełm rozpalił w błyskawice,
    Kurz podnosił purpurowy,
A zrąbane cztery głowy,
    Niby perły zausznice,
    Z twarzą nieznajomych plemion
    Głowy trupie — niósł u strzemion...
A ty zaraz: — „W ręku kord!
    W kosach przed nim cała wieś!
Duch ten — krzyczysz — jest to rzeź!
    Duch ten — to czerwony mord!..."
Nie mord — nie rzeź. — To z girlandy,
    Co leciała ponad Lidą,
Jakiś sługa dziewki Wandy,
    Jakiś złoty husarz z dzidą,
    Jakiś krzyża kapłan świecki,
    Z tęczy widzeń oderwany,
    Znów poleciał na kurhany...
A ty zląkł się?! Syn szlachecki!

      *

Skądże w tobie taka trwoga?
    I od ludu rów, i przedział?
Prawdę mówisz?... Nie, na Boga,
    Wiem, żeś prawdy nie powiedział!
Tylko jakieś sny czerwone,
    Zaludnione czartów gminem,
    Twych firanek karmazynem
Jak krew jasne — jak sen płone,
Pełne — mówię — mar szkaradnych,
Bez słońc — bez gwiazd — kwiatów żadnych,
Przestraszyły cię — żeś krzyknął:
„Stójmy tak! — na ojców kości!"
    I twój anioł, już w przyszłości
Zabłyśnięty — jak sen zniknął.

      *

Jeszcze co? Ani zamachu...
　　Naród cały hasła czeka...　　　　　　　　　150
　　A krzyk pierwszy z ust człowieka
Był okropnym krzykiem strachu!...
Bo to sen na końcu pieśni,
　　Że magnaty kiedyś staną
　　Z wielką tęczą chorągwianą,　　　　　　　155
Otrząśnięci z wieków pleśni,
Z wielką myślą w sercu, w głowie,
Chatom — niby aniołowie;
Że bunt święty rozpłomienią,
　　Że świat cały od nich zgore...　　　　　　160
　　W tych magnatach serce chore,
Proch im sercem i proch rdzenią.

　　　　*

Kiedyś ze sto was tysięcy
　　Było szlachty z serc i z lica...
Dziś — jednegom znał szlachcica,　　　　　165
　　Kraj ich cały nie znał więcej...
Jeden tylko serca męką,
　　Zamiarami, choć nie skutkiem,
　　Wielkim — cichym — dumnym smutkiem,
Pełną niegdyś darów ręką,　　　　　　　170
　　Smętną — wziętą z nieszczęść sławą,
　　Był szlachcicem — i miał prawo...
Dziś — i ten nie został z wami,
　　Swej godności już nie trzyma...
Marą króla zgnił z królami,　　　　　　　175
　　Dziś go nié ma — i was nié ma!

　　　　*

Bądź-że mi weselszej cery,
　　Bo cię żywym być przymuszę...
Wygnaj z myśli Maryjusze,
　　Cezary i Robespiery.　　　　　　　　　180
Z komet, z meteorów cyfer
　　Czytaj przyszłość, wieszczu młody.
　　Nie bądź w przyszłą noc pogody
Jak ta gwiazda — psia — Lucyfer,
Gdy słoneczny wóz wyciąga,　　　　　　　185
　　Z morza wytknie łeb — po szyję,
　　I zła skrzy, i w oczy bije,

I bezsennym się urąga;
Bo my z bezsennego łoża
　　Wzrok rzucamy gorączkowy,
　　A ty łyskasz — łyskiem noża,
Dziecko — lub zły duch — Jehowy.
Bo nam rodzisz buntu marę,
I w zrodzoną — rodzisz wiarę.

＊

Ten, kto ojcu powie: Raka!
　　Ten przeklęty... więc się bój!
Polski lud — to ojciec twój —
Zeń jak z cierniowego krzaka
Gotów znowu Bóg wybuchnąć,
　　Z wichrów uwić płaszcz i lice,
　　I na ciebie — jak na świécę,
Iść — i dalej pójść — i zdmuchnąć.

＊

Więc się bój — bo nie ja grożę,
　　Marny człowiek i twój brat...
　　Ale jakiś straszny świat
　　I widzialne światła boże,
　　Z mocą, z wichrem i z szelestem
　　Rzucające się na lud —
Strachy — które mówią: Cud!
　　Ognie — które szepcą: Jestem!

＊

Więc się bój — bo Duch się wdziera,
　　Już podnosi góry, wieże.
„Słaby" — mówisz — „rzeź wybiera" —
　　A czy wiesz, co on wybierze?...
Może ludów zatracenie —
　　Może nam przyniesie w dłoni
Komet wichry i płomienie,
　　W których drży król — matka roni —
　　Działa, wozy, hufce, konie
　　Ogień pali — ziemia chłonie...
A nikt z ruin nie korzysta,
　　Jeno wszczynający ruch,
　　Wieczny Rewolucjonista,
Pod męką ciał — leżący Duch.

＊

Duch – Światło – Młodość   225
   Orla i żywa
   Niebo porywa,
Z Boga moc czerpie...
Nad nią – na sierpie
   Z blasków księżyca,   230
   Bogarodzica
   W zorzy czerwonej,
   Na wywróconej
   Tęczy porannej.
   A pod nią mgła   235
   Z ognia i szkła
     W grze nieustannej
     Bałwany wznosząca,
     By znieść ją z miesiąca,
   Z gwiazdami złotemi.   240
   Postawić na ziemi,
   Ogłosić królową
Piękność – z płomieniem w sercu –
       [z gwiazdami nad głową.

   *

Wyszła! wyszła zza obłoku,
   Ludziom się pokaże.   245
I na żniwie, i na toku
   Ujrzą ją żniwiarze;
Cała w słońcach – cała w błyskach
   Ludom się pokłoni,
Pastuszkowie przy ogniskach   250
   Zaśpiewają o niéj.
Ujrzą ją na łąkach trzody
   I smętnie zaryczą,
Zadrżą drzewa – staną wody,
   Sny z niej tęcz pożyczą.   255
Gwarząc zbiorą się włodarze
   Z kosami na roli...
Bo się w światłach, w snach pokaże
   Człowiek dobrej woli.

   *

   A tu niżej   260
     Kilka krzyży,
      Płacz namiętnych;

Pierś uciszysz —
A usłyszysz
  Jęki — smętnych.   265
Zebrzydowscy
I Zborowscy
  W czerwonych deliach;
Sny — martwice
I dziewice   270
  W bladych kameliach.
Chór nadchodzi,
Zda się w łodzi
  O brzeg trąca.
Nad smętnemi   275
Lampa ziemi,
  Krąg miesiąca.
Zegar świata,
Ptak Piłata
  Godzinę pieje.   280
Strach i nudnoście,
W grobach drżą koście,
  Bez-duch — szaleje.
Duch uciska,
Mroczy i błyska,   285
  Aż uzupełni
Wiek idący,
Bogiem błyszczący
  Jak miesiąc w pełni.

          *

We łzach, Panie, ręce podnosimy do Ciebie,   290
  Odpuść nam nasze winy!
Niech będzie Twoja wola i na ziemi, i w niebie,
  Przez nas — czyń Twoje czyny.
Niechaj się Twoje imię na wysokościach święci,
  Niech się święci trzy razy!   295
Abyśmy już nie byli z ksiąg żywota wyjęci
  Dla ran naszych i zmazy.
Wspomnij! cośmy cierpieli pod chłostą tych mocarzy,
  A duchaśmy nie dali.
Nie poznaliby ojce naszych boleśnych twarzy,   300
  Gdyby z grobowca wstali.
Gdyśmy cierpieli mocno, wołaliśmy do góry
  Jak gołębie: Nie ciśnij!

Duchy jak gołębice rozleciały się w chmury,
  Zatrwóż! — Niech wrócą — błyśnij!   305
W tej błyskawicy, Panie, obaczym się z daleka,
  Brat pozna swego brata;
I wstanie nieśmiertelność jako anioł z człowieka,
  I staniem ludem świata!...

                    *

W takim hymnie, wieszczu, stój!   310
  Bo pieśń taka pójdzie górą,
  Nad podlejszych dusz naturą
Panująca. — Boży strój,
Do którego Bóg nagina
  Wszystkie wieku tego struny,   315
  Złączy dźwięki i pioruny,
  Świat, co kocha i przeklina;
  I błękitom rzuci na tła
Przemienioną krwawość w światła.
Anioł się z aniołem zetrze,   320
  Chrystus wejdzie na ciał złamy,
  I z Chrystusem się spotkamy,
A spotkania plac — powietrze.

A jednak ja nie wątpię
bo się pora zbliża...

A jednak ja nie wątpię — bo się pora zbliża,
Że się to wielkie światło na niebie zapali,
I Polski Ty, o Boże, nie odepniesz z krzyża,
Aż będziesz wiedział, że się jako trup nie zwali.

Dzięki Ci więc, o Boże — że już byłeś blisko,   5
A jeszcześ Twojej złotej nie odsłonił twarzy,
Aleś nas, syny Twoje, dał na pośmiewisko,
Byśmy rośli jak kłosy pod deszczem potwarzy.

Takiej chwały od czasu, jak na wiatrach stoi
Glob ziemski — na żadnego nie włożyłeś ducha,   10
Że się cichości naszej cała ziemia boi
I sądzi się, że wolna jak dziecko, a słucha.

Zaprawdę w ciałach naszych światłość jakaś wielka
Balsamująca ciało — formy żywicielka,
        Uwiecznica... promienie swe dawała złote   15
        Przez alabastry ciała.

O! nieszczęśliwa! o! uciemiężona...

O! nieszczęśliwa! o! uciemiężona
Ojczyzno moja — raz jeszcze ku tobie
Otworzę moje krzyżowe ramiona,
Wszakże spokojny, bo wiem, że masz w sobie
Słońce żywota.

5

Objaśnienia poety

ODA DO WOLNOŚCI

W. 29

> *Jakiś mnich stanął u proga*

Luter.

W. 53

> *Na lądzie nowego świata*
> *Żałobne drzewo wyrosło* itd.

W Ameryce znajduje się drzewo nazwane drzewem śmierci, pod którym zasypiający człowiek umiera.

PARYŻ

W. 41

> *Krwi trójcę w jednej wcieloną osobie*

Napoleon.

W. 51

> *I pod kolumną spiżu wszyscy posną*

Kolumna Vendôme.

W. 65

> *Gdzie wielki cmentarz zalega na górze*

Cmentarz Père la Chaise.

W. 74

> *Gotyckim kunsztem ukształcona ściana*

Kościół katedralny Notre-Dame.

W. 79

> *Stoją posągi (gdzie płynie Sekwana)*

Most Zgody albo Ludwika XVI z białymi posągami.

W. 90

> *Zaczął dynastią trupów, był ostatnim z rodu*

Po wzięciu Luwru na królewskim tronie lud położył trupa.

DUMA O WACŁAWIE RZEWUSKIM

W. 112

I sam się zastrzelił na dziale.
Orlikowski, kapitan artylerii konnej, dowodzący działami
w bitwie pod Daszowem. Skończył, jak powyżej duma
opisuje.

Z LISTU DO KSIĘGARZA

W. 35

Tyfon – bóg piekła.

W. 37

Athor – Wenus egipska.

❀ Powieści poetyckie

For thee, who thus in too protracted song
Hast soothed thine idlesse with inglorious lays,
Soon shall thy voice be lost amid the throng
Of louder minstrels in these later days:
To such resign the strife for fading bays —
Ill may such contest now the spirit move
Which heeds nor keen reproach nor partial praise;
Since cold each kinder heart that might approve,
And none are left to please when none are left to love.

BYRON

[Motto do I tomu *Poezyj*, Paryż 1832]

Żmija

Romans poetyczny

Z podań ukraińskich
W sześciu pieśniach

Sumak

Piękny to widok Czertomeliku,
Sto wysp przerżnęły Dniepru strumienie,
Brzoza się kąpie w każdym strumyku,
Słychać szum trzciny, słowika pienie.
A kiedy wiosną wezbrane wody   5
Zaleją wszystkie wyspy dokoła,
Jeszcze nad wodą widać drzew czoła,
Jakby rusałek cudne ogrody,
Gałązką mącą wodne błękity.
I jeszcze słowik w gałązkach śpiewa,   10
I szumią brzozy, lecz nad ich szczyty
Wznosi się fala i nikną drzewa.
Dziko Dniepr szumi, gdy w jego łonie
Sto wysp zielonych wiosną zatonie.

Piękny to widok stu wysep pana,   15
Woda mu ziemię spod stóp wykradła,
Zamek się patrzy w fali zwierciadła,
Co mu przy stopach szumi wezbrana.
A gdy nań patrzysz, dziwnym pozorem,
Rzekłbyś, że zamek wstecz rzeki płynie.   20
Cegła koralów świeci kolorem,
Lekkie filary podobne trzcinie;
Kilka ogromnych paszcz samostrzału
Patrzy strzelnicą na Czarne Morze,
A górą zamku okna z kryształu   25
Świecą się, palą jak ranne zorze;
I tysiąc barwy w każdym promyku,
Co się z tych okien nazad odkradnie.
W zamku pan mieszka Czertomeliku,
Dumny ataman, co Siczą władnie;   30
Lecz czy sam mieszka? — Któż to odgadnie?

Nikt nie był w zamku, mówią, że czary
Mieszkają w gmachu, że dłoń zaklęta
Nadludzką sztuką wzniosła filary;
Lecz kiedy wzniosła? — Nikt nie pamięta. —   35

    Niejeden rybak wieczorną dobą,
W Czertomeliku płynąc ostrowy,
Słyszał przed sobą, słyszał za sobą
Spiew słodszy, milszy niż szum dnieprowy.
A rybak milczał, płynął pomału;   40
Kiedy wieczorne zorza zapadły,
Widział, jak w zamku okna z kryształu
To się paliły, to znowu bladły;
A z okien blaskiem konały pieśni.
Znów cicho — głucho — a rybak stary   45
Żegnał się drżący — to czary — czary!
Wszak rybak czuwa? wszak rybak nie śni?

    Już to noc trzecia, gdy gasną zorze,
Błyska na zamku ogień jaskrawy;
Ho! to kaganiec, to znak wyprawy,   50
Popłyną czajki na Czarne Morze.
Kozaków obóz zalega brzegi,
Pośród czaharów spisa połyska;
A ponad Dnieprem w długie szeregi
Gęsto strażnicze płoną ogniska.   55
Tam na mogiłę wstąpił wysoką
Gęślarz i spiewa pieśni z mogiły;
Jeśli w tych grobach nie spią głęboko,
Może ich dzikie pieśni zbudziły?
O spijcie! spijcie! przeszła wam pora,   60
I wyście żyli — tu — w Ukrainie,
I wyście żyli — to było wczora!
My dziś żyjemy, czas szybko płynie.
Po cóż tu wracać z licem upiora,
Gdzie nikt nie chodzi po nas w żałobie?   65
Jutro na naszym powiedzą grobie:
„I wyście żyli! to było wczora".

    Płyńmy więc! płyńmy w natolskie grody
Burzyć pałace, rąbać fontanny,
Żelazem niszczyć Turków narody;   70
I porwać obraz Najświętszej Panny.

Obraz, co płacze rzewnymi łzami;
A gdy go człowiek w fali zanurzy,
Morze gniewliwe bije falami,
Pieni się, huczy, pryska i burzy,   75
I póty gniewne podnosi tonie,
Aż wrogów statki w falach pochłonie...

    Lecz gdzież jest hetman? W rannej godzinie
Wyszedł i w stepach błądzi od rana.
Oto przy brzegu czajka hetmana   80
Powiewnym żaglem bieli się w trzcinie.
I wkoło gwarzy zgraja zebrana:
„Wszak nam na drogę brak na źwierzynie;
Idźmy na łowy! idźmy na łowy!
Lecz gdzież nasz Żmija, hetman niżowy?"   85

       *

    *   *

    Ty spisz, sumaku! ty spisz, sumaku!
Między błyszczące rosą czahary;
A tutaj strzelce w stepach Budziaku
Otoczą wkrótce knieje i jary.
Sumak nie słyszy! sumak nie słyszy!   90
Bo milcząc strzelce idą na łowy.
      I coraz ciszéj,
      Między parowy,
      Pomiędzy trawy,
      Toną i toną;   95
      A zorza płoną
      I świt jaskrawy
    Pozłaca niebo na wschodzie.

    O! jakże miło przy rannym chłodzie
Tak się zapuszczać w stepowe knieje!   100
Jak tajemnicza ta chwila nocy,
Kiedy noc kona, księżyc blednieje,
Już dzień na wschodzie, a na północy
Jeszcze lśnią gwiazdy, jeszcze lśnią jasno,
I wschód się złoci, blednie, czerwieni,   105
      Niebo się mieni;
      Gwiazdy w lazurze
      Już gasną, gasną:

I polne róże
Powstają z rosy perłami. —

I cicho łowce szli manowcami.
Trzymaj, myśliwcze, ptaka na dłoni,
Zakryj mu oczy złotym kapturem;
Niech nastrzępionym nie szumi piórem,
Niech się nie trzepie, w dzwonki nie dzwoni;
Zdejmiesz mu kaptur, gdy w nasze sidła
Zwierz się dostanie, wtenczas posłuży.
      Sokół się chmurzy
      I ociemniony,
      Nastrzępił skrzydła,
      Wyciągnął szpony,
   Ponury, piersi napuszył.

   Tam jakiś szelest! Czy to zwierz ruszył?
To nadto wcześnie! to nadto skoro!
O nie! to lekki chart tam na smyczy,
Niechętny więzom piszczy, skowyczy;
Skarć, łowcze, charta ręką i sforą!
Pierwej wyśledzić sumaka tropy;
Potem go gończe podniosą głosem,
A potem charty... I chart karcony
      Przypadł do stopy;
      Okryty wrzosem,
      Kwiatem zroszony,
   Ciągnie się smutny na sforze.

   Wysłać strzelców na rozdroże,
Gdzie się kończy ta dolina,
Tam, Kozacy, wielkim kołem
Stójcie cicho — a drużyna
Niech tam idzie drogą, dołem,
Niechaj tonie w trawy, zioła,
W tej dolinie sumak leży.
Gdy starszy strzelec zawoła,
Niech służba w trąby uderzy.

   Dane rozkazy, i dzikie jary
Otoczył Kozak, tonie w czahary.
W krzakach się kryją ponure czoła,
I cicho, jakby ludzi nie było!

Jakby się tylko o łowach śniło!
Wiatr wieje w kniei i szumią zioła,
Zniknęły zbroje, łuki, oszczepy;   150
Świt płonie ogniem umalowany
I słońce wstaje nad martwe stepy.
Oblane złotem świtu burzany
Ognistej barwy kwiatem się palą
I gną się z wiatrem: fala za falą   155
    Przebiega stepy milczące. –

    Cicho... Wtem trąby zagrały grzmiące
I zagrzmiał razem pod niebo wzbity,
Z brzękiem surm, kotłów, okrzyk wesoły,
I uwolnione z więzów sokoły   160
Szybko w powietrza lecą błękity,
Krążą i kraczą, dzwonkami dzwonią,
I psy spuszczone jęczą i gonią.
Czekają łowce: wśród strasznej wrzawy
Patrzą na niwy złocone świtem,   165
    I oto śmiga
    Sumak zbudzony;
    Ledwo kopytem
    Dotyka trawy,
    Charty wyściga   170
    I przez zagony
    Przed szybką smyczą
    Sadzi przez doły;
    Gończe skowyczą,
    Kraczą sokoły.   175
I jeden sokół już zleciał nisko,
Siadł mu na grzbiecie, szpony zatopił.
Chart wiatronogi za zwierzem tropił,
Już go doścignął – już blisko – blisko –
A sumak leci bojaźnią ślepy,   180
Leci w zasadzkę – wpadł na oszczepy,
Drgnął tylko – upadł... A tłum wesoły
Znów w trąby dzwoni, znów w kotły bije,
Żeby wystraszyć, co tylko żyje
Pomiędzy trawy. – Lecą sokoły,   185
Krążą i kraczą, dzwonkami dzwonią,
Ogary znowu jęczą i gonią.
Czekają łowce. – Wśród kwiatów fali
Znów coś mignęło? – to sumak nowy? –

O nie! to Tatar miga od stali,   190
    Jak wiatr stepowy,
    Jak wąż piersiami
    Trawy rozcina;
    Między kwiatami
    Złotem połyska.   195
    I łuk napina,
    I strzały ciska,
I rohatyny kolczate miota.

Dziwi Kozaków ta zbroja złota,
Musi to jakiś być wódz Tatarów? —   200
Puścić ogary: — jeden z ogarów
Już go dościga — ha! zobaczycie!
Ogar to stary, dobrze się sprawi,
Wskoczy na piersi — i w strasznej męce
        Wydrze mu życie,   205
        Zgniecie, zadławi. —
Już go doścignął — rzecz niespodziana!
Skacze na piersi, liże mu ręce,
U stóp się kładzie — wyje, skowyczy.
Wszak to jest ogar! — ogar hetmana!   210
Pierwszy z ogarów! tak sławny w Siczy!
Nieraz Tatara wytropił w jarze,
A dzisiaj znalazł pana w Tatarze.

Wróciła nazad psiarnia zagnana,
A Tatar leci, i trawy łamie.   215
Patrzcie! — i sokół siadł mu na ramię,
O dziwy! dziwy! sokół hetmana!
Siadł na ramieniu, nastrzępia pióra,
Zda się, że skrzydłem nagli go w biegu.
        W łowców szeregu   220
        Okrzyk dokoła;
        Strzał lekkich chmura
        Ściga Tatara;
I jedna w piersi trafia ogara,
Druga pod skrzydło trafia sokoła,   225
Trzecia Tatara w czoło drasnęła. —
Czy krew płynęła? — czy łza płynęła? —
Nie można wiedzieć; — stanął — zakrywa
Oczy zalane czy krwią, czy łzami.
Z piersi ogara obrożę zrywa,   230

Z szyi sokoła pierścień z dzwonkami;
    I znów przez stepy
    Wprost na oszczepy
Leci w zasiane wrogiem parowy. –
Tam go wstrzymają?... Nie, nie wstrzymali!   235
Daleko zdradne prześcignął łowy
    I zniknął w burzanów fali...

Nie – to nie było senne widziadło,
Bo tam, gdzie przebiegł, pośród wądołów,
Bez życia sześciu Kozaków padło,   240
I sześć ogarów – i sześć sokołów.

Płaczka

Z tętentem konia leci przez wrzosy,
To pan nasz, Żmija, hetman na Niżu.
Bielą się wzbite tumany rosy,
Spod kopyt konia spłoszone wrony
Stadem się zbiły, siadły na krzyżu.   5
W burzanie miga kołpak czerwony,
Stalowa zbroja miga w burzanie:
– „Witaj, hetmanie! witaj, hetmanie!..." –

– „Zdrowia, drużyno – co słychać w Siczy?
Czy szumią żagle? – czajka gotowa?   10
Czy nam złą wróżbą wrona nie krzyczy?
Czy zawsze nasza fala dnieprowa
Tak jak płynęła – płynie do morza?
Ha! tak? – to dobrze... Nim błyśnie zorza,
Być w pogotowiu... Teraz niech czara   15
Zaszumi miodem; – pieśń grzmi wesoła...
Lecz gdzie mój ogar? – puścić ogara!
Gdzie jest mój sokół? – puścić sokoła!"

Stróż psów hetmańskich, ptasznik hetmana,
Dzieci nieletnie, wyszli z drużyny;   20
Pobladli oba uczuciem winy
I wyczytali gniew w oczach pana.
Potem rzekł starszy: „Nieszczęsne łowy!
Na nasze łowy ktoś rzucił czary.
Gdzie niegdyś leżał sumak stepowy,   25
Dzisiaj okryte zbroją Tatary
Trudzili charty i skrzydła ptaków.
Od strzał tatarskich sześciu Kozaków
Pośród stepowych padło wądołów,
I sześć ogarów – i sześć sokołów.   30
Tatar ci zabił psa i sokoła". –

– „Kłamstwo! to kłamstwo!" – hetman zawoła –
„Gdy w polach jęczą wasze cięciwy,
Smycz moja pada, a Tatar żywy...
Umiem wybadać prawdę za mgłami,   35
Uwitą w słowa krzywoprzysiężne.

Znacie tę obróż? pierścień z dzwonkami?
Śmiercią wam biją dzwonki mosiężne".
Snadź że obróżę charta poznali,
Pieśń śmierci w głosie dzwonków odgadli;   40
Oba zadrzeli – oba pobladli,
Łza im błękitne oczy kryształi...

– „Parę kłamliwą, co razem wzrosła" –
Rzekł srogo Żmija – „polecić Bogu,
Wsadzić do czajki, w czajce bez wiosła   45
Niech z dnieprowego spływają progu". –

Już odszedł hetman... Powstały gwary:
„Skądże wie Żmija o naszych łowach?
Czy mu przynieśli pierścień Tatary?
Czy gdzie ukryty sam był w parowach?" –   50
W różnych domysłach zabrzmiały struny.
Jako żurawi nuta wędrowna
Pieśń przez srebrzyste płynie piołuny,
Miesza się z echem – dzika, czarowna,
Bo kiedyż Kozak o czarach nie śni...?   55
Może domysły rozkwitną z pieśni? –

Powieść kozacka

RUSAŁKA

1

Nad mogiłą w mgłach wysoko
Krąży sokół, siadł na krzyżu.
Pod tym grobem śpi głęboko,
Niegdyś hetman, pan na Niżu.   60

*

Jeszcze sława Zaporoża,
Jako miesiąc blady, nowy,
Nie przebyła w czajkach morza,
Nie wzleciała nad ostrowy.

*

Na ostrowach rosły głogi   65
I samotna róża bladła.
Zapienione skalne progi
Mgliły błękit wód źwierciadła.

     *

Przy Rusałce – wysp hetmana
Widać było w blask miesiąca.   70
Jego luba z mgły uwiana,
Z mgły dnieprowej, zimna, drżąca.

     *

Choć mroziła mglistą dłonią,
Zapalała czarnym okiem...
„Luby" – rzekła – „tam się płonią   75
Polne róże nad potokiem,

     *

„Dzwonki barwą lśnią błękitną;
Uschną dzwonki na pokosach,
Lecz z różami, gdy przekwitną,
Rozkwitają w moich włosach.   80

     *

„Duchem zmarłych na tym świecie
Żyję, kwitnę jak mogiła.
Cóż po łąkach? cóż po kwiecie?
Niechaj uschną – bym ja żyła..."

     *

– „Czarna duszo! precz ode mnie.   85
Już miłości nie ocucę". –
– „Wyrzekasz się? – lecz daremnie!
Znów zawołasz – znów powrócę". –

     *

        2

Rusałka się w mgłę rozpływa.
Nocą blady miesiąc świeci,   90
I po łodziach lśnią łuczywa,
I do Dniepru toną sieci...

     *

Hetman smutny i ponury,
Płynie z wolna łódź hetmana;
Przed nią postać z mglistej chmury,   95
Płomieniami malowana:

＊

Taka piękna ponad falą,
Gdy się o nią blask roztrąca;
Wpół się ogniem lica palą,
Wpół się srebrzą w blask miesiąca.   100

＊

W zachwyceniu, nieprzytomnie,
Choć to może duszy zguba,
Hetman wołał: „Chodź tu do mnie!
Chodź tu do mnie, moja luba!" –

＊

3

Odtąd zawsze, zawsze razem.   105
Hetman w więzy lgnął widziadła,
Choć jej dusza zimnym głazem,
Na twarz różne barwy kładła.

＊

Zawsze piękna... z polnych głogów
Róże – złote włosy wieńczą. –   110
I kradzioną znad porogów
Mgliste szaty złoci tęczą.

＊

Gdzie zarastał gaj odludny,
Jednym słowem – jednym rankiem,
Wzniosła z wyspy zamek cudny   115
I obwiodła złotym gankiem... –

＊

Z koralowej zamek cegły.
Wieża druga, trzecia, czwarta
Na skinienie w niebo biegły.
Lud go nazwał zamkiem czarta.   120

＊

W zamku, jak kładzione kosą,
Powiązała róż szkarłaty;
Brylantami jakby rosą
Poiskrzyła jasne kwiaty.

*

Hetman patrzał na kobierce,   125
Okiem blask brylantów ścigał;
Ciągle patrzał — stygło serce;
Dla Rusałki już ostygał...

*

Ta, choć zimna pod obłokiem,
Zimne serce wnet odgadła;   130
Szybko, szybko czarnym okiem
Brylantowe blaski kradła;

*

Kwiaty brała do warkoczy. —
Hetman spojrzał — wzrokiem tonął,
Nad brylanty skrzą jej oczy!   135
I znów kochał — i znów płonął. —

*

— „Luba! ty masz blask anioła..." —
— „Więc mi nagródź, jeślim warta!
Daj sokoła — daj mi charta,
Zabij charta i sokoła". —   140

*

— „Czarna duszo — precz ode mnie!
Sercem się z szatanem kłócę". —
— „Znów zawołasz, lecz daremnie!
Przyjdziesz do mnie — ja nie wrócę..." —

*

4

Odpłynęła... hetman kroczy   145
Zamyślony po komnatach...
„Co! — nie wróci?... a jej oczy
Takie cudne, włosy w kwiatach..."

*

Myślał... Z oczu łzy ogromne
Po niemęskiej płyną twarzy.   150
Rzekł do siebie: „Już nie wspomnę!"
Nie wspomina, ale marzy...

          *

„Nad zamglone chmur błękity
Oto miesiąc już się płoni;
Już mój sokół, chart zabity,   155
A jej nie ma?... Pójdę do niéj..." –

          *

Jakże miłe tchnienie wiosny!
I woń fali świeża, chłodna!
Nad porogiem czarne sosny
Szronem˙bieli mgła nadwodna.   160

          *

Pod skałami ciągłe burze
Łamią w falach blask księżyca;
Nad falami w mglistej chmurze,
W blasku srebrnych tęcz dziewica.

          *

Przy jej stopach chart bladawy,   165
Niespokojny i ponury;
Na ramieniu sokół mgławy,
Nastrzępiony patrzy w chmury.

          *

„Jakżeś piękna!" – hetman woła –
„Któż ci może ujść bezkarny?   170
Chodź tu, luba – spłosz sokoła,
Chart niech leci gonić sarny.

          *

„Tu pod moich ust płomieniem
Twe się blade mgły rozpłonią.
Jak tu miło pod sosn cieniem!"   175
Prosi – błaga – okiem, dłonią,

*

Lecz dłoń jego — ciężka wina! —
Czy przypadkiem, czy po myśli,
Na krzyż srebrną mgłę rozcina,
Znak zbawienia święty kryśli: 180

*

Przed krzyżem się mgły rozpierzchły
Jak złamane wód błękity;
I Rusałki rysy zmierzchły,
Obraz zniknął w mgłach rozbity... —

*

5

Znikła... słychać tylko burze   185
W głębi Dniepru — i szum piasków. —
Lecz mgła spływa — spływa w chmurze
Zabłąkanych kilka blasków;

*

I rozbite mgły zwierciadła
Wiatr przybliża... zmniejsza — zmniejsza,   190
Lśni Rusałka, lecz pobladła,
I pobladła — i smutniejsza...

*

Potem rzekła: „O mój miły,
Żegnam ciebie, ginę — ginę,
Jak mnie z wiatrem mgły rozbiły,   195
Tak w uściskach się rozpłynę.

*

„Prosisz — błagasz nadaremno,
Próżno czekasz na tej skale;
Lecz chodź ze mną! lecz chodź ze mną!
Droga do mnie przez te fale.   200

*

„Mgły tu zimne, ale jasne;
Gdy i ciebie mgła okryje,

Patrz, mój luby – teraz gasnę,
W twych uściskach znów ożyję.

*

„Sokół żywy – chart twój żywy.   205
Z tobą razem jak z sokołem
Pójdę błądzić nad te niwy
Nad dymiących chat padołem;

*

„Pójdę z tobą – tak w mgłę ciemną
Osłoniona jak· w krysztale.   210
O chodź ze mną! o chodź ze mną!
Droga do mnie przez te fale". –

*

Hetman kochał – obłąkany,
Hetman kochał – ogniem płonął;
Z progu spojrzał w Dniepru piany,   215
Padł do fali – i zatonął...

*

Gdy go skryły burz odmęty,
Potrzaskały w proch granity,
Duszę zbawił obraz święty:
Krzyż na piersiach miał wyryty.   220

*

Od grzechowej zmazy czysty,
Już ulata w nieba stropy;
Za nim wzleciał sokół mglisty,
Chart Rusałki rzucił stopy,

*

A Rusałka nad ostrowy   225
Sama jedna – we łzach woła:
„Kiedyż! kiedyż hetman nowy
Da mi serce, psa, sokoła?" –

*

*   *

Pieśń kona z echem — i wnet jałowe,
Dzikie domysły urosły w gminie:
Więc hetman kocha fali królowę?
Na oślep leci w przepaść i ginie.
Zawsze samotny — zawsze nie z nami,
Gdzieś na cmentarzach, nad mogiłami. —

Ciszej... tam zachód krwawy, ponury
Ozłocił stepy, jary i chmury.
Zagasa słońce — słychać, jak z dala
O brzegi bije spieniona fala.
Ciszej!... tu smutne mogił wybrzeże.
Oto ostatnie zachodu blaski
Złocą wichrami burzone piaski;
Złocą trzy cerkwi posępne wieże,
Co nad brzeg Dniepru wybiegły stromy,
I tysiąc grobów, gdzie przez wyłomy
Posępne trumien wieka świeciły.
O dzika Siczy! twoje mogiły
Z piasku uwiane — a grób tak kruchy:
Gdy pod przechodnia zapadnie nogą,
Potem w mgłach srebrnych płynące duchy
Wczorajszych mogił znaleźć nie mogą.

Tam białą postać słońce oświeca.
Łatwo z wybladłej odgadnąć twarzy,
Że to posępna mogił dziewica,
Że to siczowych płaczka wyspiarzy.
Stała na wieku spróchniałej truny,
A wiatr jej czarne unosił włosy
I wzruszał wianku srebrne piołuny
I róże wianku lśniące od rosy.
Mówią, że niegdyś płaczka ta miała
Czoło wesołe, lica różane;
Lecz przymuszona płakać, płakała —
I dzisiaj zmysły ma obłąkane
Zmyślonym płaczem — i we łzach oczy.

To hetman Żmija na cmentarz kroczy.
Stanął na grobie, rzekł: „Witaj, Kseni!
Witaj, o sławna płaczko pogrzebu!

230

235

240

245

250

255

260

265

Ty nas modlitwą polecasz niebu,
Przez ciebie pieśnią w grobie uspieni,
Sen mamy cichy, gdy zbroja rdzawa
Zimną się rosą ziemi napawa.				270
Straciłem dzisiaj ptaka i charta,
Wierni mi byli – i tym boleśniéj:
Jeżeli zgraja twych pieniów warta,
Chart mój i sokół wart także pieśni:
Śpiewaj nad nimi". – „Bluźnisz, mój miły!				275
A ja do takich próśb się nie zniżę.
Czujesz to zimne tchnienie mogiły,
Słyszysz, jak skrzypią spróchniałe krzyże,
Jak z dzikim wrzaskiem rybitwa biała
Ponad błękitną falą się wiesza?				280
Pieśń moja smutna; gdybym śpiewała,
Wszystkie te dzikie głosy pomiesza.
Ciszej!" – Lecz hetman nie słuchał mowy,
Wzrok miał ponury... Pomiędzy trzciny
Lśni Dniepru fala i próg dnieprowy.				285
Wśród skał posępnych fale się zwarły,
Na skałach dzikie rosły kaliny
I mech czerwony, i sosny karły.
Na progi czajka z falami leci
I już zawisła ponad urwiska,				290
A w czajce dwoje płynęło dzieci.
Łódka z pianami w głazy się wciska,
A pod nią otchłań pieni się, burzy.
Te dzieci połkną dnieprowe fale.
Młodsze chwyciło za kwiecie róży,				295
Co się po nagiej zwieszała skale,
I padło w przepaść z gałązką kwiatu.
Starsze po sosnach pnie się na głazy,
Na próżno ręce podaje bratu,
Słyszy huk fali i obłąkane,				300
Mając na ustach modlitw wyrazy,
Rzuca się z krzykiem w przepaść i pianę. –

I nic nie wyszło z fal tajemnicy,
Nic z głębokiego serca hetmana.
Dłoń swoją oddał w ręce dziewicy,				305
Ta zachmurzona i pomięszana

Wiodła go w cerkiew... W cerkwi tak ciemno,
Pośrebrza szyby księżyc na nowiu;
Serce przenika trwogą tajemną
Szyba brzęcząca w ramach z ołowiu;   310
I przez otwarte dachu szczeliny
Wglądały z kwiatem drzące kaliny.
„Kseni" – rzekł hetman – „co to się znaczy?
Słyszę jęk smutny i płacze rzewne;
Czy to jest nocne pienie puchaczy?   315
Czy to chorągwie wzruszasz cerkiewne,
Że się bez wiatru smutnie kołyszą?"

– „Luby! chorągwie spokojnie wiszą,
Może je wzrusza tchnienie mogiły.
Czego się lękasz – czego? mój miły!   320
Chodź za mną". – Zdjęła lampę z ołtarza,
Weszli w podziemnych lochów zakręty.
O! jak tu głucha cisza przeraża!
Tu połamane Turków okręty;
W spróchniałych deskach, w zbroje przybrani,   325
Leżą dokoła spiący hetmani,
A jako kazał obyczaj grecki,
Każdy miał w ręku święte obrazy,
Na nich tajemne modlitw wyrazy,
Usta przymknięte, w nich piastr turecki.   330
Kseni do małej zbliża się truny;
I strasznie drzała ręka dziewicy,
Gdy podnosiła czarne całuny,
Splamione gęsto łzami gromnicy.
O nieba! dziecię pod całunami   335
Piękne i żywe... Kseni pobladła
I przed hetmanem, zalana łzami,
Klasnęła w dłonie – do nóg upadła.

„Mój luby" – rzekła – „to dziécię – dziécię!
Teraz się w ciemnych grobach ukrywa.   340
Luby, niech pop nas połączy skrycie,
Pop moim ojcem... Ja nieszczęśliwa!
Łzy moje płyną na wzgardę światu.
Gdy plotę z polnej róży zawoje,
Wnet drzące liście padają z kwiatu.   345
Wszystko usycha, wszystko – co moje.

Świat mi szyderczym śmiechem przygania.
Zlituj się, luby..." – Lecz próżne słowa,
Już wyszedł hetman... śmiech obłąkania
Połknęła w ziemi cisza grobowa.   350

PIEŚŃ III

Pożary

PIEŚŃ ODPŁYWAJĄCYCH

1

Ho! daleko Czarne Morze,
Gdzie się czajki kąpią w pianach.
Palmy zamki na Bosforze
Jako trzciny na limanach.
Piękny to pożar łąk, oczeretów,   5
Lecz jakże płonie wspaniale
Wielki las masztów, las minaretów.
Szumcie, czajki! szumcie, fale!
Ho! Kozak panem
Błękitnej fali.   10
Urra ho! daléj! — urra ho! daléj! —
Z naszym hetmanem
Urra ho! daléj! —

2

Nasza czajka szybka, zwrotna,
Choć nie błyszczy w malowidłach;   15
Jak jaskółka czarna, lotna,
Na sitowia leci skrzydłach:
Pięćdziesiąt wioseł w biegu ją nagli,
Dla Turków niesie podarek,
Dwa dział ze spiżu i sto janczarek;   20
Z szumem wioseł — z szumem żagli.
Ho! Kozak panem
itd.

3

Lećcie z nami, morskie wrony,
Gdzie południa świeci gwiazda;
Lećcie z nami — wam na gniazda   25
Damy turban zakrwawiony.
Za nami, wrony! za czajek śladem!
Dla was, co pożar ocali!
Łachmany żaglów — zaszumcie stadem,
Z szumem wioseł — z szumem fali.   30
Ho! Kozak panem
itd.

4

Jak wesoło czajki płyną!
Piękny widok przy pogodzie,
Gdy chorągwie się rozwiną,
Gdy obwieją nasze łodzie...   35
Mijamy cmentarz, nasze mogiły,
A tam nas żaden nie słyszy?
Sen ich szanujmy – sen słodki, miły,
Żagle ciszéj! wiosła ciszéj!
    Ho! Kozak panem   40
        itd.

5

Zmarłych uspi blask miesiąca
I szum brzozy, pieśń ołtarzy;
Równie smutna, dzika, drząca,
Jak zbłąkanych pieśń wioślarzy...
Chaty, mogiły znikają nagle.   45
Zaszumcie! zaszumcie, wiosła!
Bogdaj nas do nich fala odniosła.
Szumcie, czajki! szumcie, żagle!
    Ho! Kozak panem
        itd.

6

Pieśń dziś smutna, czajka pusta,   50
Lecz powrócą pełne łodzie.
Tym, co zginą, włożym w usta
Piastr wybity w Carogrodzie.
Pacierze za nich, a potem wina,
Wina w weneckim krysztale: 55
Za pamięć druhów pije drużyna.
    Szumcie, czajki, szumcie, fale.
        Ho! Kozak panem
            Błękitnej fali...
    Urra ho! daléj! urra ho! daléj!   60
        Z naszym hetmanem
            Urra ho! daléj!...

Tak dziką pieśnią przy wioseł pracy
Chaty żegnali – a przed chatami
Na brzegu stali tłumem rybacy,   65
Starce siczowi, zalani łzami.

Jeszcze niekiedy nuta wędrowna
Od zabłąkanych powraca czajek...
O pieśni dzika, pieśni czarowną,
Zmieszana z dźwiękiem wioseł i grajek,   70
Upływaj z echem, jak upłynęła
Młodość!... tak rybak marzy — i wzdycha,
Wrócił ponury, milczał — sieć cicha
W błękitne fale Dniepru tonęła. —

    Niech wolniej pieśń płynie, na moim torbanie   75
Strun braknie... Któż wyda kozackie pożogi?
Huk ognia, trzask domów, co lecą w otchłanie?
Rwę struny torbanu i ręka drzy z trwogi.
Śpiewając sam jestem jak Turek wybladły:
Choć widzę ogniska płonące po chatach,   80
Zatrważa mię każdy liść z drzewa opadły
I szelest sumaka, co śmiga po kwiatach...

    Jak ciche, błękitne przystanie Synopy!
Wokoło na palach podnosi się szaniec,
A fala błękitna konała u stopy   85
Latarni portowej, gdzie w nocy kaganiec
Oświecał dalekie błękitu odmęty.
Dla kupca, dla majtka to widok jedyny,
Te mnogie przy groblach uspione okręty,
Gdzie statkom podobne krzyżują się liny   90
I bielą się żagle — ze strzelnic galery
Wygląda blask spiżu, gdzie drzemie grom bitwy,
Na masztach różnego koloru bandery,
Tak lekkie, krajane jak skrzydła rybitwy.
Gdy niebo i morze nie łączą się mgłami,   95
Ciekawe wejrzenie z wież puszcza się szczytu
I ściga okręty z białymi żaglami,
Co zdają się płynąć do nieba błękitu.

    Dziś tłumem się grobla napełnia portowa
I fala spieniona od huku zadrzała.   100
Poznali huk Turcy — to mnogie grzmią działa;
Lecz w której to stronie? — Od stron Oczakowa.
To może znać dają galery sułtana,
Ażeby strzec portów od hord Zaporoża.
„Ha! cóż nam te czajki? Nam trwoga nie znana,   105
Sam huk je dział naszych zatopi do morza". —

Tak Turcy mówili... Lecz kiedy po fali
Noc ciemna posępne rozciąga całuny,
Na czarnych niebiosach błysnęły dwie łuny:
To płonie Białogród – Trebizont się pali.   110
Noc była ponura, a łuna szeroka
Pozłaca księżyce i szczyt minaretów.
Otwarto żelazne podwoje meczetów,
Przy lampach lud wzywa modlitwą Proroka;
A potem, ufając w przeznaczeń wyroki,   115
Skończywszy modlitwy lud wrócił do domów.
I wszystkich w haremach sen ujął głęboki,
Obudzą się może wśród ognia i gromów. –

Gdy Ulem meczetu zamykał podwoje,
Nie postrzegł zapewne, lampami olśniony,   120
Że Turek posępny, ubrany we zbroje,
Stał między filary jak gdyby uśpiony
I ani się ocknął – choć słyszał ponury
Jęk rdzawych zawiasów i ryglów łoskoty
I widział po ścianach, jak łuny blask złoty   125
Oświecał żyłami krwawione marmury.

   W haremie nie widać, że niebo się pali,
Bo mury wysokie, krzew gęsty i drzewa.
Dziewice w złocistej zebrały się sali,
Gdzie płoną pochodnie, róż tchnienie przewiewa.   130
Jak szczere tam śmiechy! jak miłe zabawy!
Bo basza daleko – na czterech fregatach
Na Czarne gdzieś Morze przedsięwziął wyprawy.
Eunuchy w odległych usnęli komnatach. –

   Dziewice obsiadły sadzawki, gdzie z głazu   135
Tryskają fontanny, lamp ogniem iskrzone.
Z westchnieniem widomym przez gazy zasłonę
Słuchają miłośnych gazalów Szirazu.
Ta żądzy tajemnej kraszona rumieńcem,
Choć przyszłość zna swoją – a jednak ciekawa,   140
Dziecinnie się śmieje, gdy w dłoni jej trawa
Węzłami spojona rozwija się wieńcem.
Ta smutna, kwiat róży po listku obrywa,
Liść każdy opadły ma tajne znaczenie,
Ostatni liść róży jej przyszłość odkrywa;   145

Zerwała ostatni – i słychać westchnienie,
I długo dumała nad kwiatem opadłym,
Ze łzami na twarzy i z czołem pobladłym.
Ta kwiaty obrywa, ta patrzy, jak kwitną;
Ta chroniąc płeć dłoni od wiosny upału   150
Podrzuca na dłoni dwie kule z kryształu
Lub płoszy wachlarzem mgłę kadzideł błękitną.

    Zulema szukając zaciszy i chłodu
Usiadła samotna na złotym węzgłowiu;
I okno otwarła na kwiaty ogrodu.   155
Noc była tak ciemna – bo księżyc na nowiu.
Cieniami pokryte fontanny i drzewa;
I tylko przez okna barwione i kraty
Od sali się światło złociste wylewa
Na drzące pod oknem z kwiatami granaty.   160
Na niebo zamglone patrzała dziewica,
A myśl jej igrała z ciemnością i mgłami.
Czy sen to?... Przy blasku niepewnym księżyca
Widziała minaret pomiędzy drzewami:
Na szczycie z ołowiu jak światło poranku   165
Mignęły płomienie niepewne jak zorze,
Ukazał się rycerz na wieży krużganku,
W turbanie na głowie, w tureckim ubiorze.
Spojrzała dziewica, westchnęła boleśnie
I oczy odwraca, zapomnieć by chciała,   170
Bo tego rycerza widziała gdzieś we śnie.
Znów patrzy – o nieba! tatarska to strzała,
Puszczona pod chmury ze skrzydłem płomiennym,
Wróciła na wieżę i zgasła na szczycie.
To może w jej oku zroszonym i sennym   175
Lśni gwiazda przelotna po niebios błękicie?

    Lecz skądże się nagle szczyt nieba rumieni?
Wokoło płomienne rozlały się blaski.
I słychać z daleka trzask głuchy płomieni,
I słychać jęk ludu, gwar dziki i wrzaski,   180
I straszny szczęk broni, i grzmienie janczarek.
Na wieży krużganku znów nowe zjawiska,
Od króla polskiego kosztowny podarek,
Złocona chorągiew hetmańska połyska.
Gdy miasto w płomieni okryło się wianku,   185
Chorągiew dla Turków to całun grobowy;

A przy niej stał Kozak na wieży krużganku,
Żelazem błyszczący od stóp aż do głowy.

W światłości czerwonej haremu ogrody,
Odkryły się kręte gaików zarysy   190
I ciche kanałów złociły się wody,
Po wodach cień smutne rzucały cyprysy;
Fontanny jak ze snu zbudzone pożarem
Tryskają pod niebo złotymi słupami.
Wieść straszna, wieść śmierci przebiega przez harem.   195
Rzezańce, wzruszeni rozpaczą i łzami,
Prowadzą dziewice po jasnym ogrodzie
Nad kanał wokoło drzewami zarosły;
Tam róże haremu usiadły na łodzie,
A wiosła je szybko od brzegu odniosły.   200

Czy mamże powiadać, jak czajka w haremy
Przez kraty skruszone na kanał wybiegła?
I krzyki żon baszy – i radość Zulemy,
Gdy z wieży rycerza przed sobą spostrzegła?
Ta postać, wpół żaglem na czajce owiana,   205
Znajoma Zulemie... Nie zdradzę tu w pieniach
Tajemnic ukrytych w nieśmiałych westchnieniach
I w oczach Zulemy, i w oczach hetmana.
. . . .

„Skorzej, żeglarze! skorzej! czas nagli,
Księżyc jaśniejszy i dłuższa zorza.   210
Może nam wicher uciec spod żagli,
Może nas cisza przykuć do morza;
A ciężko będzie po martwej fali
Tłuc się wiosłami i bladnąć z głodu!"

„Cóż to za gwiazda we mgle się pali?   215
Ho! to latarnia z wież Carogrodu.
Dalej za światłem! daléj! i daléj!
Jak trzej magowiè za gwiazdą wschodu,
Jak trzej magowie za gwiazdy lotem,
Lećmy po złoto, choć nie ze złotem". –   220

„Ho! ho! ostrożnie. – Czajka na czatach
Niech daje baczność z dala i z bliska...
Szczęśliwi oni w rodzinnych chatach,
Wieczorne teraz palą ogniska;

Pełne ryb sieci i piwa dzbany,   225
I pies ich nawet w chacie spoczywa;
A tu na morzu Kozak zbłąkany,
Gdy się przez czajkę fala przeliwa,
Jak morska wrona ze srebrnej piany
Otrząsa skrzydła, na wierżch wypływa;   230
Byleby w fali znalazł dolara
Lub piastr turecki... Ho! baczność, wiara!"

   „Lecz my szczęśliwsi niż oni w chatach,
Gdy nas obwieją dymem pożary;
Miło w tureckich błądzić komnatach   235
I pić, i złote chować puchary;
Lub leżeć w siatce, gdy kołysana
Lekko się waha, buja na maszcie;
I patrzeć w niebo, i drwić z sułtana".

   „A teraz, bracia, dobrze rozważcie,   240
Oto z daleka wieża drewniana,
Czy ją zapalić? czy zrównać z piaskiem?
Oto na wieży latarnia miga
I brylantowym pali się blaskiem.
Niech moja czajka brzegu dościga,   245
Ja sam pod zręby ogień podłożę.
Lecz jeszcze okiem rzucę na morze:
Jak cudny widok!... Tu czajek dwieście,
Które noc kryje i groźna strzeże.
Z dala rząd świateł, Pera przedmieście,   250
Dalej sofijskie złocone wieże;
Ledwo ich blade widać zarysy
Na ciemnym niebie... Tam krzew żałoby,
Tureckich grobów widać cyprysy.
I w nocy nawet czernią się groby. —   255
I gwar daleki, i morza szumy,
I myśl o wschodnich roi straszydłach:
Zda się, że widzę, jak widmo dżumy
Płynie nad miastem na czarnych skrzydłach".

   Już zniknął hetman — czas szybko bieży... 260
Cicho i głucho — słychać jęk dziki...
To pewno strażnik skonał?... Na wieży
Błękitne siarki widać płomyki.
I nagłe światło na morze pada.

Krwawo się czarna fala rumieni.   265
I twarz miesiąca zagasa blada,
Słychać huk ognia i trzask płomieni,
I ożywione jak malowidłem
Dalekie miasto z minaretami
Z cieniów wypływa – a tu chmurami   270
W dymach pożaru zbudzone wrony
Niekiedy białym migają skrzydłem.
Słychać pisk ptastwa – ogień szalony
Wzmaga się, rośnie. Ogniem owiana,
Straszniejsza niźli widmo pomoru,   275
Niżli pochodnia w gmachach szatana,
Świeci Kozakom wieża Bosforu.

    „A teraz, druhy – hej! do zabawy!...
Dalej, w przedmieścia, gdzie Grek zdradziecki,
Gdzie kryje złoto kupiec wenecki!   280
Lecz pamiętajcie – gdy świt jaskrawy
Pozłoci niebo, wrócić do łodzi
I przynieść wiele złota z wyprawy;
Będziemy piastry mierzyć na garce.
Lecz jeśli kogo szatan uwodzi?   285
Jeśli się z łupu nie wyspowiada?
Niechaj pamięta, w Żmii janczarce
Pięć kul się kryje, biada mu! biada!” –

    Już świta – świta... Ognie pożarów
Gasły przed słońcem – a wschód był krwawy.   290
Patrzcie! pod miastem chmura kurzawy,
Czy to się zbliża rota janczarów?
Migają zbroje... Zasiąść na ławy
I szyję harmat zwrócić do wałów;
Jeśli się zbliżą? wnet stem wystrzałów   295
Przywitać spachów... Nie będzie boju...
Biała chorągiew błysnęła w tłumie,
Posłowie niosą słowa pokoju;
Oto kadzidło hetmańskiej dumie...
Słyszę ich trąby i rozstrojony   300
Dźwięk surm tureckich, dziki i huczny;
A w tłumie miga kolor zielony:
To jakiś emir, basza buńczuczny.
Koń jego szybki jak błyskawica...
– „Cóż tam, emirze, od twego pana?...” –   305

Emir pozdrowił nisko hetmana
I rzekł: „Syn słońca, a brat księżyca..." –
– „Ho!" – przerwał hetman – „wasz sułtan stary
Jak brat księżyca zbladł przed pożarem.
Jeśli cię z jakim przysyła darem,   310
Chętnie przyjmiemy sułtana dary;
Lecz póki jestem w brzegach Bosforu,
Póki mam silne prawo zdobyczy,
W darach mieć mogę prawo wyboru. –

„Pierwsza jest cerkiew... Dla cerkwi w Siczy   315
Żądam obrazu... Między ikony
Jest w Carogrodzie obraz święcony,
Obraz, co płacze rzewnymi łzami;
A gdy go człowiek w morzu zanurzy,
Morze gniewliwe bije falami,   320
Pieni się, huczy, pryska i burzy,
I póty gniewne podnosi tonie,
Aż pogan statki w falach pochłonie.
Lecz to dla popa – słuchaj, emirze!
Niech sobie mnichy walczą cudami;   325
Póki mam szablę i czajki chyże,
I zamek w Siczy, król nad zamkami,
Póki mam tysiąc raźnego chłopa,
Co po obrazie?... Obraz dla popa. –

„Słuchaj, emirze! dla mej drużyny   330
Złota potrzeba cudnego blasku!
Nie rodzą kruszców nasze krainy,
Dniepr się nie toczy po złotym piasku:
Gdyśmy go cały orali flotą
Pytając: »Dnieprze, ma twoje łoże   335
Złoto?«... On czajki wyniósł na morze
Aż pod Carogród – rzekł: »Tam jest złoto«.
Tu pięć tysięcy jest młodzi z Siczy,
A więc syn słońca, pan twój łaskawy,
Da pięć tysięcy piastrów odprawy;   340
Dla mnie?... jednego niech nie doliczy. –
„Emirze! teraz dar dla hetmana,
Nie piastr turecki, nie malowidło...
Widziałem pyszny pałac sułtana,
Gdzie się on kryje blady ze strachu.   345
Każcie rozrzucić pałacu skrzydło,

A każdy Kozak gruz weźmie z gmachu,
Z kamieniem w pola Siczy powróci,
Jak skarb przechowa na dnie skarbnicy,
Potem ten kamień na grób mi rzuci,
Wstanie mogiła, pod tą mogiłą
Głucho spiącemu będzie się śniło,
Że w czajce grożę waszej stolicy". –

PIEŚŃ IV

Czajki

Kozacy wygnani nad Donu brzegami,
Gdy Dniepr opuszczali, pieśń smutna i szczytna
Z rozpaczy wyrazem, zmieszana ze łzami,
Na głowę carycy przekleństwa miotała.
O falo błękitna! o falo błękitna!   5
Tyś czajki nosiła — tyś łzy te widziała. —
. . . .

„Zda się, że słońce piękniejsze świta,
Gdy do powrótu czajka zwrócona.
Miła tej fali barwa zielona,
Czajkami w srebrną pianę rozbita.   10
Jak się te nurki spokojnie pławią.
Pod słońca blaskiem skrzydły trzepocą.
Lecz kto wie, druhy, może przed nocą
Srebrne się morza fale zakrwawią?...

„Ha! zgadłem, bracia — tam na obłoku   15
Turecki żagiel z wiatrem ucieka.
Zaczęte łowy! mieć go na oku,
Lecz się nie zbliżać — zawsze z daleka.
Niech żadne wiosło czajki nie nagli,
W dzień się nie zbliżać, nie stawić czoła,   20
Galery mają oczy sokoła,
Zaraz dostrzegą... Zwinąć pół żagli. —

„A przed obrazem Bogarodzicy,
Co burzy morze i czajek strzeże,
Zapalić świécę — a przy tej świécy   25
Niech pop odmawia głośno pacierze.
Gdy wydam rozkaz — za mym rozkazem
Wziąść pośród siebie czajkę z obrazem,
Lecz niech się teraz pop nie przysłuży,
Niechaj obrazem morza nie burzy,   30
Niechaj się modli — innej usługi
Teraz nie żądam... Jakże dzień długi!...

„Ho! ho! szalony ten sułtan stary,
Budować takie wielkie galary.

Co trzykroć tyle nabiorą wody   35
Niż nasza czajka; za to z czajkami
Tureckim statkom nie iść w zawody:
Gdy pełnym żaglem płyną za nami,
My na mielizny – często w pogoni
Okręt ich pryśnie o piasków ławy   40
I tak jak szklanny puchar zadzwoni. –

„Widzicie, druhy, jak zachód krwawy,
To wiatr nam wróży – korzystać trzeba.
Więc nieco białych żagli rozwinąć
I robić wiosłem – ku słońcu płynąć.   45
Postawić czajki w płomieniach nieba,
Tak aby słońce było za nami...
Ze zwiniętymi teraz żaglami
Utonąć w blasku – pod tą opieką
Nas nie wyśledzi ów upiór smoczy,   50
Co ma z kryształu stokrotne oczy,
Tymi oczyma sięga daleko. –

„Dzięki ci, Boże! oto do końca
Dzień nachylony blado się pali.
Oto nad falą widać pół słońca,   55
A pół do ciemnej kryje się fali
I na świat rzuca odbłysk ponury...
Już się nad słońce fala podniosła,
Po niebie krwawe snują się chmury.
Teraz do żagli! teraz do wiosła!" –   60

           Okrzyk stokrotny
           Bije o chmury;
           I żagiel lotny
           Jak skrzydło ptaka
           Białymi pióry   65
           Czajkę Kozaka
           Niesie... Ta drząca
           Wygina szyję,
           Kąpie się w wodzie,
           Fale roztrąca;   70
           I Kozak żyje,
           I czajka żywa.
     Już lecą... Blady na wschodzie
     Zza chmury księżyc wypływa. –

„Ho! dobra wróżba, galera baszy.
Lubię mieć sprawę z baszy galerą,
Znam tę banderę – a nad banderą
Buńczuk, co płoche jaskółki straszy.
Widzę przy ogniach tureckie twarze,
Zdają się blade... Czekać w pobliżu,
Aż nam galera boki ukaże,
Aż na nas spojrzy okiem ze spiżu".

Galera okropną cichością owiana,
Jak widmo posępne, jak pałac zaklęty,
Choć wiosło nie szumi, choć żagiel zwinięty:
Bez ludzkiej pomocy, czarami szatana,
Odwraca pierś złotym ozdobną straszydłem
I boki jej księżyc bladawy oświéca.
Trzydzieście paszcz widać przy blasku księżyca,
Skąd wkrótce ognistym wyleci zgon skrzydłem...

„Druhy! do wioseł! już dają znaki,
Ażeby iskrą podraźnić działa;
Lecz my pierzchniemy stadem jak szpaki,
Próżno nas będzie kula szukała,
Dalej! do wioseł!..." – I mnogie wiosła

Wnet zaszumiały.
Czajkę zbłąkaną
Fala rozniosła.
I żagiel biały,
Z białawą pianą
Zmieszany, zniknął na morzu...

I rzekłbyś, że fala ta czajki pożarła!
Że Kozak grób znalazł w błękitnych fal łożu!
I cichość posępna, i cichość umarła
Okryła na chwilę błękity odmętu.
Lecz iskrą galery zbudzone już działo
Wzruszyło sen głuchy – błysk widać z okrętu
I dział trzydzieście zagrzmiało.

Dym czarny chmurą na morzu drzymie
I okręt zabrzmiał szatańskim śmiechem;
Lecz nim śmiech skonał z trzykrotnym echem,
Czajki stadami błysnęły w dymie.

Pobledli Turcy... Oto Kozaki
Na pierś okrętu rzucają haki,
Drą się na pokład. – Nad pogan karki   115
Widać wzniesiony miecz atamana,
I nad turbany pióro hetmana,
I atamańskiej odgłos janczarki.
Wśród damasceńskich krzywych pałaszy
Miece się Żmija okropnym bojem;   120
Gdzie walczył basza – syn młody baszy,
Na wpół makowym spity napojem. –

„Ojcze!" – do baszy rzekł Selim młody –
„Giniemy – pozbądź niewczesnej dumy.
Łódź okrętową spuścić do wody;   125
Gdy ja sam wrogów zatrzymam tłumy,
Uciekaj, ojcze!" – Na środek skoczył
I pośród tłumu swój turban biały
Błyskiem krzywego miecza otoczył.
Jęk na pokładzie, janczarki grzmiały.   130
Pośród pałaszy w błysku i dymie
Hetman młodego spotkał Selima;
I dwa się miecze starły olbrzymie.
Żmija miecz wroga na mieczu trzyma,
A drugą dłonią z janczarki błysnął,   135
Strzelił pod maszty – i płomień nagle
Szybkim poskokiem wpłynął na żagle,
Aż na banderze złotej zawisnął:
I maszt sosnowy zajął się z trzaskiem...

„Byłaby walka w cieniach schowana,   140
Trzeba ją takim oświecić blaskiem...
Oto pochodnia błyszczy hetmana". –
Z trzaskiem pożaru znów szczęk oręża
Słychać – i dźwięki hartownej zbroi.
Miecz straszny Żmii jak żądło węża   145
Krwi wroga szuka i krwią się poi.
Koszula Żmii utkana w druty,
Hartowna wprawdzie na próbę kuli;
Lecz miecz Selima, w Damaszku kuty,
Przedarł druciane węzły koszuli.   150
Krew popłynęła aż na kobierce,
Co okrywały baszy okręty:
Żmija się zemścił – ugodził w serce,

Schylił się Selim jak kwiat podcięty,
Upadł na pokład ze chrzęstem stali;   155
Padając okiem rzucił po fali,
Przez fale płynie łódź okrętowa,
Tam jego ojciec. — Selima głowa
Spadła na piersi...

               Czajka wesoła
Znów śliską piersią roztrąca piany   160
I na błękitne wpływa limany;
Nad limanami z ołowiu czoła
Wież Oczakowa widać wysoko;
A wież turecka załoga strzeże.
Dostrzegło czajek pogańskie oko   165
I wiankiem ognia błysnęły wieże,
Dym widać srebrny, huk słychać głuchy;
Lecz czajki ciche — ciche — jak duchy,
Gdy wiatrem wzdęta żagli pierś biała,
Płyną wstecz Dniepru, daléj! i daléj!   170
Znów z wież tureckich zagrzmiały działa,
Lecz huk bezsilny skonał na fali.

Jak cudnie błyszczą czajek szeregi,
Słońce pozłaca barwy orszaku.
Jak cudnie błyszczą dnieprowe brzegi,   175
Kwiat oczeretów szkarłatem świeci.
Niekiedy w ciszy Tatar Budziaku
Mignie na koniu, jak wiatr przeleci;
Lub w oczeretu kwiatach ukryty
Patrzy na czajki, na fal błękity.   180

PIEŚŃ POWROTU

    Czajki! czajki! Sicz przed nami!
    Oto brzegi Zaporoża!
    A daleko za czajkami
    Już pożarów gaśnie zorza:
       I wśród morza,   185
       Między mgłami,
    Płonie wielka masztów sosna,
      Siła żaglów spadła.
    Gdy nam błyśnie nowa wiosna,

Znowu zadrzy dzicz wybladła,   190
Znowu zagrzmi śpiew janczarek;
Lecz w tym roku dość zachodu,
    My do miodu!
    Z brzękiem czarek
Pijmy w naszej Ukrainie   195
    Miód nasz przepalony.

Gdzieśmy byli, kto popłynie?
Za trupami chyba wrony,
Wrony – czajek przyjaciółki,
Co śmierć kraczą asawule,   200
    Kiedy kule
    Jak jaskółki
Nad czajkami po przestworzu
    Lecą chmurą czarną.

My, Kozacy, siejem .w morzu.   205
Gdy się z wiosną plony zgarną,
Pełnym workiem piastry świecą,
Podłe jako liść zżółkniały;
    Jak wleciały,
    Tak wylecą.   210
Przez pół roka pan dostatni,
    Kozak wojewodą. –

A gdy wyjdzie piastr ostatni,
Znów z Kijowa Dnıepru wodą
Do chat naszych. – Kozak śpiéwa,   215
A gdy nędze zakłopocą,
    W łodziach nocą
    Lśnią łuczywa;
I do ciemnej Dnıepru wody
    Cicho sieci toną.   220

Miło błądzić, gdzie ogrody
Wschodnich baszów, kędy płoną
Złota blaskiem jabłka duże;
Lecz się milej schylić z konia
    I wśród błonia   225
    Polną różę
Zerwać, zanieść z ranną rosą
    Lubej w upominku.

Pierwej fale wyspy zniosą,
Niźli Kozak dla spoczynku
Tknie się pługa... gdy raz złotem
Da zakupić ręce panu:
    Wśród limanu,
    Zlany potem,
Zlany łzami, będzie w stożec
    Składał kryształ soli. —

O! nie pójdzie Zaporożec
Zaprzedany do niewoli
Błądzić! . . . . . .
      O cicho! cicho, drużyno!
Czy tam widzicie żagle za nami?
Żagle się galer bielą za trzciną,
Za kozackimi płyną czajkami.
W Czertomeliku płyńmy ostrowy,
Tam będą czajek bezpieczne floty:
Próżno nam buńczuk zagraża złoty
I pierś galery, i żagiel płowy.
Oto na brzegu nasze rodziny...
Czajka ma czucie, wierność brytana,
I tak jak brytan o stopy pana.
Tak się o wodne otarła trzciny.

Basza

Wrócił syn stepów wyprawą dumny.
Jakże mu piękne zdają się chaty!
Róża je polna ubiera w kwiaty;
Malw różnofarbnych drzące kolumny
Aż ponad strzechy rosną i kwitną.   5
Owdzie spróchniałe skrzypiąc żurawie
Sięgają w studni wodę błękitną;
Tam Zaporożec napawa konia
Spiewając dziką pieśń o wyprawie;
I gwarząc z echem wraca przez błonia,   10
Kiedy wieczorna zabłyśnie gwiazda.
Na śpiew szczekaniem pies się odwoła.
Chaty wiszące w parowach sioła
Jako jaskółcze czernieją gniazda...

    Ale dla Turków jakże zdradzieckie   15
Czertomeliku wysep zakręty!
Gdy w nie galery weszły tureckie,
Utkwił na miejscu żagiel rozpięty.
I tak za czajką płynące wrogi,
Co wprzód grozili, blade od strachu   20
Nie mogli znaleźć powrotu drogi,
Jakby w egipskim zbłąkani gmachu.

    Kozak spokojne porzucił chaty
I biegł na brzegi — tam pop z gromnicą
Przywdziewał lśniące złotem ornaty,   25
Trzykroć oświęcił Dniepr kadzielnicą,
A gdy odmówił z księgi pacierze,
Rzekł do hetmana: „Mój wierny synu,
Czy wierzysz w cudy?" — Hetman rzekł: „Wierzę".
Lecz uśmiech jakby na wzgardę gminu   30
Oświecił blade lice hetmana.
A pop rzekł dalej: „Więc w imię Pana,
Jeśliś ochrzczony, weź obraz święty,
Gdzie malowana Bogarodzica,
Zanurz do fali — niechaj okręty   35
Zatoną — zgasną jak ta gromnica".
Rzekł... i gromnicę rzucił do wody.

Tłum cały milczał, a hetman młody
Jakby ze wzgardą słuchał rozkazu;
I malowidłem cudownym błysnął, 40
Lecz nim tknął fali ramą obrazu,
Obraz się w drobne sztuki rozprysnął.
A pop zbladł drzący – zbladła drużyna...
Hetman zawołał: ,,Czemuż bledniecie?
Jeśli pękł obraz, nie moja wina; 45
Spróchniał w tureckim wisząc meczecie.
Ale ten okręt zastrzągł do mułu,
Turków wytracę przed wschodem słońca;
Jednego tylko zostawię gońca,
By o tym zaniósł wieść do Stambułu. – 50
Cóż ten szmer znaczy?... Czyż szabla Żmii
Tak się na karkach tureckich starła,
Że już kozackiej nie tknie się szyi?!
Do chat, Kozaki!... Niech myślą Turki,
Że już drużyna nasza wymarła; 55
A gdy noc głucha padnie na wzgórki
I na parowy – być w pogotowiu
Na odłos trąbki. – Do chat, Kozaki!...'' –

Już przy zachodzie dnieprowe ptaki,
Czaple się kładły do snu w sitowiu. 60
Galera piersią nie miała wody,
A spód jej ledwo w trzcinach widomy;
I nad zielone wysep ogrody
Wyrastał wielki maszt nieruchomy.
Słońce złociste, nie ćmione mgłami, 65
Tonie w oczeret – blaski niknące
Spały na żaglach, a nad żaglami
Zwieszały liście brzozy płaczące,
A jeszcze wyżej, na żaglów szczycie,
Bandera baszy połyska złotem; 70
I jeszcze wyżej, w nieba błękicie,
Jaskółki szybkim krążyły lotem.

Tak cichy widok... Niech Turki marzą,
Że są panami stu wysp na Niżu;
Niech śpią głęboko – bo już na krzyżu 75
Usiadł jak do snu sokół stepowy,
Smutny wszedł miesiąc z płonącą twarzą
I na zamglone patrzał ostrowy.

Cichość posępna i noc głęboka.
Na straży Turek zbrojny połyska   80
I z chat kozäckich nie spuszcza oka:
Ale po chatach gasły ogniska.
Turek odmawia modły Proroka
I tak się rajską otoczył chwałą,
Że ani dostrzegł, jak pośród cienia   85
Mierzonym razem światło łyskało,
Jakby budzone ognie z krzemienia.

Podobnie kiedy Turków ogrody
Bogatym w kwiaty błysną granatem:
Tak z dala trzciny nad Dniepru wody   90
Nagle rozkwitły ognistym kwiatem.
I blask pozłaca ciche brzóz czoła,
Cztery płomieni błysnęły koła,
A gdy znalazły upływu łoże,
Pobiegły szybko, w jedno się zlały,   95
I wnet ogromne pożaru morze
Pod okręt wzniosłe toczyło wały.

Na krzyk strażnika ze snu zbudzeni
Zbiegli się Turcy. Rozpacz straszliwa!
Rozpacz bezsilna! – morze płomieni   100
Suche okrętu deski podmywa.
Zawyli strasznie i odurzeni
Umilkli... Cisza spadła straszliwa.
Potem w tej ciszy, galerom znana,
Dziko zabrzmiała trąbka hetmana.   105

Na odgłos trąbki jak z ogniów piekła
Wstali Kozacy na czarnych skałach,
Rzekłbyś, że zemstą dzicz ta zaciekła
Gasi pragnienie w ognistych wałach.
Na nagich głazach, obwiani w dymie,   110
Jako posągi stali olbrzymie:
Rzekłbyś – że dusza ich marmurowa
Nie słyszy jęku – głosu rozpaczy.

I słychać grzmiące hetmana słowa:
,,Druhy! nim płomień Turków obsaczy,   115
Kto do okrętu dopłynie z wodą,
Jeśli jest basza, baszy wyszuka,

Baszę wykradnie — takiego kruka
Bogatą piastrów uczczę nagrodą". —
Kozacy milczą... Za skarby świata
Któż pójdzie w piekło?... Patrzcie! sam Żmija —
Jak istna żmija ogień przelata,
I padł do fali, wśród fal się wzbija;
I znów zatonął... Tam iskry padły.
Ho! ho! z tej wanny nie wyjdzie cały...
A 'teraz słychać Turków wystrzały.
Widzę go znowu — gdzie tłum wybladły,
Wpadł — oto Turek w rękach hetmana.
Już maszt się pali, już żagiel spłonął.
Hetman do fali z Turkiem zatonął,
A płomieniami fala zawiana;
Miło to płynąć w takie ukropy!
Patrzcie tam! patrzcie! Hetman na skale
Na znak tureckie rozwija szale:
Wąż mu się, Turek, wije spod stopy.

Nad rankiem, kędy oczeret płonął,
Błękitne tylko krążyły dymy.
Galerę baszy pożar pochłonął,
Na skałach czarne znikły olbrzymy.
Tak na skinienie hetmana ręki
Wznoszą się ognie — gasną pożary. —
Po wyspach słychać wesołe gwary
I dzikie śpiewy, torbanów dźwięki.
Czemuż tak głośne wesele w Siczy?
Czemuż się tłoczy lud do tej lipy
Z tak głośnym śmiechem? Czy dział zdobyczy?
Czyli po zmarłych wyprawia stypy?
Czy mu chorągiew przysłał król polski?
O! nie stąd radość... Pośród drużyny
Wznosi się wielka klatka ze trzciny,
A w klatce siedzi basza natolski.
Przed kilku dniami stu miast był panem,
Zamykał tysiąc dziewic w haremie,
Był ojcem syna; a dziś bez ziemie,
Syn jego poległ walcząc z hetmanem,
Z hetmanem dzikie żywioły w zmowie
Zniszczyły miasta — a zgraja dzika
Jak na tygrysa patrzy w sitowie,
Plwa mu na czoło, palcem wytyka.

120

125

130

135

140

145

150

155

Co musiał cierpieć, nikt nie wypowie,   160
Ale cierpienia w sercu zamyka;
Gdy go raniło goryczy słowo,
Na wzgardę chował twarz marmurową.
Lecz chociaż duma wiele wytrzyma,
Gdy z urąganiem wystąpił hardo   165
Kozak ubrany w zbroje Selima,
Basza na niego spojrzał z pogardą;
Lecz gdy stanęły w oczach przytomne
Syna pamiątki, piersi nabrzmiały,
W oczach się długo dwie łzy zbierały,   170
I spadły na twarz dwie łzy ogromne.

Już ciemnym skrzydłem noc się nasuwa
I gmin się rozszedł, po chatach gwarzy.
Tam zbrojny Kozak stojąc na straży
Liczy godziny, nad więźniem czuwa.   175
I okolica mgłami zawiana.
A teraz słychać hasło strażnika:
— „Kto idzie?" — „Hetman" — „Witam hetmana!"
Żmija milczący klatkę odmyka.
Potem odwraca twarz zamyśloną: 180
— „Precz stąd, Kozaku! Żmija na straży". —
Wszedł zgięty — odkrył lampę tajoną,
Potem ją światłem podniósł do twarzy:
— „Żyć będziesz, baszo! wzgardę przeżyłeś.
Znasz mnie?" — „O znam cię! znam cię, szatanie!   185
Syna zabójco!" — „Krew za krew stanie...
Baszo, mojego ojca zabiłeś.
Blask cię buńczuków zaślepił wabny,
Tyś go oczernił — ty od sułtana
Przyniosłeś baszy stryczek jedwabny,   190
I sam na baszę! i sam na pana!
Ja, słabe mając do zemsty ramię.
Ja sam, syn baszy, z miasta wygnany,
Gdym okiem żegnał rodzinne ściany,
Widziałem głowę ojca na bramie;   195
I dotąd jeszcze, dotąd w noc ciemną
Tę bladą głowę widzę przede mną,
Jak mnie krwawymi ściga oczyma.
Lecz teraz Żmii cienie nie straszą,
Sen mój kupiłem śmiercią Selima,   200
Jeszcze krwi twojej trzeba mi, baszo:

Krew swoją oddasz za łzy Zulemie,
Łzy, które lała w twoim haremie;
Lecz w równej walce oddasz ją zbrojny.
Teraz idź za mną — nie bój się zdrady". — 205

Szli oba we mgłach. Basza spokojny,
Oczy obracał na księżyc blady.
Szli krętą ścieżką, gdzie wśród wybrzeży
Wznosi się zamek nad Dniepru wały.
Koło ogromnej środkowej wieży 210
Wież mniejszych lekkie wybiegły strzały.
W wieżach się smutny puszczyk odzywa,
Spi blask księżyca i mgła przepływa.

Weszli do zamku, weszli do sali,
Po ścianach błyszczą zbroje; — a z góry 215
Blask od kagańca padał ponury
I słychać z dala szum Dniepru fali.
W dalszych komnatach — o dziw nad dziwy!
Jakie tam cuda w zamku dnieprowym!
Na ścian wysokich tle lazurowym 220
Płoną lamp gwiazdy, kobierców niwy
Kwiatem zabłysły, a kwiat tak świeży,
Jak gdyby z ranną rosą zerwany.
Gdzieniegdzie kryształ zastąpił ściany;
W zwierciadłach oko bieży i bieży, 225
Nową odkrywa salę za salą,
W każdej te same lampy się palą.
Czy to są czary? — Tak długim gankiem
Mógłby wędrowiec zajść aż do Boga.
Z marmuru sali cięta podłoga. 230
A delfin złoty obrzucał wiankiem
Kryształ, co daje miłe ochłody,
A światła płoną pod szkłami wody.
Patrząc na ognie, kryształ i kwiaty,
Oko zaślnione w ciągłym zachwycie 235
Przez okna sali bieży z komnaty,
Bieży odpocząć w nieba błękicie;
I wpada nagle jak w otchłań ciemną,
Przez którą srebrny księżyc przepływa.

Hetman sprężynę ruszył tajemną, 240
Złota się nagle ściana odkrywa;

I nowa sala... Sali półowa
Alabastrowym światłem zaćmiona,
W półowie ze mgły spada zasłona,
A za mgłą srebrną znów jasność dniowa.   245
Gdy na złocistym siedli dywanie,
Na znak hetmana z dala za mgłami
Zabrzmiały arfy — słychać spiewanie,
Stłumione zrazu echem i łzami
Cichej fontanny... Potem ze spiewem   250
Dwanaście dziewic kwiaty kobierca
Depce — i płynie z zasłon powiewem.
Basza dłoń prawą podniósł do serca,
Potem zbladł cały, oczy odwrócił
I twarz rękami zakrył obiema,   255
I rzekł: ,,Mój sztylet tak mię porzucił,
Sztylet niewierny — jak ta Zulema". —
— ,,Baszo!" — rzekł hetman — ,,ona szczęśliwa
Z waszych pałaców bierze podarki;
Dla niej po morzu czajka ma pływa,   260
Błyszczą pałasze i grzmią janczarki;
Dla niej to Żmija przez długie lata
Zdradzał i zaprzał swego Proroka,
I twarz zmienioną nosił dla świata,
Choć w sercu była rana głęboka.   265
Hetman — i razem wróg mej drużyny,
Często przebrany z bracią Tatary
Na własne sioła niósłem pożary;
Często przez długie, długie godziny,
Pamiętam, nawet przed dniem wyprawy,   270
Jak wąż ukryty pomiędzy trawy,
Patrząc na słońce leżę dzień cały,
By choć dzień jeden ukraść obłudzie,
By świst kozackiej usłyszeć strzały;
Sokół mnie poznał prędzej niż ludzie,   275
Tak twarz wprawiłem, aby udaną
Nosiła barwę. W takiej niewoli
Jak liść dwubarwny srebrnej topoli
Cierpiałem mękę — niewypłakaną.
Gdym własne sioła palił i burzył,   280
Gdym na przekleństwa gminu zasłużył,
Błogosławili... Ale już blada,
Już gwiazda Żmii — mroczy się, spada;
Gdy w mojej dłoni pękł obraz świety,

Odkryją zdradę, spadnie ta głowa,   285
Przeklną!..." Głos grzmiący przerwał mu słowa:
     „Więc bądź przeklęty! więc bądź przeklęty!" —
I przed hetmanem stanął w komnatach,
Ze srebrnym krzyżem, pop w czarnych szatach.

Walka

    Szczęśliwe czasy dawnych rycerzy!
Szczęśliwe czasy, gdy cud po cudzie
Barwił powieści! Dziś kto uwierzy,
Jacy to byli żelazni ludzie,
Jakie to były zamki zaklęte,   5
W czarnych cyprysach dusze zamknięte?
Takie powieści spią niewierzone,
Takie powieści kryją klasztory,
Gdzie mnich przez szyby patrząc barwione
Światu nadawał tych szyb kolory.   10
Dziś kto uwierzy, że na skinienie
Ręki hetmana we mgnieniu oka
Zagasły światła — arf kona brzmienie,
Z ciemnością spada cichość głęboka?

    Popa okropna przejęła trwoga,   15
A hetman mówił z twarzą wesołą:
„Biada, kto tutaj w imieniu Boga
Wstąpi w czarami skreślone koło.
Lecz gdyś tu przyszedł, bądź pozdrowiony!
Zostaniesz moim gościem na wieki,   20
Słońca nie ujrzą twoje powieki,
Rdzą się okryje ten krzyż srebrzony;
Nikt nie usłyszy jęku — prócz Boga".
Skinął — zapadła nagle podłoga.
Pop, przeniesiony w lochy podziemne,   25
Zniknął — i słychać było westchnienie...
Znów skinął hetman, a na skinienie
Dzień świateł wpłynął w komnaty ciemne.
Gdy się rozjaśnił, obaj rycerze
Znów przez te same wyszli podwoje   30
I do narożnej wstąpili wieże,
By się do walki stroić we zbroje.

    Basza wziął turban stalą podszyty,
Piersi drucianą kryje koszulą,
I miecz Damaszku z dwóch mieczów zbity,   35
I ciężki czekan z kolczatą kulą.
Tak uzbrojony, lekki i rzeski,

Za pasem sztylet zawiesił feski;
Wziął tarcz z sitowia, jakiej do wojny
Używa w stepach Tatar budziacki: 40
I już był gotów... Hetman kozacki
Bezpieczniej wprawdzie, lecz ciężko zbrojny;
Zakuł pierś mężną w pancerz ze stali,
Niósł hełm z przyłbicą ściśle zakrytą;
A z piór i włosów na hełmie kitą   45
Rośnie we dwoje, do sklepień sali.
Kopiją wstrząsa do rzutu celną,
Przy boku błyszczy miecz obosieczny,
Tak z baszą sercem i zbroją sprzeczny,
Wychodził staczać walkę śmiertelną...   50

   Już się na biały dzień zabierało,
Gdy wyszli z zamku. Jakby zbudzone,
Chmury nadrannym wiatrem kręcone
Już się z mgłą dolin mieszały białą.
I słychać oddech poranku świeży,   55
Co lekko wzrusza nadwodne trzciny;
Świegocą wróble na zamku wieży,
Na pół uspione między kaliny.
I księżyc blady, i gwiazdy bladły,
Szarzeją światłem nieba błękity;   60
A kawki krążąc stadem obsiadły
I ołowiane wież czernią szczyty.

   Wsiedli do czajki obaj rycerze,
Płynęli z wodą. Hetman ponury,
Patrzał na wichrem kręcone chmury,   65
Na mgły tumany, na zamku wieże;
A jego serce, choć stalą zbrojne,
Tak mocno bije, tak niespokojne,
Jakby w przeczuciach − zadrzał − i nagle
Chwycił za wiosło, rozpuścił żagle   70
I pędził czajkę, ta w szybkim biegu
W chwilę na drugim stanęła brzegu.
Tam z serca trwogę odpędził płonną:
,,Jak los osądził" − rzekł − ,,niech się stanie. −
Baszo! czy walczysz pieszo? czy konno?"   75
− ,,Gdy arabczyka dasz mi, hetmanie,
Ujrzysz, jak lekko na siodło wskoczę,
Jak z konia biję i koniem toczę". −

Hetmana trąbki słychać odgłosy:
Wnet nauczone na trąbkę pana   80
Dwa szybkie konie lecą przez wrzosy;
„Biały twój, baszo! czarny hetmana". –
Oba rycerze siedli na konie,
Oba pędzili szybko przez błonie,
Póki kaganiec z wież Oczakowa   85
Nie błysnął gwiazdą ze mgły wywity.
Za wodzą Żmii stanął koń wryty,
A hetman rzecze: „Na próżne słowa
Nie traćmy czasu, poleć się Bogu.
Tam twój Oczaków, kędy się palą   90
Mnogie kagańce w masztowym lesie,
Tam twoje wieże – do wież tych progu,
Gdy mnie zwyciężysz, koń cię zaniesie,
Gdy padniesz, trup twój popłynie z falą". –

      Rzekł – ściślej zamknął w przyłbicę czoło   95
I czarnej tarczy okrył się skrzydłem.
Basza jak jastrząb krążył wokoło,
Na różne strony zwijał wędzidłem,
I rzucał czekan, i koniem toczył. –
Tarcza hetmana wydała dźwięki,   100
Trzykroć od tarczy czekan odskoczył
I na rzemieniu wrócił do ręki;
Trzykroć odskoczył – za czwartą razą
Zgruchotał twarde hełmu żelazo,
Lecz ugrzązł w hełmie. – Żmija zań chwyta,   105
Nie pośpiał basza odciąć rzemienia;
Tak związanego, gdy zbył strzemienia,
Hetman pod końskie ciągnął kopyta.
Skrwawiony ostem i oczeretem
Czołga się basza jako gadzina;   110
Żmija miecz wznosi – basza sztyletem
I lewą ręką rzemień przecina,
Wstając pod koniem ów sztylet srogi
Aż po rękojeść wraził pod strzemię.
Rumak hetmana runął o ziemię,   115
Lecz hetman szybko powstał na nogi,
Odrzucił dzidę, miecza dobywa;
I znów grzmi walka, walka straszliwa!

      Daleko słychać szczęki pałaszy
I tarcza daje odgłos jak dzwony.   120

Już krew turecka, krew świeża baszy,
Lśni po burzanach jak kwiat czerwony;
Ten widok siły hetmana dwoi,
Więc w obie dłonie chwyta miecz silny,
Podniósł i spuścił – lecz raz był mylny,   125
Sam padł, zwalony ciężarem zbroi;
Nim powstał z ziemi, już wróg straszliwy
Tłoczył mu piersi, wzniósł sztylet mściwy
I nad bezbronnym mszcząc się rycerzem,
Gdy mu się sztylet po zbroi zwinął,   130
Podniósł pancerza i pod pancerzem
Wbił po rękojeść, aż krwią zapłynął.
Basza siadł na koń, spiął go ostrogą,
Leciał jak z wiatrem chmura stepowa;
Lecz nie do Turków? do Oczakowa?   135
Na północ wsteczną poleciał drogą.

    Już zniknął... Blado wschód się czerwieni,
Już się oddala tętent po wrzosie.
Tu koralową barwą jesieni
Błyszczą burzany w srebrzystej rosie   140
I szpaków stada po nieba sklepach
We mgle się kąpią – i lgną na łozy.
Gdzie dwie samotne płakały brzozy,
Hetman kozacki konał na stepach...

    Ciszej!... tam jakiś spiew obłąkany   145
Z echem przez suche płynie burzany;
Pieśń taka smutna, dzika i rzewna.
Oblana złotem słońca promieni
Zbliża się postać jak cień niepewna,
Dziewica mogił – to młoda Kseni!   150
Pieśń jej jak lutni niesfornej głosy
Nagle skonała, krzykiem ucięta,
Bo koło Kseni skrwawione wrzosy;
A choć przyłbica Żmii zamknięta,
Już go poznała – tak dziewic oczy   155
Wprawne w miłości, choć obłąkane.
Ale na próżno wyśledza ranę,
Chce krew zatrzymać rąbkiem warkoczy.
Gdy mu przyłbicę wzniosła na czole,
Żmiję do życia wróciły bole;   160
Spojrzał – i poznał – lecz nie rzekł słowa

Ani się zdradził nagłym poznaniem.
I była cisza – cisza stepowa,
Przerwana czasem łzami i łkaniem
Smutnej dziewicy. Kseni oczyma 165
Ściga wejrzenie zgasłe hetmana;
A Żmija oczy wlepione trzyma
W stronę, gdzie mglistą chmurą owiana
Wznosi się zamków siczowych wieża.
Nagle blask ognia stamtąd uderza, 170
Potem się rozlał po Dniepru fali,
Między wieżami płomień się wije.
– „Zdrajca!" – rzekł hetman – „Kseni! klnij Żmiję!
Oto mój zamek, zamek się pali!
W zamku twój ojciec!... – A basza mściwy 175
I nad nią jeszcze zemsty dokonał.
Przekleństwo jemu!" – westchnął – i skonał.

Zaledwo skonał – przez kwiatów niwy,
Rzucając za się wzrok niespokojny,
Na koniu Turek przeleciał zbrojny 180
I zniknął we mgle... Śmiech dziki Kseni
Smutnie po rosach zabrzmiał. – „Mam syna!
Ojciec mój skonał pośród płomieni.
Syn mój jak świeża rośnie kalina;
A hetman... Syn miał ojca hetmanem 185
I żyć nie będzie pod innym panem.
Lecz wam, Kozacy, wam nie pokażę
Syna mojego – w grób go zakopię;
Ale krew jego przyniosę w czarze
I krwią mogiłę ojca pokropię". – 190

Jakie tam było po chatach łkanie,
Gdy wieść okropna biegła przez sioła!
„Zgasłeś!" – wołali – „zgasłeś, hetmanie!
Któż jak ty w czajce lotem sokoła
Z nami na Czarne popłynie Morze? 195
Kiedyż takiego ujrzemy pana?
Kiedyż drugiemu słać będziem łoże
Gruzami z wielkich gmachów sułtana?..."

Wieją tłumami kozackie kity,
Hetmańska trumna już nad mogiłą; 200
A w trumnie hetman leży odkryty.

Coś mu się we śnie strasznego śniło,
Bo wyraz wzgardy w twarzy wyryty.
Z żaglów tureckich śmiertelna chusta
Spowiła ciało. Złotym obrazkiem
Pop go opatrzył, posypał piaskiem,
Kawałek chleba włożył mu w usta,
Zgraję tym samym obdzielił chlebem;
A gdy wymówił ostatnie słowo,
Płaczki zaczęły pieśń pogrzebową.
Lecz jedna z płaczek szła za pogrzebem,
Śmiechem zbłąkała pieśni odgłosy;
A choć wesela taić nie umie,
Na przekór śmiechom, jak srebrne rosy
Lzy jej do wielkiej płyną łzawicy;
A gdy łzy cudze zbierała w tłumie,
Gdy w czarę padło światło gromnicy,
Kołem się wszystkie chmurzyły twarze,
Widzieli wszyscy, krew była w czarze!
I krew do grobu wylała cieśni,
Padła – skonała. – Konaj! o pieśni! –

205

210

215

220

Objaśnienia poety

Objaśnienie

Romans tu umieszczony jest prawie zupełnie utworem imaginacji. — Na Ukrainie lud dotąd pokazuje wał ogromny, wałem Żmii nazwany; niektórzy sądzą, że Żmija był jednym z pierwszych i najdawniejszych wodzów Zaporoża; inne podanie niesie, że szatan pod postacią żmii niósł wielki kamień, chcąc nim kościół przywalić, i przerażony kura zapianiem, głaz na stepy upuścił. Idąc za pierwszą z tych powieści utworzyłem osobę bajeczną, będącą bohatyrem mojego romansu, i z nią powiązałem różne przez historią wspominane wypadki. I tak: prawdziwą jest rzeczą, że Kozacy z czajkami wybiegali na Czarne Morze, spalili wiele miast Natolii i Cylicji, a zapędziwszy się aż pod Carogród, ogień w przedmieście Pera zanieśli. — Sułtan przerażony, widząc płonące wieże Bosforu, złotem okupić się musiał. — W papierach znalezionych w kuli na kościele Śt. Jana w Warszawie, a które Niemcewicz w pamiętnikach o dawnej Polszcze umieścił, znajduje się wzmianka o Kozakach. Stamtąd powziąłem wiadomość, iż któryś z baszów w niewolę przez Kozaków ujęty, na pośmiewisko w klatce jak drugi Bajazet był uwięziony. Opisy miejsc po części z Grądckiego, po części z Beauplana wyjęte; za czasów tego ostatniego widziano na najwyższej z wysp Czertomeliku ruiny zamku tak postawione, aby je woda, wiosną inne wyspy zatapiająca, dosięgnąć nie mogła. — W tymże autorze wyczytałem, jak galery tureckie zapędziwszy się za czajkami zginęły, w labiryncie wysp czertomelickich obłąkane; tenże pisarz opisuje sposób, jakim Kozacy i Tatarowie na sumaki polowali, a obraz tej obławy starałem się wiernie w pieśni pierwszej romansu wystawić, równie jak sposób zdobywania czajkami okrętów tureckich, w czwartej pieśni opisany. Niekiedy, idąc za duchem poezji ludu ukraińskiego, chcąc obraz żywiej wystawić, porzucam sposób opisowy i opowiadanie wkładam w usta sternika kozackiego, nie sądzę zaś, aby taka wolność imaginacją czytelnika obrażać miała.

Wiersz dziesięciogłoskowy w niniejszej powieści użyty, a może nadto wyraźną miarą nieprzyjemnie mordujący ucho czytelnika, w moim jednak przekonaniu najwłaściwiej do takiego rodzaju utworu zastosować się daje. Z użycia takowego wiersza wynikała potrzeba, nie inne jak dwunasto- lub ośmiogłoskowe łączyć z nim rytmy; tak, ażeby średniówka zawsze w połowie wiersza przypadać mogła.

Pieśń II, w. 120
Lud go nazwał zamkiem czarta.
Czertomelik.

Jan Bielecki

POWIEŚĆ NARODOWA POLSKA

Oparta na podaniu historycznym

I

Wyprawa nocna

Oto się ciemne księgarnie otwarły,
Tu źródła bogactw w zapylonej ramie.
Czytam... Jak dziko ten język umarły
Pod piórem w kształty nieżywe się łamie.
Język i gorszy przesąd zakonnika   5
Jak rdzawa klamra myśl księgi zamyka.
Czy tu wygrzebiesz dzieła Giedyminów?
Czy głos Zygmuntów jak echo daleki?
Są to jak Sfinksy te ubiegłe wieki,
Mówią zagadką dziś ciemną dla synów.   10
Znajduję słowa: ,,Kraj nasz dosiągł szczytu,
Chylić się musiał". – Precz z myślą szatana!
Pamięć, w dalekich wiekach obłąkana,
Niech spocznie... Okno klasztoru otworzę...
O! jak spokojne otchłanie błękitu!   15
Tam z dala płynie złote kłosów morze,
A tu klasztoru szumią ciemne lipy;
Myśl rozwesela daleki szmer lasów.
Gdy pogrzebałem pamięć dawnych czasów,
Jestem wesoły jak biesiadnik stypy.   20

Snem jest ów obraz. Umysł się najgrawa
Z nieszczęść obecnych, bezwładny – bez steru.
Gdzież jestem? – Oto mury Westminsteru,
Tam Izba Parów, tu Tamiza mgława
Połyska słońcem. Przebiegałem chmurny   25
Ów pałac zmarłych z uczuciem przestrachu;
Bo ja sam byłem jak umarły w gmachu,
A oni żyli... Nie zajrzałem w urny,
Wybiegłem – więcej nie wchodzę w te ściany...
Ale samotny wracam dziś i co dzień   30
W dziedziniec głazem grobów brukowany,

Po których stąpa niemyślny przychodzień...
Ci, co posnęli w tych grobach dokoła,
Walczyli nędzni z niezdolności wrogiem;
Dążyli spiesznie do progów kościoła   35
I umierając kładli się przed progiem.

   Z dziką rozkoszą napis mniej widomy
Niszczę do reszty śladem mojej stopy.
I czuję rozkosz, gdy mój cień znikomy
Grobowi gmachu nie dopuści cienia.   40
Szaleni! dążyć pod świątyni stropy
Nie mając w duszy wrącego płomienia?

   Posępny — siądę na odłamie głazu.
Smutna się powieść w pamięci rozwija.
Czytałem w księgach — a godło obrazu   45
Było: „Kraj zdradził, lecz zdrada zabija"

   W kronikach znajdziesz powieści osnowę,
Z kronik czerpane rysy i kolory.
Już Zygmunt August w grobie złożył głowę,
Na tronie zasiadł król Stefan Batory.   50
Ciężkie dla szlachty były rządy nowe,
Część po wsiach własne zamieszkała dwory.
Co było w kraju, nie skreślę do razu,
Jeden cień tylko maluję obrazu.

   Pan Brzezan w cudnej mieszka okolicy.   55
Zamek objęła rzeka w dwa ramiona,
Nad bramą klasztor, w murach zakonnicy,
Dalej kaplica blachą powleczona.
W komnatach żadnej nie ujrzysz różnicy
Od złotych komnat, gdzie mieszkała Bona.   60
Pan Brzezan lubi żyć w królewskim dworze,
Co ma król polski, i szlachcic mieć może.

   Posadzki wzorem włoskim marmurowe,
Na ścianach srebrem tkane adamaszki;
Gęsto się lampy lśnią alabastrowe,   65
Z srebrnych sadzawek niby dla igraszki
Wytryska woda tchnąca wonią róży
I nazad deszczem brylantowym spada.
Dwóch karłów wiernie na skinienie służy,
W oczy się patrzy i chęci odgada,   70
Ani się kiedy śmie odezwać słowy,

Spodlonym tworom Bóg odmówił mowy.

    Pan Brzezan huczne wydaje biesiady.
Oto go łatwo rozeznać za stołem,
W złocistej szacie, ale bardzo blady;   75
Wydaje troski zachmurzonym czołem.
Może biesiada cierpienia ukoi?
Już od tygodnia szlachtę sprasza, poi.

    Dzisiaj na czole pozbył zwykłej dumy.
Już raz dziesiąty zagrzmiały wiwaty,   80
Wesołej szlachty ozwały się tłumy,
Wesołym gwarem zabrzmiały komnaty;
Już wino słabsze zwycięża rozumy,
Dość jednej iskry, wnet ogień wybucha.
Pan Brzezan mówi — szlachta wstaje, słucha.   85

    ,,Bracia, na chwilę uciszcie te gwary,
Słuchajcie pilnie — a ja w krótkim słowie
Wyjawię powód, wyłożę zamiary,
A potem każdy swe zdanie wypowie.

    ,,Słuchajcie! szlachcic obraził mię podły,   90
Szedłem do króla, nie błagałem łaski.
Wnet sprawę długie indukta wywiodły;
I jam był winien! winien był Sieniawski!
I oko w oko, przed króla obliczem,
Widziałem wroga, nie próżno przychodził;   95
Król go pochwalił, pochwalił, nagrodził,
Nie spojrzał na mnie i odprawił z niczem.

    ,,Nasz dumny Stefan, do czegoż on zmierza?
Śmiałżeby władać jak niemieckie książę?
Wszak nasze państwo to gotycka wieża,   100
Z tysiącznych kolumn składa się i wiąże;
Niechaj się jedna usunie kolumna,
Gmach cały runie, cały się rozprzężę;
Jak się usunę! — niech mię grom dosięże,
Gmach cały runie, dla mnie tylko trumna!...   105

    ,,Hej! szlachta, znacie Bieleckiego Jana?
Dawniej w niewoli gnił u bisurmana,
A dziś się z pany w jednym stawi rzędzie,
Jak król udzielny w darowanej grzędzie.
A kiedy zamki walą się pod gromem,   110

On podparł domu walące się ściany
I tak spokojny między nimi żyje,
I tak szczęśliwy, że nad jego domem
Co wiosny bocian nowe gniazdo wije.
Lecz dzisiaj ptaka ja wypłoszę z gniazda   115
Jękiem i dymem, iskrami płomieni.
Bracia! noc widna! — niedaleka jazda!
Słyszałem, dzisiaj Bielecki się żeni;
Nim wróci, niech mi Bóg tak dopomoże,
Dom zrzucę, spalę, grunt domu zaorzę".   120

  Miodem i winem, i ucztą zagrzany,
Tłum szlachty powstał z ochotnym oklaskiem.
I tam widziałbyś, jakim cudnym blaskiem
Migały w tłumie drogie aksamity,
Złociste pasy i jasne żupany,   125
Jak się wahały brylantowe kity
I oko ćmiły różnobarwne krasy:
Blask chyba równy, gdy w przedpotopowe
Wicher nowego świata zbłądzi lasy,
Gdy aż do ziemi nachyli drzew głowę,   130
Gdy się zmieszają wszystkie barwy borów;
Liście i kwiaty płyną jak potoki,
Zachwyca oczy cudna gra kolorów,
Szum razem miły, straszny i głęboki.

  Pali się szlachta, już dosiadła koni,   135
Pieszym pan Brzezan rozdaje rumaki.
Już most zwodowy pod kopyty dzwoni,
Dalej! na pola przez ubite szlaki!
Wino zagrzewa, zemsta pośpiech radzi,
Już pojechali... Niech ich Bóg prowadzi.   140

II

Wesele

  W Brzezan miasteczku, w kościele u fary
Jaśnieje ołtarz — potężne organy
Wstrząsają pełne grobowców filary,
Po ławkach jasne migają żupany;
Tam pożółkniały ksiąg pargamin stary,   145

A owdzie stoczek złotem malowany.
Ołtarz upstrzony woskowymi kwiaty,
Służba rozwija kobierzec bogaty.

   Swaty i drużby wystąpili strojno
I młoda para przysięgi powtarza.   150
Z otwartym czołem, Jan Bielecki zbrojno,
W husarskiej zbroi, w misiurce ze stali,
Jako do bitwy stanął do ołtarza,
Patrzy na młodą, a wzrok mu się pali.
Przy męskiej piersi, gdzie żelazo lśniło,   155
Od lubej w miłym dany upominku
Skłaniał się bukiet z róży i barwinku
I drzał listkami, tak mu serce biło,
Tak silnie piersi wstrząsały puklerzem...
A dalej swaty za młodym rycerzem,   160
A dalej bracia husary, pancerni,
A dalej służba w wielkim stoi kole,
Zbroją od prostej odróżniona czerni.
Piękny to widok, gdy przed wrogów tłumem
Rozwiną skrzydła na barkach sokole   165
I jako ptaki głuszą skrzydeł szumem.

   Lecz panna młoda jakże przystrojona!
Trudno weselne opisać ubiory.
Ślubna jej szata była w dwa kolory;
Błękitną barwą lśniąca jedna strona,   170
Bo takie było męża herbu pole;
A na mienionym jedwabiu lazurze
Lśnił się herb, srebrne księżyca półkole,
Gwiazda, nad gwiazdą hełm o strusim piórze.
A druga strona sukni szkarłatowa   175
I herb dziewicy szyty na szkarłacie,
Srebrzyste strzemię i złota podkowa.
Piękna to szata, a przy takiej szacie,
O jakże cudna, gdy się wstydem płoni!
Widne łzy w oku, widne drzenie dłoni,   180
I cała postać powiewna i drżąca.
Jej śnieżne łono westchnieniem odtrąca
Tę młodą różę, co wpół wychylona,
Aksamitnego dotknęła się łona.

   Dlaczegoż smutna?. Patrz, na wód lazurze   185
Kwiat się przegląda w jeziora krysztale;

Choć chmury słońca nie zakryją światu,
Kwiat liście zwiesza i kryje się w fale:
Lilija wodna może przeczuć burze,
Kwiat czuje — ona miała czucie kwiatu.   190

   Wracają tłumnie weselne orszaki,
Zagrali grajki, grzmią liczne wystrzały;
I pochodniami świecili kozaki,
Noc księżycowa widna jak dzień biały.
„Stójcie!" — zawołał pierwszy swat — „przede mną   195
Nie widzę domu... Janie, wszak tu droga
Do twojej chaty? Ha! cóż to? dla Boga!
Czy dóm twój zniknął? czy mi w oczach ciemno?
Ale nie, widzę — oto orzą pługi,
Wieśniak ostatniej miedzy doorywa..."   200
Kiedy to mówił — przybiegł jeden, drugi,
Patrzą, nie wierzą — sam Jan staje, słucha,
Blednieje — nagle z tłumu się wyrywa;
A w tłumie była cichość straszna, głucha.

   Wkrótce Jan wrócił — prędko jak błysk gromu,   205
Stanął przed żoną obłąkany, blady.
Na jego szatach widać krwawe ślady...
...Anno" — rzekł — ...Anno! wracaj! — nie mam domu!
Nie wrócę z tobą, obelga dotkliwa!
Zniósłbym nieszczęście, lecz nie zniosę sromu.   210
Już mnie domowe szczęście nie omami,
Wracaj, o Anno! ty będziesz szczęśliwa,
W twoim objęciu zalałbym się łzami.
Ja nie mam domu!..." — Zadrzał — i spiął konia,
I jak wiatr szybko poleciał przez błonia.   215

   Nazajutrz rano pochowali w grobie
Starca, co orał grunt ostatniej miedzy.

   Bielecki zniknął — żadnej o nim wiedzy,
A po nim żona chodziła w żałobie.
Jej serce straszne skołatały ciosy,   220
Po śnie wesela został płacz — pierścionek.

   Nazajutrz rano, skoro spadły rosy,
Gdzie był dóm Jana, samotny skowronek
Wzleciał nad skiby przeoranej roli   225
Nucąc piosenkę smutku i niedoli.

III

Bal maskowy

Oto ubogie szlacheckie komnaty,
Skromne jak niegdyś naszych przodków życie.
Ściany drewniane, po ścianach obicie
W różne obrazy, w różne chińskie kwiaty.
Straszne jak mary, które roi dziécię,   230
Z ram poczerniałe patrzą antenaty.
A przed obrazem jedna lampa płonie,
Gdzie Matka Boska w gwiaździstej koronie.

Noc nadchodziła, mrok zapadał szary;
Lecz budzą ciszę wieczornej godziny   235
Głośnym wahadłem po ścianach zegary.
A na dziedzińcu lipy i osiny
Szumiały smutnie — i gdzieś między szpary
Świerszcz się odzywał. — I pies, stróż rodziny,
U wrót podwórza nieraz się odwoła   240
Na psów szczekanie z pobliskiego sioła.

Siedziała Anna, przy niej ojciec stary
Otwiera świętych poważne żywoty
I czyta głośno, a spokojność wiary
Jak deszcz wiosenny krzepi bujną niwę,   245
Zamienia rozpacz w uczucie tęsknoty
I łzy zamienia w płacze nieszkodliwe;
Jako płacz dziecka, kiedy rozkwilone,
Ściga za matką, chwyta za kraj szaty.

Wtem zaszczekały brytany zbudzone   250
I nagle drzwi się otwarły komnaty.
Wszedł mały karzeł — czapkę miał na głowie
Brzmiącą dzwonkami, obszytą w galony,
I rzekł: ,,Niech będzie Chrystus pochwalony!"
,,Na wieki wieków" — starzec mu odpowie.   255
A karzeł znowu nisko schylił głowy
I rzekł: ,,Sieniawski, pan mój na Brzezanach,
Dziś mnie posyła po paniach i panach,
Jutro was prosi na swój bal maskowy.
Jutro do zamku tłum się wielki ściąga,   260
A wszyscy w dziwne przybrani maszkary".
,,Ha! precz mi z oczu!" — krzyknął cześnik stary —

„Precz! pan twój z nędzy, z łez naszych urąga!
Precz! bo na Boga..." – lecz nie skończył mowy,
Upadł na krzesło i zdjęty niemocą,   265
Już gniewu swego nie mógł wywrzeć słowy...

Była to straszna chwila przed północą,
Wokoło słychać nocnych kurów pianie
I psy szczekały, co wrót chaty strzegły.
Z nagła zadrzały obrazy na ścianie,   270
Znów się drzwi domu na ścieżaj rozbiegły:
Wszedł blady człowiek – lecz na powitanie
Jak zwykle Boga imienia nie chwalił;
I opatrzone w pieczęć zawinięcie
Złożył na stole i sam się oddalił.   275

„O córko! córko! to Jana pieczęcie!"
Wykrzyknął starzec, wosk rozłamał kruchy
I znalazł słowa: „Anno! bądź na balu..."
A dalej szaty z tureckiego szalu,
Wielkie ze złota ulane łańcuchy,   280
Brylanty lśniące jak gwiazdy w noc ciemną,
Perły daleko łowione w Basorze.
Anna spojrzała i zbladła: „O Boże!
Zmiłuj się nad nim – zmiłuj się nade mną".

Jak cudny obraz oczom się odkrywa!   285
Czy Zygmunt z grobu wstaje, tron zasiada?
Czy znów z Wenecji, co po morzu pływa,
Do Polski wnosi karnawału święta?...
Odkąd Batory sławną Polską włada,
Polak się bije, zabaw nie pamięta.   290
Snem mu się zdają te świetne Brzezany.
Oto są złote krakowskie komnaty,
Podobne kształtem, złoconymi ściany,
Strojne w atłasy i drogie bławaty.
Oto jest zgraja królewska barwiona,   295
Szaty ma cudne, dorobione twarze;
Weszli na salę... Ale gdzież jest Bona?
Może truciznę podaje Barbarze?...

Snują się tłumem pomiędzy kolumny,
Ujrzysz tu wszystkie zwyczaje, narody.   300
Patrz! oto piórem błyska Hiszpan dumny,
Nadto poważny, chociaż jeszcze młody;

Krzyż ma na piersiach jak obrońca wiary,
Krzyż ma na piersiach i szablę szlachcica;
A w ręku jego drzą struny gitary.   305

     Patrz! oto w czarnej zasłonie dziewica
Z różanym wiankiem, a przy niej młodzieniec.
Oboje widać z wysokiego stanu;
Ona zbierała w Neapolu wieniec,
On się urodził w Rzymie Oceanu.   310
A pieśni majtków i szum cichej fali
Ukołysały umysł jeszcze młody;
I rzucił ślubny pierścionek do wody,
Poślubił morze i jak Tass się żali.

     Lecz w jedną stronę zbiegł się tłum balowy;   315
Dziwna tam maska! dziwne jej ubiory!
Kaszmirska szata w cudne szyta wzory
Od szaty bije blask dyjamentowy,
We włosach toną przepaski z korali...

     Wnet się rozlega szmer wielki po sali: 320
„Kto jest ta maska?... Sam król nasz Batory
Nie ma tak wielkich brylantów w Krakowie,
W skarbcu królewskim... Kto jest ta dziewica?..."
Próżna ciekawość, pod maską jej lica,
Ani się słowem wydała w rozmowie.   325

          IV

Zemsta

     Zgiełkiem i wrzaskiem zabrzmiały komnaty,
Głośna to radość, lecz radość nieszczera;
Śmiech słychać!... śmiech to wymuszony świata.
Na bladych licach nigdy nie umiera.
Śmiech ten jaśnieje jako kwiaty z płótna,   330
Którymi błyszczy biesiadnika głowa;
Ich postać wiecznie, wiecznie jednakowa,
Wiecznie bez czucia, choć piękna, lecz smutna,
Nigdy nie żyły i w nieba błękicie
Nie odetchnęły − i nigdy nie zwiędną.   335
Lecz któż by przeniósł takich kwiatów życie
Nad jedną chwilę rozkoszy − choć błędną?

Pan Brzezan smutny, milczący, ponury,
Porzucił tłumu różnobarwne fale;
Szedł do komnaty, gdzie ciemne marmury   340
I wodotryski wychładzały salę.
Okna posępne gotyckiej struktury,
Przez okna księżyc pełnym blaskiem pada,
Cisną się krzewy kwitnące jaśminu.
Wokoło stoły z marmuru, bursztynu;   345
A z ram złoconych niejedna twarz blada,
Której wiekami ściemniały kolory,
Twarz przodków patrzy smutna, nieruchoma.
Chodził starosta, krok niepewny, skory,
Za nim się cienie kładły od księżyca;   350
A gdy na niebo podniósł blade lica,
Na twarzy była zgryzota widoma.

W tłumie biesiadnym nowe słychać wrzaski;
I zbiegł starosta do sali biesiady,
Zawołał pazia, pomięszany, blady.   355
– „Paziu mój! paziu! co znaczą te maski?
Prawie połowę zajęli komnaty,
Czoła zakryte i tatarskie szaty..."
– „O panie! twojej bojaźni nie dzielę,
To jakaś szlachta zjechała kulikiem".   360
– „Nie są to, paziu! nie są przyjaciele!
Szlachta by zaraz wpadła z hukiem, krzykiem,
Zaraz by pełne obległa szklannice,
A oni milczą, kryją tajemnicę...
Paziu, wybiegnij przez drzwi boczne sali,   365
Niechaj odźwierny... Lecz cóż to? O Boże!
Zwodowa wieża i zamek się pali!
O zdrada! Bracia, kto mi dopomoże?
Miecz mój i zbroja! prędzej, paziu młody!"

Już nie czas... Zewsząd tłumne pogan wrogi   370
Biegną przez wielkie marmurowe wschody;
Trupami sali zawalili progi,
Ognie pożaru zażegli na gody.
Lecz któż na czele rozniecka pożogi?
Któż tłumy pogan prowadzi do boju?   375
Jestże ich wodzem? baszą? atamanem?
Jakiś młodzieniec w muzułmańskim stroju,
Czoło złocistym przysłonił turbanem

I wiarę złotym księżycem naznaczył.
Leci na czele i służbę pomija,   380
Nikogo dotąd uderzyć nie raczył,
Miecz jego w pochwach; on wzrokiem zabija.
Już wpadł do sali, zaraz za nim w ślady
Straszny wiatr zawył na ściany zamkowe,
Światła zadrzały, zgasły, tylko blady   385
Świecił się promień lamp, w alabastrowe
Ukrytych głazy... Wpadł jak śmierci mara
I wejście mnogą wartą zabezpiecza...
Pan Brzezan z mieczem stał wobec Tatara...

Lecz patrzcie! patrzcie! Tatar dobył miecza;   390
Patrzcie! o zgroza! to miecz dobrze znany!
Nad emaliji zaćmionym lazurem
Obraz Najświętszej Panny malowany
I obraz krzyża — pod krzyżem, na dole,
Herb, jakby srebrne księżyca półkole   395
I gwiazda, nad nią hełm ze strusim piórem.

Błysnęły szabli obrazy święcone
I padł starosta na twarde granity,
Zaśmiał się Tatar, śmiechem obudzone
Zabrzmiało echo... Był to jęk kobiéty.   400

Była to maska nie znana nikomu,
Którą brylantów moc wielka pokrywa.
Śmiech usłyszała i jakby od gromu
Zadrzała, padła na głaz jak nieżywa;
A Tatar przybiegł i padł na kolana.   405
Cuci ją, węzły ścieśnione rozrywa;
Twarz jego była straszna, obłąkana,
Chwycił ją w dłonie, unosił przez ganki,
Ona jak martwa była w jego dłoni;
Z głowy różane pospadały wianki   410
I włos się rozwiał pełny słodkiej woni,
Rozwiany spływał aż do stóp Tatara.
A strasznie bladą była twarz dziewicy.

Budzi się — gdzież jest? — W zamkowej kaplicy,
A przed nią postać jak przeszłości mara.   415
Dokoła było i straszno, i ciemno,

A księżyc mury oświecał kościoła.
− „Tyż to mój luby? tyż to jesteś ze mną?
Zaklinam ciebie, zdejm zawoje z głowy!
Niech cię obaczę − rysy twego czoła..."   420
I zdjął Bielecki turban muślinowy,
Anna spojrzała i padła omdlona.
Znów po niej życia rozlały się ślady
I znów po chwili ciężko przebudzona
Rzekła: „O luby! tak straszny! tak blady!..."   425
− „Cha! blady?" − przerwał rycerz z dzikim śmiechem −
„Wszak zdradzam!..." − zamilkł − lecz ostatnie słowo,
Trzykrotnie głośnym powtórzone echem,
Przerwało ciszę kościoła grobową.
A rycerz mówił: „Tak! twarz moja blada!   430
Z innąm cię twarzą w czas szczęśliwy witał,
Ja zdradzam! będęż jak róża rozkwitał?
Na moim czole napisano − zdrada.
Kraj cały we krwi... Wznieś na księżyc oczy,
Patrz na te okna, na szkle malowidła.   435
Gdy błyśnie słońce, ów anioł roztoczy
Różane lica a srebrzyste skrzydła;
Lecz szklisty obraz przejęty księżycem,
Teraz do lekkiej widm podobny larwy,
Ciemniejszym patrzy i niepewnym licem,   440
Smutną ma postać, obumarłe barwy:
Inny jest człowiek, gdy o szczęściu marzy,
Lecz gdy te same wzniosłe, piękne rysy
Oświeci nieszczęść lampa, od tej twarzy
Weselsze będą grobowe cyprysy.   445
O luba moja! po co te rozmowy?
Luba! chodź za mną wieść życie tułaczy!
Chodź za wygnańcem potępionej głowy!
Na twoim łonie dożyję siwizny,
Siwizny nieszczęść, zdrady i rozpaczy". −   450
− „Mój ojciec!" − „Ojciec?... Ojciec przeklnie ciebie!
I ty się lękasz?... Przeklnie! I cóż znaczy
Przekleństwo ojca, braci lub ojczyzny?...
Chodź w kraj daleki, tam będziesz jak w niebie,
Znajdziesz tam łąki, gmachy, wonne gaje;   455
Są ludzie − wszyscy przyjaciółmi memi,
Jest wszystko! luba, czegoż tam nie staje?
Luba! jest wszystko! wszystko! prócz tej ziemi".

V

Kościół wiejski

Była to cerkiew, z modrzewiu jej ściany,
Już pochylone, wsparte na podpory;   460
Promieniem słońca błyszczał dach blaszany;
Słońce wzierając przez te szyby drzące
Różne już na nich wybiło kolory.
Nad cerkwią rosły trzy brzozy płaczące,
Krzyż się przeglądał przez ich szczyt wyniosły;   465
Na progu żebrak pacierze powtarza.
Wokoło cmentarz kwiatami zarosły
I wiejskie groby błyszczą wśród cmentarza.

Daleko słychać wiejski dzwon kościelny,
Zadzwonił, zewsząd lud spieszy przez pola.   470
Było to święto, był to dzień niedzielny,
Dziś pług spoczywa, zieleni się rola.
Dziewice ołtarz przystroiły w kwiaty,
Zabrzmiała młodzież do śpiewu gotowa;
Wyszedł ksiądz ze mszą, pochylony laty,   475
Tłumi się coraz pieśń ludu niknąca,
Ucichła... Księdza tylko słychać słowa,
Cichy szmer brzozy, co o szyby trąca;
Niekiedy dzwonek jękliwy uderzy,
Niekiedy starzec księdzu odpowiada;   480
Świergocą wróble i pod szczytem wieży
Pierzchnie jaskółka i w gzymsy zapada.

Msza się kończyła. — Oto w niskie progi
Jacyś wędrowce weszli do kościoła.
Jeden padł na twarz, całował podłogi,   485
Drugi ponury, nie uchylił czoła.
Gdy się przypadkiem płaszcz odkrył, strój drogi
Błysnął spod płaszcza i twarz niewesoła.
Bali się zasiąść w ławki lub nie śmieli,
Oba pokornie przy progu stanęli.   490

Ksiądz modły skończył, mszał bogaty złożył,
Teraz zaczyna mówić boskie słowo:
„O bracia! dzieci! i tegożem dożył?

Ja, stary wiekiem, z ubieloną głową,
Że kiedy nieraz osładzałem troski,   495
Dziś żal pod strzechę niosę w bożym słowie.
Tu niegdyś siadał — oto ławka pusta,
Nasz pan, Bielecki, niegdyś pan tej wioski.
Zdradził kraj, wiarę. Ksiądz prymas w Krakowie
Wyklął go, klątwę na me przesłał usta.   500
Raz go ostatni bez klątwy wspominam,
Módlcie się! ja się będę modlił z wami...
A teraz, bracia! dzieci! ja przeklinam!..."
Zachwiał się starzec i zalał się łzami,
Zabrzmiało amen — lecz amen żałoby,   505
Jakże niechętne, dźwiękiem ledwo żywe!
Potem się wzniosły łkania żałobliwe,
Jakby w dzień sądu otwarły się groby.

Ale zaledwo podniosło się łkanie,
Zaledwo doszło przed oblicze Boga,   510
U progu nowy zgiełk i zamięszanie.
Jeden z wędrowców, co stali u proga,
Zadrzał i upadł bez czucia na głazy;
Drugi zaś, drżący i blady straszliwie,
Kląkł nad nim, ciche przemawiał wyrazy,   515
Twarz towarzysza ukrywał troskliwie.

Ksiądz na ratunek spieszył od ołtarza.
Zaraz na cmentarz niesiono wędrowca
I tam na zimnym kamieniu grobowca
Kładą martwego wśród kwiatów cmentarza.   520
Cieniem świeżości okryły go drzewa,
Cieniem, co groby kwitnące okrywa;
Wiatr go ochłodził, co w grobach powiewa;
Z pomocą pasterz troskliwy przybywa,
Spojrzał i zadrzał... jakby blaskiem gromu   525
Twarz go ta razi — twarz blada, nieżywa!
I rzekł: „Wyklęty!... my idźmy do domu!..."
Wnet się oddalił tłum kościoła wierny,
A ksiądz wychodził za kmieciów gromadą;
We wrotach stanął, twarz odwrócił bladą   530
I rzekł poważnie: „Bóg jest miłosierny!
A jego litość liczniejsza nad ziarna
Morskiego piasku i głębsza nad morza".

Jeden z wędrowców spał wśród mogił łoża;
Oto z drugiego spadła szata czarna   535
I twarz odkryła... Przebóg! to dziewica!
To Anna! Z ust jej nie słyszano słowa;
Czy brak w niej czucia? Bo sucha źrennica;
Twarz nieruchoma — jakby marmurowa,
A w oczach ogień gorączki się pali.   540
Jeszcze na czole miała zwiędłe kwiaty
I brylantami oświecone szaty;
We włosach jasne przepaski z korali.

„O mój najmilszy!" — rzekła — „o mój drogi!
Jesteśmy sami — już jesteśmy sami!   545
Tyś na mogile usnął — a w te progi
Umarli wchodzą i śpią pod grobami. —
Ty milczysz? — Luby! odpowiedz mi łzami!..."
Nagle spojrzała i krzyknęła srodze,
Potem nań kwiaty rzuciła wonnemi: 550
„Luby, nie zaśniesz na rozstajnej drodze,
Sama w święconej pochowam cię ziemi".

Rzekła; krzyż jeden wyrwała z mogiły;
Kopie grobowiec wśród świeżej darniny,
Lecz coraz słabsza, coraz mdleją siły...   555
I cicho smutne płynęły godziny.
Zachód ozłocił słońca blask jaskrawy,
Brzozy po grobach długie kładły cienie,
Wonnej czeremchy orzeźwiało tchnienie,
Szumiały wzniosłe po grobowcach trawy;   560
Lecz coraz bardziej ciemnieją kolory
I przez liść brzozy księżyc zapłoniony
Topił się we mgłach w różne kształty, wzory,
Lica wyśrebrzał — a nocne zasłony
Okryły cerkiew i groby cmentarza.   565

Już ciemno... Anna sama jedna w nocy
Do drzwi cerkiewnych stukanie powtarza;
Nieszczęsna boskiej wzywała pomocy.
Widna jej postać przy blasku miesiąca
Jak mgły ulotnej srebrzyste obrazy.   570
Bije we wrota coraz słabszą dłonią,
Smutne się echo o groby roztrąca.

Lecz echo coraz słabsze niosło razy;
I coraz słabsze — nikły — jako w Bogu
Tonące modły — jako śpiew daleki... 575
Dziewica blada na kamiennym progu
Usnęła — może usnęła na wieki...

I cicho! Niechaj głos pieśni stłumiony
Nie budzi ciszy w wieczornej godzinie;
Całego świata gdy się odgłos spłynie, 580
Tworzy tę ciszę, co ziemię osłania;
Lecz myśl głęboko zadumana słyszy,
Jak gdzieś daleko brzmią pogrzebów dzwony,
Jęki rozpaczy i wrzawa wesoła, 585
I płacz boleści, i śmiech obłąkania,
I wszystko można rozróżnić w tej ciszy
Słuchem anioła i myślą anioła.

Objaśnienia poety

W. 310

... *w Rzymie Oceanu*.

Wenecja.

Lambro
Powstańca grecki

POWIEŚĆ POETYCZNA W DWÓCH PIEŚNIACH

Pieśń pierwsza

> ... Should we again provoke
> Our stronger, some worse way his wrath may find
> To our destruction; if there be in hell
> Fear to be worse destroy'd .....

MILTON

I

Falo błękitna, kołysz łódkę Greka,
Niech mu po morzu ściele księżyc złoty
Ścieżki obłędne, niech przed nim ucieka,
Gdy po tej drodze puści żaglów loty;
Kołysz go, falo, i łódkę Majnoty   5
W samotną morza obłąkaj krainę,
I tam mu powiedz: „Ja nosiłam floty
Na moich skrzydłach aż pod Salaminę;
Płynęłam taką, jaką dzisiaj płynę".

W Archipelagu zanieś go ostrowy.   10
Tam góry chmurą owiane błękitną,
Na górach kolumn potrzaskane głowy;
Nad nimi wiecznie kwitnie laur różowy,
Pomarańczowe drzewa wiecznie kwitną
I śniegiem kwiatów zasypują gruzy.   15
A ludzie — cierpią, że umrzeć nie śmieli;
Twarz ich boleści rysem naznaczona.
Gdyby tu błysnął dawny wzrok Meduzy,
Gdyby ci ludzie, jak są, skamienieli,
Ileż by nowych posągów przybyło,   20
Łamanych wiecznym bolem Laokona.
Tu nad pomników i ludzi mogiłą
Księżyc posępny płynie co wieczora.
Gdy góry światłem błękitnym przeniknął,
Mgły zasłonami doliny ośnieżył,   25
Szuka posągów, które widział wczora,
Do których twarzy wiekami przywyknął;
Blady — jak starzec, co na ziemi przeżył

Zagasłe, mrące co dnia dzieci koło;   30
Gdy wszyscy padną, gdy ostatni padnie,
Tak ma wiekami wyniszczone czoło,
Że się nie chmurzy żalem ani bladnie,
I nikt cierpienia z twarzy nie odgadnie.

II

    Archipelagu wysp wieniec różowy   35
Lekkich kaików przerżynają wiosła.
Jak dawne nimfy, tak dziś te ostrowy,
Przed tureckimi uciekając gwałty,
Odmienne pierwszym biorą na się kształty.
Jak niegdyś Dafne w liść lauru porosła,   40
Tak dzisiaj Hydra zielona laurami.
Ipsara skalnym błyszczy stroma brzegiem,
Podobna córce głazowej Tantala,
Gdy pod nią śnieżna rozbija się fala,
Wiecznie od czoła wieńczonego śniegiem   45
Kryształowymi upłakana łzami.

    Ipsarskie miasto, jak dłutem snycerza
Ze skał ciemnego łona wydobyte,
Barwy ma szare, od tła nie odbite
I lasem masztów na poły schowane.   50
Gdzieniegdzie lekka minaretów wieża
Niesie pod niebo szczyty ołowiane.
Tam rzędy okien, od łuny zachodu
Jak mnogie lampy rozpalone, drżące,
Co chwila bladsze, co chwila gasnące,   55
Już zaszły mrokiem — ale szczyty grodu
Długo złociste miały słońcem dachy.

    Ostatnie światło z ciemnością się starło...
Chociaż to miasto na pół obumarło,
Gwar słychać w mieście — bo bezludne gmachy   60
Głośniejszym odgłos odbijają echem;
Gwar smutny — rzadko pomięszany śmiechem
I tajemniczy jako te odgłosy,
Które wiatr z martwej muszli wydobywa.
W głębiach haremów lśniące perłą rosy   65
Palą się róże — smutno słowik śpiewa;
Przez szczyty murów na ciche ulice
Wonnych akacji zwieszają się kwiaty;
Czasem pochodnia błyśnie spoza kraty;

Księżyc turbanu olśni bawełnicę.
To Turek dąży w znajomą gospodę,   70
Co inne gmachy przenosi wytworem;
Gdzie wielkie kotły wrzącą źródeł wodę
Leją w kanały złotym dziwotworem;
Ta z kłębem pary wytryska w fontanny
I wieczną walkę z zimną siostrą toczy,   75
Opryska warem, parą ją omroczy,
Wprzód nim zezwoli iść do wspólnej wanny.
Tam woń arabskich napojony duchem
Przechodzi Turek w marmurowe sale;
Jedna za drugą wiążą się łańcuchem,   80
Kłamane dalej w zwierciadeł krysztale.
Tam Grek usłużny obbiega wokoło,
Dla muzułmanów nie szczędzi ukłonu:
Do ziemi chyląc osiwiałe czoło
Nalewa mokkę w łono róż z Japonu;   85
Potem przed Grekiem stawia czarę z gliny,
Chowając aspra, do czary nalewa
Napój z makowej tłoczony rośliny,
Co śmierć sprowadza – jak cień tego drzewa,
Które usypia snem głębokim zgonu.   90
Mrok spada w dymu stambulskiego chmurze,
Gdzieniegdzie tylko z Etrusków wazonu
Widać w półowie wychyloną różę;
Gdzieniegdzie błyszczą sztyletów głowice;
Tam nieruchome wyznańców turbany   95
Porosły kołem jak łąk tulipany;
Nad turbanami palą się księżyce.

III

Wchodzi do sali młody Ipsariota,
Jak u spiewaka twarz blada i smutna;
I na ramieniu miał kapotę z płótna,   100
Niegęsto nićmi przetykaną złota.
Widać z gitary – znać po blasku oka,
Że z pieśnią sioła i grody przebiega...
Wnet go tłum Greków dokoła oblega,
Wypuścił bursztyn wierny syn Proroka.   105
Greki i Turki zarówno ciekawi,
Jaki głos śpiewak, jaki lutnia wyda.
Czy ich upiorów powieścią zabawi?
Czy brylantową bajką Alraszyda?

Spiewak po sali wiódł wzrok obłąkany,
Jak gdyby liczył tureckie turbany;
A potem spojrzał w mnogie Greków twarze
I gdy w nie patrzał — znalazł dźwięk w gitarze.

POWIEŚĆ GREKA

IV

Małe tu znajdę dla pieśni pokupy,
Miłość ją kraju i rozpacz uprzędły.
Tu zżółkłe twarze — może serca zwiędły?
Miałem tu znaleźć ludzi — widzę trupy.
Niezdolni z życia wybić się skonaniem,
Wyście odważni — lecz na pół otrucia,
Wyście przywykli zabijać pół czucia
I zmartwychwstawać, lecz półzmartwychwstaniem,
Wiecznie okuci w żelazne ogniwa.
Pieśń często z kajdan iskry wydobywa;
Więc będę śpiewał i dążył do kresu;
Ożywię ogień, jeśli jest w iskierce.
Tak Egipcjanin w liście z aloesu
Obwija zwiędłe umarłego serce;
Na liściu pisze zmartwychwstania słowa;
Chociaż w tym liściu serce nie ożyje,
Lecz od zepsucia wiecznie się zachowa,
W proch nie rozsypie... Godzina wybije,
Kiedy myśl słowa tajemną odgadnie,
Wtenczas odpowiedź będzie w sercu — na dnie.

Myśl syna pieśni ciemna, niezgłębiona,
Jest jako fala umarłego morza;
Co jej powierzysz, wnet wyrzuca z łona,
Lecz barwą ciemnych głębi przyodzieje,
Da nieśmiertelność kamiennego łoża,
Kwiat w niej nie tracąc barwy kamienieje.
Lecz jeśli wieszczek nie znajdzie wyrazów,
W głąb jego serca słuchacz nie dosięga;
Często podobny sam do zimnych głazów,
Choć pieśń ognista w myśli się wylęga;
Często go słuchacz odbiegnie wesoły...
A pieśń, co ledwo dopłynie półowy,
Jak mórz zamarłych owoc rubinowy
Bezpłodne w sobie zamyka popioły.

V

Niegdyś nam północ miecz podała w dłonie,
A potem chytra bezsilnych odbiegła.
Widziałem walkę — widziałem to błonie,   150
Gdzie siła naszych rycerzy poległa.
Ja byłem dzieckiem i patrzałem z chaty...
Powietrze chmura proporców krajała,
W tureckich szykach lśnił księżyc bogaty,
Nad nim dym srebrny wyrzucały działa,   155
Stamtąd huk leciał, stamtąd ziemia grzmiała
I grad pocisków wyrzucały spiże;
A stąd, zachodnim złocone promieniem,
W ten dym ognisty szły błękitne krzyże
Z upornym, z głuchym rozpaczy milczeniem.   160
Potem je dymy spiżowe pożarły,
Mignęły w ogniu złote — i pobladły.
Przed nocą wszystkie szeregi wymarły
I wszystkie krzyże w szeregach upadły.

VI

Tak się zwycięstwa przeważyły szale...   165
Lambra tureckie ominęły gromy,
Wdarł się na skałę — całą noc na skale,
Patrzał na groby, na groby bez końca!
I tak nazajutrz jeszcze nieruchomy
Błyszczał w promieniach wschodzącego słońca...   170
A stamtąd poszedł błąkać się po świecie.
Lecz nie samotny — znalazł się ktoś drugi,
Co przy nim giermka podjął się usługi;
Kto to był taki? — może odgadniecie.

Po długich latach z krainy wygnania   175
Ujrzał, jak Grecy z wiatrem na wyścigi
Nieśli po górach hasło zmartwychwstania;
Pieśń grzmiała w dzwonkach — była to pieśń Rygi.
Ale niedługo Grek o szczęściu marzy,
Kolejno w siołach milkła pieśń i dzwony,   180
Gdzieniegdzie snuł się Kleft — lecz zakrwawiony,
I z krwią miał rozpacz przysechłą do twarzy.
Płacz, narzekanie wstrząsa Greków chaty,
Echami skał się rozpłakały łona.
„Jutro" — wołają — „na maszcie fregaty   185
Haniebną śmiercią młody Ryga skona".

VII

Na dzikich brzegach skalistej Ipsary
Wznosi się klasztor wysoko nad morze;
Krzyż jego pierwszy wita ranne zorze,
Ostatnie słońcem złocą się filary.   190
Koło klasztoru bez czoła kolumny
Stoją jak palmy pozbawione liści.
Tam mnich pracuje koło własnej trumny,
Tam od tureckiej uciekł nienawiści...
Ów dzwon, co dzisiaj ogłasza pacierze,   195
Nieraz do broni powoła Majnotę;
Nieraz od Turków okrążone wieże
Czoła dział srebrnym uwieńczają dymem,
Z tych okien błyszczą spiżu paszcze złote
I mnich pokorny staje się olbrzymem.   200
Nieraz rozpaczy naglony potrzebą
Rozwala miną poświęcone ściany;
Rzekłbyś, że mnich ten chce zdobywać niebo
Skał odłamami jak dawne Tytany.
        Na niższych skałach cmentarz muzułmanów,   205
Czarowny, cichy, pełny drzew i kwiatów,
I dłutowanych w marmurze turbanów,
Jak odłam z rajskich oderwany światów
I przesadzony na skalne urwiska.
Tam byłem wczora... Słońce zachodziło...   210
Za marmurowe skryty grobowiska,
Widziałem dwoje ludzi nad mogiłą;
Widziałem Klefta i Greczynkę młodą.
Ona – do Peri podobna urodą,
Jak była piękną, wyraz nie okryśli!   215
Gdy długo, długo patrzałem w jej lica,
Kiedy się potem obudziłem z myśli,
Tak byłem tęskny – rozmarzony – smutny,
Jak gdybym długo patrzał w twarz księżyca.
Snadź, że jej życie był to czas pokutny   220
Za całą przeszłość szczęścia pogrzebaną;
Miała na twarzy smutek – lecz nie żałość,
Barwę koralu łzą nie opłukaną;
Rumieniec tonął w bezpromienną białość,
I w białych szatach stała między drzewa,   225
Wpół przeświecona blaskami zachodu,
Podobna srebrnej fontannie ogrodu,
Z której wiatr mgliste warkocze odwiewa.

Kleft, znać z ubioru, był kiedyś rycerzem
I wierne rysom członków nosił szaty,   230
Piersi jedwabnym zamknięte pancerzem,
Co się od słońca w różne barwy łamie,
Wypukło w złote wyszywany kwiaty;
I miał kapotę rzuconą na ramię,
Białą jak śniegi − i pas złotolity,   235
Nogę złoconym wiązaną rzemieniem,
Małą misiurkę, której aksamity
Pod kruczych włosów tonęły pierścieniem,
Na niej w misternie ułożonej zwici
Węzeł w złociste rozpadał się nici.   240

Choć stłumionymi przemawiali słowy,
Mogłem dosłyszeć ułamków rozmowy.

VIII

„Lambro! ty w słowach dajesz mi obłudę,
Nie odpowiadasz szczerze, gdy zapytam.
Na twoim czole z przerażeniem czytam   245
Ostatni stopień wszystkich nieszczęść − nudę.
Blask twego oka nie odbłyska z duszy.
Serce jak brylant, chociaż się rozkruszy,
W każdym odłamie iskra się zawiesza,
A każda czystym lśni tęczy promieniem;   250
Lecz na twym czole jakiś szatan miesza
Rozpacz ze śmiechem, śmiech blady z cierpieniem...
Ty jesteś z ludzi, których serce żywi
Łzami − lub gorzką trucizną laurową.
O! bo też prawda, że my nieszczęśliwi,   255
I czasem czuję, że pociechy słowo
Ma dźwięk szyderczy i na serce spada.
Gdy myślą wracam w przeszłości krainy,
Widzę, jak przy nas stojąc rozpacz blada
Czekała szczęściem niepełnej godziny,   260
Aby się poznać z nami − i być z nami...
Czekała długo − przyszła, choć nieskora;
Ze wspólnych myśli jednego wieczora
Myśmy się w stronę rozbiegli myślami.
I dziś mi nie chcesz odkryć serca głębi,   265
Milczysz?..." −
                    − „Dziś nie chcę zabijać słowami,
Bo każde słowo do serca utonie

I tak jak sztylet dreszczem je oziębi;
A potem długim rozpamiętywaniem
Jak żar piekielny rozpali się w łonie,   270
I potem, potem — cała przyszłość twoja
Stanie się długim i ciężkim konaniem.
O! patrzaj na mnie — ta złocista zbroja
Dzikiego Klefta nigdy nie stroiła,
Zmieniłem szaty — tyś serce zmieniła.   275
Winnaś wyczytać na pobladłym czole
Myśli ukryte i obecne bole,
I wszystkie zbrodnie — a żądasz wyrazów!
Tak jak wędrowiec wśród grobowych głazów
Nie umiesz czytać napisów cmentarza?   280
Więc poznaj Lambra, jak ludzie poznali...
Jam dzisiaj królem błękitnawej fali,
Mszczę się... Dziś czarna bandera korsarza
Rzuca cień śmierci, gdzie dosięgną działa:
I zapomniałem zetrzeć z mego czoła   285
Cieniu, co dzisiaj rzuciła nań rano;
Otarłem tylko szablę krwią skalaną.
Kłócę niebaczny spokojność anioła...
Na pół przeklęty, na pół zapomniany,
Rozpalam ogień miłośnej pochodni   290
I wiążę serce dwóma talizmany,
Wielkością nieszczęść — i wielkością zbrodni.
Mój obraz kształty przybierze olbrzymie
W głębi twej duszy — jak anioł upadły,
We krwi skalany — w dział omglony dymie,   295
W blasku brylantów i złota wybladły.
O! bo ja miałem wielką niegdyś duszę!
Lecz gdy ją znudził smutek jednobrzmienny,
Idę wśród ludzi jak przez las jesienny,
Kędy pod stopą zżółkłe liście kruszę,   300
I gardzę liściem, co ścieżki pozłaca
Barwą uwiędłą — lecz szum ich zasmuca!
Wolę, niech moją łodzią fala rzuca,
Niechaj mi wzgardą za wzgardę odpłaca.
Morze — to wielka mogiła stworzenia,   305
Dumającemu na niej myśli płyną.
Nieraz na fali umieram z pragnienia
Jak obciążony Tantalową winą,
I mogę niebo przeklinać — i morze.
Usłałem sobie rozwahane łoże,   310

Co mi piastunki daje kołysanie;
Bo spać nie mogłem na ziemi — a teraz
Często mię zorza spiącego zastanie
I nie obudzi skrawym światłem — nieraz
Działo mi dając ranne powitanie   315
Zbudzić nie może — często sen przedłużę,
Aby w tym życiu żyć jak najmniej — nie snem.
Dziś nieszczęściami są mi niebios burze,
Lina zerwana ujęciem niewczesnem;
Mam jeszcze czucie... bo dziś mię rozczula,   320
I łzy mam w oku, gdy rozryje kula
Maszt, z którym długie przebiegałem drogi,
Wycięty z rosłej Epiru topoli,
Co mi rodzinne wspominał rozłogi;
Lecz gdy mrą majtki, wtenczas po niewoli   325
Na moich ustach błyszczy uśmiech dziki,
Jak gdybym szydził, że niezręczni byli
Śmierci uniknąć — a ci ludzie żyli
Ze mną przez długie lata trosk, cierpienia,
Jak krwi tygrysy — druhy — niewolniki...   330
Ostatnia miłość, miłość przywyknienia,
Skamieniałego serca nie poruszy...
Ze złotem stawię człowieka na szale,
A potem złoto rzucam w morskie fale,
Jakby w tym była jaka wielkość duszy". —   335

IX

Słucha dziewica, jej rumieniec mgławy
Zrazu rozkwitał i blasku nabywał...
Gdy zaczął mówić, to uśmiech ciekawy
Twarz jej oświecił — we łzy się rozpływał
I znów powracał tak w odcieniach zmienny,   340
Że słów kochanka wydawał się echem;
A gdy ten uśmiech gasiła zgryzota,
Gdy obumierał zadumaniem senny,
Podobną była do niewiasty Lota,
W chwili gdy tonie ostatnim uśmiechem   345
W nieodgadnioną boleść, w sen kamienny,
I jeszcze słucha w przeszłość odwrócona...
I tak posągów brała kształt nieżywy,
Tak opuściła bezwładnie ramiona,
Że z ramion szata płynąca do ziemi   350
Jakby w kamienne łamała się spływy.

I Lambro bladnął, i usty drżącemi
Mówił: „O luba, wybacz, że te słowa
Zanadto czarną malowały duszę;
Przywykłem kruszyć serca — a gdy kruszę,   355
Patrzeć, jak cierpią, i śmiać się szalenie.
Lecz twoja boleść, bladość marmurowa,
To już nad moje siły, nad sumnienie!
Czy wierzysz, luba? ja się wyznać wstydzę,
Ja, korsarz krwawy! ja, ludzi morderca!   360
Że się zabójstwem i zbrodniami brzydzę,
Że mam myśl jedną, wielką w głębi serca,
Co kiedyś zbawi nawet pamięć moją.
O luba! teraz niech się ludzie boją;
Niech się przed czarnym chronią pawilonem;   365
Znajdę ich — zbudzę... jeśli nagłym zgonem
Bóg wielkiej we mnie myśli nie rozłamie.
Na moim czole widzisz dumy znamię,
To jest przeczucie sławy; — tam — tam w dali
Widzę okropną przyszłość — ale sławną;   370
Precz te obrazy!... Luba! jakże dawno
Z tobą po obcych błądziliśmy światach!
Jakżeśmy dawno w przeczuciach szukali
I w oberwanych po liściu róż kwiatach
Naszej przyszłości! Z tobą moje losy   375
I z tobą dotąd wiążę myśli moje.
Często przed ludźmi w kajucie ukryty,
Jak dziecię trefię przed zwierciadłem włosy,
Szaty poprawiam — brylantami stroję,
Bo widzę jasno — widzę w twych marzeniach   380
Mój własny obraz wyraźnie odbity,
Więc podobieństwa szukam w ukraszeniach
I póty śmiechem rozjaśniam jagody,
Aż póki czyste wróci mi zwierciadło
Obraz twych wspomnień z twarzą mniej pobladłą,   385
I mniej posępny i smutny — i młody.

„O! świat ten gorżki, śmiechem przeraźliwy
Dla tych, co płaczą czy to krwią, czy łzami.
Chroń się ty świata — bo on nie był z nami
W szczęścia godzinie, więc i dziś nie będzie;   390
Bo przeciw wielkim czuciom on gniewliwy
I nie przebacza tym, co toną w błędzie.
Patrz, jak ten klasztor czoło w chmurach trzyma.

Ja ci wynajdę mieszkanie w klasztorze;
Zamknij się w cichej celi i ze skały   395
Patrzaj nocami na rozległę morze,
I błękitnymi po fali oczyma
Mojego statku ścigaj żagiel biały.
A gdy zagrożą fali niepokoje,
Kiedy się będziesz modlić zdjęta trwogą,   400
Razem popłyną w niebo, jedną drogą,
Twoje modlitwy i przekleństwa moje.

„Lecz nim obierzesz klasztorny spoczynek,
Jutro, nim zorza świtem się rozpali,
Przyjdź do mnie sama — tam — nad brzegi fali,   405
Odziana płaszczem bogatych Turczynek.
I miej kalemkiar ciemny z musselinu
Lub czewrę gęsto haftowaną złotem;
Niechaj się z wiatru nie wznosi polotem,
Nie zdradzi twarzy przed oczyma gminu.   410
Jutro — pamiętaj! — tam łódź moja czeka,
Gdzie się przy skale załamało morze.
Ja sam, przebrany w tureckim ubiorze,
Płynę na pogrzeb ostatniego Greka". —

Skończył — a kiedy z ostatnimi słowy   415
Na piersi chylił twarz cierpieniem zbladłą,
Zda się, widziałem, kilka łez upadło...
Nie wiem... to może z silniejszym powiewem
Opadał z drzewa kwiat pomarańczowy?
Nie wiem, czy płakał — czyli zachwiał drzewem?   420

X

Ranek był. Morze rozpalone świtem
Wre z dala, szumi i srebrzy się w pianę,
Potem portową groblą odłamane,
Brzegi spokojnym oblewa błękitem;
A brzeg wysoko szarzeje granitem.   425
Wyżej palm błyszczy zieloność wesoła.
Te palmy, w niebo sięgające szczytem,
Jako nam istność malują anioła;
W mgle mają stopy — a w błękicie czoła.

O! jakże smutny fali szum bezdenny,   430
Co się z cichego morza wydobywa!
I ten las masztów jako las jesienny,
Z którego burza północy gniewliwa
Połowę jasnych liści poobrywa;
A pozostałym da rozliczne szaty,   435
Liść Sztatudera złotem się pokrywa,
Róż Albijonu płonią się szkarłaty,
Szronem się Franków ośrebrzyły kwiaty.

Słysząc szum żagli — słyszysz jakby we śnie
Gwarzące różnym językiem narody...   440
Rozdarte gromem skarżą się boleśnie,
Jakby mówiły doznane przygody
I prześcignięte z wiatrami zawody.
A fala milczy — choć może w niej tonie
W tej chwili okręt nadziejami młody;   445
I jęk rozpaczy wydany przy zgonie
Uczuła fala — lecz zamknęła w łonie.

XI

Okręt troistą opasany spiżą
Zatknął na maszcie księżyc, trzy buńczuki,
Omglił się dymem — dział rozesłał huki: 450
I wtenczas niby szatana był tronem;
Gdy wiatr poddany dym unosił chyżo,
Wszystkie go maszty witały pokłonem;
A okręt ucichł, pił dumy kadzidła.
Mgła ranna, hukiem potrójnym rozbita,   455
Srebrne po masztach zawieszała skrzydła;
Na wschodzie skrawo dzień wschodzący świta.
Nie ma wyrazów język niezaskarbny
Malować słońcem ukazane czary.
Jako rozkwitłe Nilu nenufary   460
Z kwiatów kobierzec wiążą różnofarbny;
Jak odświeżone muszle i kamyki
Pieszczotą fali — tak na cichej wodzie,
Wiążąc się razem w jasne mozaiki,
Spłynęły żaglem oskrzydlone łodzie.   465
Tam turban kitą ozłocony świetną,
Tam srebrna dziewic zasłona powiała;
Od łodzi fala różny połysk brała,
Barwiona złotem lub purpurą Tyru.

Cała ta przestrzeń była łąką kwietną,   470
Była doliną, szalem kaszemiru.
Łódź każda wiosłem drugą łódź prześciga
Pod maszt fregaty, gdzie ma skonać Ryga.
I tak jak chciwe sępy albo kruki,
Gdy czują oddech śmierci, tak spłynęli   475
W bogatych łodziach po morskiej topieli
Z męczarni Greka różne brać nauki.
Wielu jest w tłumie, co się śmiać nauczą,
Śmiech taki wrzkomo wielkość serca kłamie!
Wielu stąd wróci i miecze rozłamie,   480
Co jutro w królów miały tonąć łona.
Gdy tacy zemstę aniołom poruczą,
Nieliczny może z męczarni wyłamie
Prawdę — że skonać nietrudno — i skona.

XII

Wstąpił na pokład Ryga wśród janczarów,   485
Kiedy chciał mówić, słowa mu nie dali;
Więc tylko okiem raz rzucił po fali,
Spojrzał na mgłami osrebrzone góry.
A wtenczas ucichł dźwięk niesfornych gwarów,
W szmer się zamienił gasnący — ponury,   490
I była cisza... Z ciszy wybłąkana
Pieśń, między Turków urodzona tłumem,
Na kilka cichych głosów rozłamana,
Rośnie i z fali kołysze się szumem,
Rzuciła w tłumie grzmiące Rygi hasła: 495
Powstańcie, Grecy! ale Grek nie słyszy.
Powstańcie, Grecy! brzmiało — ale ciszéj —
Do broni — cicho — pieśń znikła — zagasła.
Pieśń serce Rygi przy skonaniu kruszy,
Lecz radość widna z twarzy i z postawy.   500
Jak gdyby przeczuł nieśmiertelność duszy...
Może czuł tylko nieśmiertelność sławy.

XIII

Widziałem! ja sam widziałem, o Greki!
Jako na wielkie wstąpił rusztowanie;
Widziałem wszystko — i tłumiłem łkanie...   505
On był tak młody — nie zmrużył powieki,
Choć śmierć tak bliska! choć śmierć tak straszliwa!
Jeszcze go widzę, jak zasłonę zrywa,

Jeszcze go widzę – jak pod nieba stropy
Na rusztowaniu stanął – i smutnemi   510
Oczyma dawał pożegnanie ziemi,
Siłom młodości – marzeniom młodości.
Wtem szczeble pękły wymknięte spod stopy...
Nie mam wyrazów... Któż mu nie zazdrości
Śmierci, teutońską sprowadzonej zdradą?   515
Lecz któż się zemści? któż w całym narodzie?

    I właśnie słońce wstawało na wschodzie,
I promień z rannej otrząśniony rosy
Pozłocił Rygi twarz martwą i bladą
I na ramiona spływające włosy.   520
Na twarzy siłę ukazał niezmienną,
Uratowaną z męczarni rozbicia;
Na twarzy walczy senna boleść życia
Z drugą boleścią wieczności – bezsenną.

    XIV
    A w tłumie widzów jedna łódź ożyła;   525
Jak po jeziorze trzcinami zarosłem
Wężową ścieżką z tłumu się wywiła;
Turek ją pędził obustronnym wiosłem
I bawił Turków, rzucając nad głowy
Tysiączne kręgi wodnistych obręczy,   530
Umalowane kolorami tęczy.
A łódź, jak delfin w wodzie rozigrana,
Czasem tonęła w odmęt lazurowy,
Równa powierżchni morza, tak że piana
Żagiel srebrzyła; czasem statek złoty   535
Po wierżchu fali szedł ptasimi loty,
I coraz bliższy fregaty sułtana,
Nie bacząc niby, pod srogimi kary
Wzbronione łodziom granice przechodzi.
Nie śmieli strzelać strzegące janczary   540
I od płynących zdrady się nie bali;
Bo w tej złocisto malowanej łodzi
Ujrzeli postać dziewicy – i głośno
Śmiejąc się wszyscy – wszyscy przeklinali
Szatę turecką – zamkniętą – zazdrośną,   545
I ów kalemkiar z musselinu biały,
Tak gęsto lśniącym haftowany złotem,
Że go powiewy wiatru nie odwiały

Ani łódź szybkim odsłoniła lotem.
Ta pod zasłoną róża niewidoma,   550
Snadź z ciekawością dziecinną haremu,
Może przejęta zgrozą — nieruchoma,
Chciała się bliżej przypatrzyć zmarłemu?
Może się pod tą zasłoną ukrywa
Uśmiech w połowie ciekawy — wesoły?   555
Z takim uśmiechem liście róż obrywa,
Z takim uśmiechem te ziemskie anioły
Widzą zgon róży — serca — lub człowieka.

A wtem okrętu piersi niedaleka,
Łódka uczuła silny popęd wiosła,   560
Biegła po fali — z fregatą się zrosła:
I wnet z jej łona dym się wybił szary,
A potem jasność błękitnawa siarki.

Majtek przez chwilę patrzał na pożary;
A gdy mu płomień ramiona otoczył,   565
Odrzucił turban i do fali skoczył.
Za zbiegłym setne strzeliły janczarki,
Przed kulą w morzu zanurzony zginął...
Po chwili błękit pianą się zakłócił,
Majtek na fali powierzchnie wypłynął,   570
Pobladłym Turkom śmiech szyderczy rzucił...
A gdy śmiech echo okrętu powtarza,
Gdy się twarz majtka słońcem oświeciła,
Śmiech ten poznałem — był to śmiech korsarza,
I twarz poznałem — to twarz Lambra była.   575

XV.

Spłonęła łódka — a w dymie z lazuru
Błękitna siarka błyska — zrazu blada,
Całuje okręt jak czarę z marmuru,
Jąć się nie może, ślizga się i spada —
Wgląda na pokład — potem z trzaskiem nagle   580
Czerwono dębu zajęła się ściana
I w dymu kłębie iskra zabłąkana
Jak gwiazda z nieba upadła na żagle.
Wnet płomień szybko aż na maszty wbiega,
Spodem okrętu roztwiera szczeliny...   585
Pękały szyby i rwały się liny,

I maszt z węglowym padł na pokład dźwiękiem.
Odłos rozpaczy w trzasku się rozlega,
A tysiąc jęków było jednym jękiem...
Ucichły razem... huk płomieni głuchnął;
Ciszą się zdawał, gdy doń słuch nawyknął.
Nagle – w płomieniach nowy blask wybuchnął.
Jak tknięty różdżką czarowną aniołów,
Z gromem wulkanu cały pożar zniknął,
Zostawił przepaść – i w niej wrącą pianę,
I wszystkie łodzie burzą kołysane,
A na nie chmura upadła popiołów.

XVI

Takim był Ryga uczczony pogrzebem...
Nie poszedł próchnieć w marmurowe lochy,
Stos miał wzniesiony pod błękitnym niebem
Z dębów i trupów – jako do łzawicy
Do czary morza spadły jego prochy. –
Lecz jak okropna śmierć młodej dziewicy!
Anielskim niby ożywiona duchem,
Kiedy ją ogień dokoła obchodzi,
Boleści żadnym nie zdradziła ruchem,
Bez jęku prochem opadła do łodzi.

XVII

A Lambro w morzu przechował się cały,
Do korsarskiego dopłynął okrętu;
Przywołał pazia – i na pół omdlały
Padł na kobierce – mówił – a z odmętu
Myśli zburzonych płynie mowa skora,
W stu słowach ledwo jedna myśl rozkwita...
Mówił do pazia: „Już pora! już pora!
Zmienić banderę... Ale czy powstaną?
Gdy krzyż na czarnej banderze zaświta,
Może powiedzą:»Szalony! za rano!«
Więc dla niczego tyle znieść męczarni?
Paziu! idź w góry, gdzie się Klefty kryją,
Do marmurowych zazieraj kawiarni
I pieśń im spiewaj – i zobacz, czy żyją?
Zobacz – na grobach czy płaczą mściciele?
Lecz wróć jak zwykle lać napój makowy,
O każdą kroplę napoju się spierać;
Bo dzisiaj czuję straszny ciężar głowy

I ciężar myśli... wypiłbym za wiele.
Dzisiaj chcę marzyć dłużéj — i spać dłużéj —
Ale żyć muszę — z Grekami umierać...
Idź, dobre wieści przynieś mi z podróży..."
— „Poszedłem" —

            Spiewak cały się zapłonił,   630
Czuł, że się słowem nieroztropnym zdradził:
Kryjąc zmięszanie — silnie w lutnię dzwonił,
Ręką przez wszystkie struny przeprowadził.
Obejrzał koło Greków... myśli czyta.
Zaśmiał się gorżko — rzucił wzgardy okiem   635
I wyszedł... Za nim śpiesznym wyszła krokiem
Jakaś Greczynka zasłoną okryta.
Może ciekawa pieśni tajemnicy
Za odchodzącym paziem zawołała?
Potem z nim długo — długo rozmawiała   640
Na ośrebrzonej księżycem ulicy.
A choć rozmowy nie dosłyszeć dźwięku,
Snadź gorącymi prosiła go słowy...
Musiał zezwolić — bo na jego ręku
Błysnął księżycem pierścień brylantowy.   645

Pieśń druga

I

Już noc zapada w korsarza kabinie,
Zalana falą szyba bursztynowa
Coraz ciemnieje; jak w piekła krainie
Mrok był ognisty i cisza grobowa,
Piekło to było... i te same słowa,   5
Co na piekielnej wypisane bramie,
Tu z pierwszym wiatrem na wchodzących wieją;
Bo kto tu wejdzie, żegna się z nadzieją.
Tu myśl starzeje w przeciągu godziny;
Gdy się nad głową grzmiąca fala łamie,   10
Gdy huczą płótna, jęczą stare liny,
Choćbyś wrażenia powiązał łańcuchem,
To się rozprysną – ogarnąć nie mogą
Ruchu, co ziemi wydaje się ruchem,
Pojęty tylko jednym zmysłem – trwogą.   15
Jest ktoś w kabinie – bo chociaż wśród cienia
Nie widać kształtu żyjącej istoty;
Lecz słychać często ciężkie odetchnienia.
Ktoś w tym się grobie musiał zamknąć żywy.
Jeżeli czuwa, to ma myśl zgryzoty;   20
Jeżeli zasnął, to ma sen straszliwy.

Paź wszedł... postawił na stół lampę kryształową.
Przy stole siedział korsarz z pochyloną głową
I zadrżał, bo te światło z marzenia go budzi,
Bo te światło natrętne było jak tłum ludzi,   25
Co widząc blade czoło o szaleństwo woła.
Korsarz długo ze światłem godził rysy czoła,
Twarz jego jakby z kruszcu łamała się twardo,
Malowana na przemian śmiechem, bolem, wzgardą;
A potem się w bezwładną spokojność przybrała;   30
Jeśli twarz może skonać, twarz Lambra skonała.
I spoczywał bezwładnie na stole oparty,
Przed nim rozwite świata znajomego karty,
Cała ziemia, ramieniem Lambra opasana,
Leżała jak w żelaznych skrętach Lewiatana.   35

A te ściany są krwawą powieścią korsarza.
Lampa, co przed nim płonie, zdjęta sprzed ołtarza,

Świeci zbrodni, jak niegdyś przyświecała Bogu.
Tam dalej blask księżyca rzucony na progu
Odbłyska jakby kawał śniegu błękitnawy.   40
I różne pawilony, z obcej wzięte nawy,
Skarżą się pod stopami korsarza rozdarte.
A tam – lampa oświeca pargaminu kartę,
Firman – złotem w sułtańskie ustrojony słowa;
Na nim jak pieczęć z wosku leży trupia głowa,   45
Od sułtana samego głowy mało mniejsza,
Żółta, lśniąca i może z czaszek najpiękniejsza.
Dalej złotem wybite, krwią rdzawe oręże,
Nad czarami ze spiżu okręcone węże
Zginają kark do czary po szczątki trucizny.   50
Z tych ścian wyczytaj zbrodnie wygnańców z ojczyzny.
A sumnieniem kajuty są ścienne zwierciadła,
Których powierżchnia parą wilgoci pobladła,
I – co dnia zasłonami grubszymi ciemnieją,
I co dnia, na co patrzą, spowiadać nie śmieją. –   55

Czasem słychać szum morza, czasem cichość głucha.
W ciszy korsarz podnosi blade czoło – słucha.
Jego myślom, w dalekie rzuconym zawody,
Odpowiadają dźwiękiem krople morskiej wody,
Co ze szczelin sączone dźwięk wydają szklanny,   60
Jak płacz łzawy dalekiej w cytrynach fontanny.

III

Czegoż paź czeka? – Powinien co nocy
Podawać czarę, w niej napój makowy.
Bo Lambro, co dnia bladszy, o północy
Szaleje trucizn namiętnym piciem;   65
I życie mieni na sen gorączkowy,
Sen tak jasnymi grający barwami,
Że chwile życia zdają mu się snami,
A sen szalony wydaje się życiem.
I co dnia czara o kroplę pełniejsza   70
Te same widma i sny mu dawała.
A choć twarz bladła – źrennica świetniejsza,
W ciemność wlepiona, krwawa – potem biała,
W krainę duchów biegła – i wracała
W krainę myśli... wtenczas cierpiał – szalał –   75
Żebrał u pazia trucizny nad miarę;

Lecz paź jak dziecku groził, nie pozwalał.
I nieraz w morze ciskał zgubną czarę.

IV

Lecz cóż się stało, że choć noc zapadła,
Paź jak zazwyczaj nie podaje czary?
I korsarz milczy — choć mu twarz pobladła;
Snadź, że się lęka ze wspomnień zwierciadła
Zamglić szaleństwem — gorączkowej mary
Owego widma płonącej fregaty,
Co stoi przed nim pełna jęków, wrzasku
Przeraźliwego — wśród płomieni blasku,
Dotknięta palcem anioła zatraty.
Więc nie chce trucizn — ale czy wytrzyma
Przez noc zwyczaju przełamać narowy?
Obłąkanymi spogląda oczyma,
Wstał — i na pokład wyszedł okrętowy.

V

Noc była cicha. Okręt na kotwicy
Niepełnym żaglem brał wiatru pieszczoty.
Powietrze szkliste, pełne tajemnicy
Księżycowego blasku i tęsknoty.
I tak się błękit ochylił dokoła,
Że maszt najwyższy, schylony u szczytu,
Nie śmiał jakoby wznieść dumnego czoła
Pod kryształowym sklepieniem błękitu.
A w drżącej fali jak srebrne delfiny
Igrały w koło blaski księżycowe,
A dalej mgłami błękitne krainy,
Archipelagu wyspy cytrynowe,
Na widnokręgu nieraz czarna skała
Albo w lodowej — albo w gwiazd koronie,
Przejdzie przez księżyc — i we mgłach zatonie.
I nieraz z szumem fali doleciała
Pieśń, którą słowik napełnia ogrody;
I róż woniami, co na brzegach kwitną,
Nieraz wiatr drżącą falę zakołysze.
I wszystkie barwy topią się w błękitną,
I wonie — w zapach tajemniczy wody,
I wszystkie dźwięki toną w wielką ciszę.

Gdy wyszedł Lambro, drużyna korsarza
Długo — ciekawe śledzi rysów lica... 115
Twarz jego straszną bladością przeraża,
Pobłękitniała od blasku księżyca...
Odeszli... Lambro osłoniony w żagle
Patrzał na morze, na odległe skały,
I patrzał długo — dumał... potem nagle 120
Zachwiał się — chylił i upadł — omdlały.

VI

Wnet go tłum majtków dokoła otoczy...
Blady był strasznie — na poły nieżywy.
I paź krzyk wydał z piersi przeraźliwy,
Gdy omdlałego przyniesiono pana. 125
Lambro zbielałe na krzyk podniosł oczy,
Twarz mu roztlała śmiercią obłąkana.
Otworzył usta — mówił nieprzytomnie:
„Kto tutaj jęczał — kto tu płakał po mnie?
Jeden znam tylko taki głos na ziemi, 130
W płaczu z miłośnym pomięszany dźwiękiem.
Paziu — płakałeś łzami nie twojemi,
Ty mnie zabijesz takim drugim jękiem!
Ten jęk dziewicy, posłyszany we śnie,
Dziwnym połamał myśli moje kształtem; 135
I wyciągnąłem dłonie, i sił gwałtem
Z letargu wstałem... gdzież ona?... tu była...
Nie — tu paź tylko. — Jakże mię boleśnie
Noc ta urokiem ciszy przeraziła!
Noc księżycowa — czemu nie ciemniejsza? 140
I noc przekląłem, i morza zwierciadło,
Morze tak ciche, czemu burz nie miało?
Gdy w nie patrzałem — moje czucie mdlało,
Patrzałem w czucie, moje czoło bladło
I mgły na serce spadały jak śniegi. 145
Lecz to minęło... niechaj noc przemarzę.
Paziu, daj czarę nalaną po brzegi,
Niech wiem przynajmniej, że w obfitej czarze
Śmierć trzymam pełną, dotkniętą ustami;
Nie spełnię całej — chociaż drzącej ręki 150
Nikt nie odchyli prośbą ani łzami,
Lecz nie chcę skonać, póki ziomków jęki
Będą pacierzem i grobu hymnami". —

Wnet paź, posłuszny rozkazowi pana,
Podał mu czarę i odstąpił krokiem. ¹⁵⁵
A czara była kształtnie dłutowana,
Niepełna z roślin wytłoczonej śliny;
Chwycił ją Lambro i pożerał okiem,
Blady na czole i na ustach siny.

VII

Wypił – i z wolna płomieniem rozkwita; ¹⁶⁰
Z czoła zasłony opadają mgliste,
W źrennicy płomień obłąkania świta,
Oczy tak jasne, błyszczące i szkliste,
Że można było przejrzeć w nie daleko,
Straciły barwę – stały się iskrami, ¹⁶⁵
I gorączkową rozpalone śpieką,
Kryształowymi pokryły się łzami.
A potem czoło wsparł na drżącej dłoni,
Oczy nie miały wzroku, choć bezsenne,
I wszystkie żyły wybłysły na skroni ¹⁷⁰
Jakby gałązki bluszczu powiązane;
I wszystkie włosy jak liście jesienne
Drżały na czole, wiatrem nie rozwiane;
I w marmurowej na pozór postawie
Rozkołysanie widać zmysłów pjane. ¹⁷⁵
A o czym inni śnią – widział na jawie,
Tylko jaśniejsze. Jak węża kawały
Rozcięte widma jednym życiem drgały.

Ciszej! bo właśnie teraz sen czarowny
Rzucił go lotem po nieba błękicie... ¹⁸⁰
Dzikiej rozkoszy urok niewymowny
W naglonym tchnieniu zamknął zmysły – życie –
Słowo poczęte śmiech porywa – łamie –
I śmiech poczęty w odetchnieniu kona.
Bo to nie skrzydło ani silne ramię ¹⁸⁵
W lekkiej powietrza pławiło go fali;
Lecz ciężar myśli opadł z głębi łona
I ciężar wspomnień zniknął z uczuć szali.

Stanął... i nagle tysiące błyskawic
Wieńcem ognistym mignęły dokoła. ¹⁹⁰
Rzekłbyś, że tysiąc zamachniętych prawic
Wiało tysiącznym mieczem archanioła.
Pogasły, w błękit stopiły się ciemny,

Tak przezroczysty — głęboki — tajemny,
Jak nieskończoność... i słychać szum morza.   195
Potem z ciemnego błękitu przestworza
Wykwitał mglisty obraz sennych czarów.
I gmach z tysiącznych złożony filarów,
Lekką jasnością w powietrzu skreślony,
Od stóp korsarza w dwie się rozbiegł strony   200
Po całym niebie. A jedna półowa
Uwiana była z promieni księżyca,
Jasna i blada jak noc księżycowa,
Cała w przezroczu błękitnawo szklista;
A druga strona posępna, ognista,   205
Jak piekło. Wielkie zwierciadło egidy
Gmach cały kryło jasności sklepieniem;
Pod nim schylone duchów kariatydy,
Dwubarwnym światła uwiane promieniem,
Z bliska ogromne — jak ciemni szatani,   210
Biegły w dwie strony oddaleniem mniejsze,
I coraz dalsze — i coraz świetniejsze,
Jak mgliste gwiazdy niknęły w otchłani. —

    A Lambro nie śmiał tchnąć — bo choć wyniosła
Była duchami otoczona sala,   215
Lecz taka lekka, że powietrza fala,
W otchłań człowieka tchnieniem potrącona,
Może by duchów kolumny rozniosła.
Więc stał — i tchnienie połykał do łona,
By czarownego nie zamglić zwierciadła.   220
A w lesie kolumn widział ludzkie cienie,
Kleftów od dawna pomarłych widziadła;
A wszyscy w gmachu wplątani promienie,
Bladzi — posępno srebrni lub ogniści,
Lekcy i liczni jako chmura liści   225
Wiatrem zwichrzona, wiązali się w tłumy.
Ale dotknięci żywego oczyma,
W twarzach zdradzili wiele ziemskiej dumy.
Widać, że znaczni rysami Kaima
I strojni dotąd w blask ziemskich kolorów,   230
Nie mogli zasiąść wśród niebieskich chorów;
I przed oczyma Lambra na pół sini,
Na poły lśniący od złota, szkarłatów,
Ziemskimi barwy, jak oazis kwiatów
Stali na srebrno-ognistej pustyni.   235

A skoro Lambro stanął w duchów kole,
Milijonowe patrzały nań duchy;
I tak go w spojrzeń zakuli łańcuchy,
Że nie mógł zamknąć oczu − i na czole
Palące uczuł znamię duchów wzroku,
I drżał − gdy szmerem rosnącym potoku
W ciszy setnymi głosy zawołali:
„Czemuś nie skonał, gdy wszyscy konali?" −

VIII

Straszna twarz Lambra łamana cierpieniem,
Otworzył usta, chciał mówić − i nie mógł...
A potem słowo złamane westchnieniem,
To słowo „żyję" rzucił z głębi łona...
I wstał z dywanu − wyciągnął ramiona,
Widać, że walczył ze snem i sen przemógł.
Spojrzał wokoło... „Paziu! daj mi czarę;
Za mało trucizn zapalonych piłem,
Bo myślą ziemską we śnie się rozbiłem...
Że nie zginąłem, życie mam za karę;
A to piekielna kara niebios − życie...
Być w świecie dźwiękiem rozwiązanej struny,
Co razi serca tonące w zachwycie!
Być jako wieko przysypanej truny,
Co zrazu każdej garści zapomnienia
Posępnym, głuchym jękiem odpowiada;
A potem milczy... Paziu, chcę marzenia!
Lej mi trucizny, pić będę − pić będę,
Póki się wszystkich myśli nie pozbędę,
I tej ostatniej, co serce przejada.
Paziu, daj czarę..." −

                „Próżno błagasz, panie;
Tej czary żadna nie zdobędzie siła;
Bo dziś, jak niosło twoje rozkazanie,
Jam czarę (kłamał) do morza wrzuci..." −

Nie skończył, Lambra przerażony wzrokiem;
Bo korsarz drżące wyciągnął ramiona
I pochylony naprzód stąpił krokiem,
Patrzał w twarz pazia i krzyknął: „To ona...
O nie! to widmo z piekielnej otchłani,
To mi upiora przysłali szatani,

Aby tak za mną wiecznie szedł po świecie...
Ha! wy anieli piekieł! wy nie wiecie, 275
Że ona żyje — i tylko dziś rano
W jej szaty lalkę ubrałem słomianą;
I tym podstępem omyliłem straże,
Palnego statku Turcy nie poznali...
O! gdyby ona spłonęła w pożarze, 280
Chciałżebym z morskiej wynurzyć się fali?...
Po cóż te widmo?... we mnie — lub koło mnie
Wiecznie i wiecznie — czemuż ludzi twarze
W jej twarz się mienią? Paziu! chodź tu do mnie,
Chodź! niech przy lampie..."

       Lecz paź nieprzytomnie 285
Nalewał napój w pozłacaną czarę
I z drżącej ręki nie liczonych wiele
Kropel trucizny upadło nad miarę.
I szedł zachwiany, i stąpał nieśmiele,
Jakby od blasku ręką zakrył oczy; 290
I tak przed lampą stanął — że ją cieniem
Swojej postaci nachylonej mroczy...
Lambro miał usta spalone pragnieniem;
Oczy, sennymi tłoczone ciężary,
Z oblicza pazia — upadły w głąb czary. 295

IX

       Wypił. Wnet całe spłonęło mu lice,
W tym blasku, w oka obłąkanym rzucie
Nieodgadnioną widać tajemnicę;
Jakby niepewne boleści przeczucie.
Znów mu się senne ukazały barwy, 300
Ciemno-ognista i miesięcznej bieli:
I znów te same widział Kleftów larwy.
Stanął w ich kole, słuchał — lecz milczeli.
A przed Kleftami stali dwaj anieli;
Jeden ognisty jak piorunu strzała, 305
Bezkarnie wzrokiem człowieka nie tknięty,
Był w Lambra myśli jako płód poczęty
I nie mógł w zmysłów narodzić się świecie.
Drugiego istność księżycowa — biała —
Miał skrzydła u głów, u rąk, u stóp trzecie. 310
Widać, że kiedyś był Boga aniołem,
Lecz barwy skrzydeł spłowiały, pobladły.

Musiał je zrosić ów anioł upadły
We łzach człowieka nad świata padołem.
Ma w ręku czarę, z której błękitnawy   315
Płomyk wytryska i lice mu bieli...
I w ciszy Lambra marzeń dwaj anieli
Śpiewali razem hymn straszny i krwawy.

HYMN ANIOŁA

    Falo ludzi! falo ludzi!
Przewracasz się, pienisz i mętna   320
Bez wiatru usypiasz... któż ciebie obudzi?
Czy sława paląca – czy miłość namiętna?
    Falo ludzi! falo ludzi!
    Przed tronami niższa czołem,
    Przerzedzona mieczem wroga;   325
Gdy chciałaś się modlić i modlić do Boga,
Modliłaś się do mnie, jam zemsty aniołem.
O! byłem ja nieraz w ostatnim pacierzu
Na ustach zmarłego... Ja stoję przy grobach,
Gdy krewni przychodzą ubrani w żałobach,   330
A kiedy się modlą po zmarłym rycerzu,
Wzywają mnie więcej i więcej niż Boga.

    Płynęła od wschodu
    Szarańcza złowroga.
    Niszczona od głodu   335
    Na Stambuł upadła;
    Z tej chmury lazuru
      Jak ciemne widziadła
    Wybiło się wieży tysiące;
I rzekłbyś, że wielkie olbrzymy milczące   340
Szarańcze rozgniotły stopami z marmuru.

A potem te mrące na głazach owady
Stworzyły myśl w chmurze, co duszą jej była.
I gryzły bezsilne z marmuru posady,
I marły – a mrących myśl we mnie ożyła,   345
Myśl zemsty mrącego narodu.

    A kto chce iść za mną, gdy nie śmie lud cały,
Na inne uczucia niech lice ma z lodu;

Gdy lud będzie milczał, do zemsty nieśmiały,
Gdy grobów gęściejsze porosną cyprysy,   350
    Gdy głośne łez będą rozpacze;
Ja śmiechem złamane pokażę mu rysy,
Aż póki w nim śmiechu nie wzbudzę szatana;
I będzie go zgraja przeklinać spłakana,
    Że z nimi na grobach nie płacze.   355

    Wylany ze łzami
    Mój duch obumiera.
    Mnie światło dnia plami.
    Mnie księżyc otwiera
    Jak kwiaty, co kwitną nocami.   360
Ja czekam, aż Turki wychodzą z meczetu,
I płynę w ich serca przed Bogiem otwarte.
Ja jestem modlitwą na stali sztyletu.
    Ja mieczem ognistym anioła
Wśród księgi wspomnienia zaginam tę kartę,   365
    Co o krew woła.

HYMN ANIOŁA

    Gdzie kilka palm pustyni, gdzie wrące powietrze
Drży przebiegane falą żółtawą płomyków,
Tam ja byłem na spiekłym urodzony wietrze,
Tam jak szakal pilnuję gryzących się szyków.   370
    A kiedy trupami pustynię pokryją,
    Nim księżyc się w niebie wyśrebrzy dwa razy,
    Szakale nocami pieśń sławy im wyją,
    Ja mszczę się umarłych — jam anioł zarazy,
        I lecę ich żony zabijać i dzieci,   375
    Ażeby niedługo umarłych płakały.

    A moje skrzydło krwi plamami świeci,
    Ani ich w morza opłucze kryształy.
I lecę miasta zamieniać w pustynie;
A w miastach ludzie czują, że ja lecę   380
W srebrnobłękitnej — w nadpowietrznej rzece,
Co nad krętymi ulicami płynie.

    Z sułtana powracam ja grodu,
Sto głów dziś sułtański ściął miecznik:

A każda na postrach narodu
Z bram miasta jak żółty słonecznik
Spogląda za słońcem zachodu.
I oczy wlepiły w mgłę białą,
Co kraj im rodzinny zakrywa;
I każda się zda jakby żywa,
Krwią płaczą, gdy łez im nie stało.

   Zemsty natchnąłem je duchem,
   „Mścijcie się" — rzekłem — „dam broni..."
Czarnym zarazy łańcuchem
Sułtańskie grody związały,
W meczetów zakradły się woni.
Za bramy wybiegł lud cały,
Na bramach była zaraza;
Lud martwe dał jej pokłony.
Głowy — jak królów korony
Świecą na słupach z żelaza
I mają poddanych — trupy.

   Z syryjskimi łupy,
   Ja okręt przez wały
   Po morza błękicie
   Do portu zawiałem.
   I stał oniemiały,
   Nie spuścił szalupy,
   A na żaglu szczycie,
   Nad cichymi trupy,
   Ja, anioł, siedziałem.

   Lud widząc bitny
   W grobów popiele,
   Chciałem, by groby otwarli.
   „Złoty aniele!" —
   Rzekli umarli —
„Weź z naszych grobów płomyk błękitny
I mścij się za nas"... Duch grobów wziąłem
   I lecę mściwy,
   Bo lud nieżywy
Nazwał mnie zemsty aniołem.

   Skonały dzikie dwóch aniołów pienia.
Lambro je we snach gorączkowych składał.

Hymn ostatniego tak rymami spadał,
Jak gdyby w piersi marzeń brakło tchnienia.   425
Wstał — chciał się zbudzić — lecz padł na dywany.
Usta mu tylko drzały blade, sine,
Jakby chciał mówić — i wzrok obłąkany
Przebiegał marzeń zamgloną krainę.
A jego twarzy powleczonej w bieli   430
Nawet szatani marzeń się przelękną.
I rzekł: ,,O duchy! — o ciemni anieli!
Wyście mi zemstę malowali piękną,
Jak najpiękniejszą ze wschodnich odalisk;
Bo w moim sercu miłość zapaliła.   435
Choć sny wygasną — ona będzie żyła,
Dla niej utworzę — pośród myśli zwalisk
Krainę czucia, brylantowy Eden...
I nie sam będę... choć klasztorna krata
Już mię na wieki rozdzieliła z Idą...   440
Szalona zemsta!... burzę świat sam jeden;
Mamże być znowu piekieł Danaidą
I krew lać wiecznie do tej czary świata,
Co się krwią nigdy napełnić nie może? —
Czyż się beze mnie sam nie zemścisz, Boże?   445
To są anieli twoi... ci... przede mną,
Przynieśli na świat myśl wielką i ciemną,
Całą na czołach ogniem wypisaną,
Ale nie mogę wyłamać z niej słowa...
Słuchajcie, ludy... mścić się nie za rano...   450
Nie... dziś nie mogę — dziś mi cięży głowa...
Jutro — dziś w marzeń upływam potopie...
Jutro. — Lecz dzisiaj sennym wydrę cudom
Myśl wielką... potem tę myśl zmartwychwstania
Jak Kleopatry perłę w krwi roztopię   455
W czarze z kryształu i dam czarę ludom...
A one może w chwili obłąkania
Odepchną czarę... wieczna im mogiła!
Jeżeli czarę od siebie odrzucą,
Jeżeli usta dlatego odwrócą,   460
Że się w krwi ludzkiej myśl ta roztopiła,
Chociaż tak była bezcenna i droga,
Że o niej dotąd nie śnił nikt — prócz Boga...
Lecz niech ją pojmę — niech przeniknę jasno,
Niech mi z posianych rozkwitnie zarodów   465
Zemsta człowieka i zemsta narodów...

Jest w sercu... w myślach... moje myśli gasną...
Znów mię ogniste porywa marzenie;
Widzę je sercem i okiem zamkniętem,
Powietrze zda się wielkim dyjamentem,   470
W którym kolory grają i płomienie.
    Szatani! o ciemni szatani!
    Jak płyną wirem obrazy!
To mój okręt korsarski na ciemnej otchłani
    W skrzydlate widmo się mieni;   475
    A z prawej strony anioł zarazy,
    A z lewej anioł ognisty,
        Liny z promieni...
    I morza obrus błękitno szklisty
Nie łamie się w pianę pod statku piersiami,   480
I okręt białymi nie szumi żaglami;
    I tylko czuję, że płynę
    Jak duchy w północną godzinę,
        Posępny, okryty mgłami.
    I mgła błękitna pobiela   485
    Uciekające wstecz brzegi,
    Topią się, nikną jak śniegi.
    Znów widne... tam palma drząca
    Jako kapłan Izraela
    Do cichej twarzy miesiąca   490
    Wznosi dłonie – twarz odwraca
    I mówi modlitwy szmerem.
Anioł zemsty kieruje okrętowym sterem,
Odbłyskiem swego lica ciemny brzeg pozłaca.
Palmy się zamieniają w ogniste kolumny   495
I brzeg cały przeraża pożarów ogromem,
Tylko czarne cyprysy nie dotknięte gromem
Stoją, zmarłego świata pilnujące trumny...
    A tam... Kolonny wybrzeże,
    Białe posągów narody.   500
    Wśród kolumn tureckie wieże,
    Na gmachach las ostów szumi
    Jak babilońskie ogrody,
I szmerem głos modlitwy Mahometa tłumi,
Głos, co się smutnym dźwiękiem po fali rozlewa.   505
A tam, gdzie laur różowy, gdzie oliwne drzewa,
Wybłysła jedna – druga i czwarta kolumna,
Szczęty gmachów Jowisza ściętą mają głowę.
    Jakaż to jaskółka dumna

Na te gzymsy marmurowe   510
Zaniosła gniazdo? — Skonała
W tych gmachach wiara i chwała,
A ta jaskółka nie skona?
O nie... to chata Santona
Na gzymsów zawisła szczycie.   515
Posępna wokoło cisza...
Przed chatą postać derwisza
W nieba skreślona błękicie,
Jako posąg nieruchoma...
Modli się... depcąc świątynie".   520

Lambro marzył... a w twarzy zgryzota widoma
Czerni się i łza wstydu po licach mu płynie.
Patrzał w anioła zemsty, w anioła zarazy,
I oba stali cicho — posępnie jak głazy,
I w ich postawach ogień potępieńców bladnie.   525
„Gdy cały kraj powstanie, ta chata upadnie" —
Rzekli... i okręt płynął na błękitne morze.

      „Tam z dala okryta mgłami
   Turków stolica w Bosforze.
   Tysiące gmachów — meczetów   530
   I tysiące minaretów
   Jakby złotymi głoskami
   Jakiś napis Alkoranu
   Pisały w nieba błękicie.

„Zemstę będziemy winni przedwiecznemu Panu,   535
Anioł zarazy siada na sofijskim szczycie
I patrzy na stolicę... Gdzież sen mój? — ciemnieje. —
Paziu, ty rozbić musiałeś zwierciadło,
W którym czytałem wszystko na te oczy.
Rozbić musiałeś — bo wszystko tak mgleje,   540
Czerni się — pierzcha — rozbija — pobladło,
I coraz grubiej wzrok mi się zamroczy,
Tak że nie widzę nic, prócz myśli własnych...
O męka! męka z tych obrazów jasnych
W ciemność myślenia nagle wpaść oczyma!   545
O jak głęboko pośród myśli tłumu
Wzrok mój zabiega — jeszcze dna nie trzyma,
To wzrok ocknienia... to promień rozumu
Budzi się z marzeń piekielnych rozkuty..."

Tu korsarz zamilkł – sam w sobie zamknięty,   550
Długo na łożu leżał rozciągnięty,
Potem się zerwał, krzyknął: „Jam otruty". ·

X

Zrazu się wahał i myśli przędziwa
Żadnymi na jaw nie śmiał wydać słowy;
Jakby się lękał, aby śmierć skwapliwa   555
Nie rozwiązała w pół zaczętej mowy;
I widać ·było, jak na jego czole
Ze snu chmurami łamały się bole.
Chwyta za sztylet złotem wybijany,
A tak był drżący, że go ledwo dźwignął;   560
I krwi gwałtownym rozigraniem chwiany,
Nad bladym paziem dłoń wzniesioną trzyma.
Palił się cały – potem cały stygnął,
Żelazo z dźwiękiem padło na podłogę.
„Paź błękitnymi ściga mię oczyma,   565
On ma twarz Idy – zabić go nie mogę!
Idź w świat – tam ludzie wszyscy ciebie godni,
Obłudą w serca wkradaj się tajemnie;
Ty się ode mnie nauczyłeś zbrodni,
Na Boga, szczęścia nie ucz się ode mnie.   570
Idź – weź te złoto... może nim zapłacisz
Za snu godzinę – za czarę trucizny.
Weź i tę czarę – wśród domowych zacisz
Jeżeli kiedy dożyjesz siwizny,
Niech do tej czary twoje dzieci własne   575
Cypryjskich jagód nalewają wina;
A może zaśniesz, jak ja teraz zasnę.
Ja nie przeklinam, śmierć ciebie przeklina,
Śmierć od trucizny – bezsławna – i marna,
I nadto wczesna... Głębi mego łona   580
Bóg tajemnicze dał zarodu ziarna,
Dał samobójczą myśl, ta wykarmiona
Rosła jak bujne głuszące rośliny,
Stała się zmysłem duszy – rozkwitała.
Czekałem tylko szczęśliwej godziny,   585
A wtenczas dusza rozwiązana z ciała
Mogłaby skończyć pasmo wyobrażeń
Uczuciem dumy i śmiercią bez marzeń.
Wtenczas koło mnie stałyby wokoło
Z grobów wezwane dawnych druhów twarze.   590

Z uśmiechem gorzkim odwróciłbym czoło,
Niechby widzieli, że śmierć była w czarze!
Bo oni niegdyś niedowiarstwa wzrokiem
Śledzili we mnie męstwa – nie dostrzegli...
I dziś – dziś jeszcze nie wszyscy odbiegli.   595
Widzę ją – widzę – tam – z błękitnym okiem,
O nie – to szatan ubiera w mgłę ciemną
Takie obrazy. Wściekłość mnie porywa!
To paź... to ona... martwa... jeśliś żywa?
Ja konam! konam! – chodź ze mną! chodź ze mną!"   600
    Paź upadł we krwi. Lambro drzący, blady
Zbył w nim sztyletu – szedł – i niezatarte
Stopami krwawe powyciskał ślady,
Pot miał na czole – usta w pół otwarte.

XI

    Taką twarz noszą anieli przeklęci.   605
Na czole myśli biegające tłumem,
Nie powiązane czuciem i rozumem,
Zlały się w ciemną niepewność pamięci.
Niepomny zbrodni, którą był wykonał,
Sennymi słowy trzykroć pazia woła;   610
Paź jeszcze słyszał, podniósł nieco czoła,
Westchnął głęboko – chciał mówić i skonał.
Lambro spalony truciznami bladnie,
Potem się drzący przyczołgał do stoła,
Chwycił za czarę – w czarze znalazł na dnie   615
Męty napoju – wypił je i ożył;
I sen od powiek na chwilę oddalił,
Śmierci przyśpieszył – lecz marzeń przysporzył,
Jak lampa blaskiem ostatnim się palił.

XII

    „Oto mój żywioł – ta ciemność ponura,   620
Już do otchłani myśl moja należy.
I nieskończoność jako ciemna chmura
Świat opłynęła – myśl, gdy w nią pobieży,
Wraca zbłąkana i znów się zamyka
W sennych marzeniach – moja nie wróciła...   625
Już nie mam myśli – odbiega mnie – znika.
Raz nad świat wzbita, nie jest częścią świata.
Zna nieskończoność, znała piekło – żyła.
Niech jak zabójca pierworodny brata

Leci, płomienną naznaczona blizną,
W małej z początku żywiona iskierce,
Kiedy w popioły obróciła serce,
W proch się rozpadło dotknięte trucizną... 630

. . . .

O jak tu ciężko... Po co pod sklepienia
Zamknięto kwiaty?... Ta woń kwiatów nudzi!... 635
Bo kwiaty nocą, jak dawne wspomnienia,
Kiedy rozkwitną, zabijają ludzi.
Rozbić te okna! — rozbić szklanne stropy!
Czy mi się zdaje? Zali w tym wazonie
Rosnące róże i helijotropy 640
Podobne z siebie jak krew dają wonie?

. . . .

Wiele, tłum wspomnień zostawiam po sobie,
Sławę... i zbrodni przebieżone stopnie,
I krew. — O sława! sława! to okropnie
Stać jako posąg na ojczyzny grobie. 645

. . . .

Wyście mnie wpletli w koło Iksyjona,
Wyście się po mnie wiele spodziewali;
Lecz miałem skute cierpieniem ramiona,
I wiecznie w tłumu zanurzony fali,
Nie mogłem czoła wznieść nad tłum — cierpiałem. 650
Precz, ludzie... dajcie spokojnie mi zasnąć!
Ha! i ta lampa chce ze mną zagasnąć.
Świeć, blada lampo, kiedy ja się mroczę,
Świeć — i świeć jutro nad korsarza ciałem...
Dotknąłem lampy i całe przezrocze 655
Krwią poplamiłem. — Tu wrogi być muszą...
Wpadli na pokład i krew się rozlała.
Słyszę nad głową, jak się deski kruszą,
Jak pierś okrętu rozbijają działa.
Chodźcie tu wszyscy, choć mam twarz pobladłą, 660
To nie od trwogi... Chodźcie wszyscy razem!
Jeszcze nad głową powieję żelazem...
O jak mi ciemno!... więc wszystko przepadło?
Przekleństwo temu, co pomiędzy tłumem
Jękiem rozpaczy przeraźliwie wrzasnął, 665
Przekleństwo fali, co z piekielnym szumem
Drze się, szczelinę rozwierając kruchą.
I okręt z głębi łona westchnął głucho...
W głąb idę..." — upadł na dywan i zasnął...

XIII

    Lampa zagasła. A korsarz otruty   670
Przed śmierci chwilą tonął w sen głęboki...
A teraz... słychać tajemnicze kroki,
Ktoś przez otwarte cicho drzwi kajuty
Wchodzi ostrożnie w krainę męczarni...
„Cicho?" — rzekł — „cóż to, oboje uspieni?"   675
Więc nieco tajnej otworzył latarni
Rzucając kołem kilka mdłych promieni:
A gdy te biegły po ścianach komnaty,
Gdy od zwierciadeł wróciły przezroczy,
Widać przychodnia... Pazia nosił szaty,   680
Do zabitego szat podobne krojem,
I równie bliski postawą jak strojem;
Ale miał czarne, jak noc czarne oczy,
I mniej był młody i piękny na twarzy;
Bo na niej uśmiech i bladość korsarzy,   685
Jako na miękkim wosku odciśnięte,
Świadczą, że bolem przed latami dojrzał,
Że miał już serce na czucia zamknięte.
Stał... słuchał chwilę... potem ku drzwiom spojrzał
Chcąc niezgłębioną rzucić tajemnicę,   690
I tak jak ludzie niepewnością chwiani,
Znów się odwrócił, z potu otarł lice
I wołał coraz głośniej: „Pani! pani!
Już ranek świta... Pani! o na Boga!
Uciekaj ze mną — korzystajmy z cieni...   695
Bo teraz jeszcze mgłą pewniejsza droga,
I on się zbudzi... korzystajmy z mroku...
Choćbyś mi dała twoich sto pierścieni,
Za sto pierścieni nie chcę czekać kary.
Ja nie wytrzymam nawet Lambra wzroku,   700
Bo on jak człowiek, co się mści bez miary.
Pani! odpowiedz... chwil mamy niewiele...
A korsarz... Cóż to? — Podłoga zroszona
I krew... na martwym spotknąłem się ciele.
Lampę odkryję... O Boże! to ona!   705
Sztylet ma w piersiach... to ona... zabita".
Umilkł, tysiączne uczucie nim miota,
Martwy z przestrachu — przerażeniem ożył.
Spojrzał przez okno, krzyknął: „Świta! świta!"
I z obłąkaniem chwycił za wór złota,   710
Wybiegł i rygle za sobą założył.

XIV

Bogini nocy przed blaskami świtu
Gwiazdy z rozwianych strząsała warkoczy;
Deszczem spadały do morza błękitu,
Inne blask zorzy płonącej pochłonął.
Lambro otworzył mgliste snami oczy:
Połową czucia jeszcze we śnie tonął,
Połową myśli sen przenikał zdradny,
Rozkołysany pośród burzy wrażeń.
Lecz boleść była nicią Aryjadny,
Po której wyszedł z labiryntu marzeń.
A szatan ciemny, co się karmi łzami,
Skąpy swych darów, żadnych nie uronił;
I chwil boleściom ukradzionych snami
Większym cierpieniem i bolem dogonił.
Skoro w komnaty dzień przeniknął jasny,
Lambro krew ujrzał, stał nad martwym ciałem
I rzekł: ,,Sztyletu głowicę poznałem.
To jam go zabił, to mój sztylet własny.
Boże! czyż w świecie byłem tak splątany
Z tym tłumem ludzi, że nawet samotny
Umrzeć nie mogę? ale w tłum wmięszany
Konam — i ludzie koło mnie padają
Jak oberwany z drzewa liść stokrotny.
O! boleść! boleść umierać ze zgrają
Jak pod gruzami zawalonej ściany!
Gdzie nawet śmierci ostatnie westchnienie
Głośnymi jęki ludzi zagłuszone;
Gdzie i ostatnie o zmarłym wspomnienie
Nie na człowieka, lecz na tłum upada...
Wzniosę ten zawój — pióra zakrwawione,
Ujrzę twarz pazia, czy mściwa i blada?''

XV

Lambro schylony z drzeniem i nieśmiało
Zdjął zawój pazia ze strusimi pióry...
I uderzony jak gromem, o mało
Nie padł na ziemię, gdy spotkał oczyma
Na pół otwartej zrennicy lazury.
Upuścił zawój — sztyletu się ima...
Potem przypomniał śmierć... sztylet odrzucił...
Bo miał na ustach gorycze napoju.
I z obłąkaniem odszedł — i znów wrócił,

715

720

725

730

735

740

745

750

I znów rękami od śmierci drzącemi
Zdejmował zawój — wtenczas spod zawoju
Włos uwolniony sypał się po ziemi
Ze smutnym szmerem i dokoła twarzy   755
Kładł się w tysiączne pierścienie rozwity.
Okropny widok! Ta krew, co się warzy,
Co poplamiła jej szat aksamity,
Na twarzy smutek i miękka omdlałość,
I przezroczysta alabastru białość;   760
Kilka uwiędłych kwiatów w martwej dłoni
Trzyma na piersiach — a drugą dłoń dała
Jak śpiące dziecko za węzgłowie skroni,
W takiej postawie martwa, jakby spała.

XVI

Siły korsarza na pomoc zwołane,   765
W serce wrzucone, z boleścią się łamią.
On tak jak ludzie, co przed sobą kłamią
Moc wielką duszy — wstydzi się cierpienia.
A gdy mu własne serce zlitowane
Niosło jałmużnę łez i użalenia;   770
On ją odrzucił — on sercem hartownie
Boleści ciała brał i nie wydawał.
Ale po chwili — nowych cierpień nawał
Wszystkie mu członki połamał gwałtownie.
Straszna to boleść! Rwał na czole włosy,   775
Ręką bił w piersi — i krwawymi ciosy
Rozdzierał w bojach odebrane blizny.
Skądże ta rozpacz? — Oto w głębi łona
Uczuł niknące cierpienie trucizny,
I myśl okropna — że siłami ciała   780
Bole zwycięży — trucizny pokona,
Że się wyłamie śmierci — zabijała.

„Tak" — rzekł posępny — „pochowam ją święcie
W grób mój rodzinny, w ciche fal błękity.
Sam dałem rozkaz — aby na okręcie   785
Pod tą zasłoną pawilonu krwawą
Nie przeszła stopa ani cień kobiéty
Miałżebym pierwszy łamać dane prawo?
Mogliby ze mnie urągać niegodni!
Przed nimi trzeba kryć wszystko — prócz zbrodni". —   790

XVII

Otworzył okna kajuty kratowe,
Siadł nad cichymi morza zwierciadłami.
Morze się lśniło ciemno-lazurowe,
Złociste słońcem – osrebrzone mgłami;
I wiatr po żaglach okrętowych szumiał.   795
Korsarz na łonie złożył Idy zwłoki
I długo z martwą rozstać się nie umiał.
To patrzał w odmęt ciemny i głęboki,
To na jej lice zwracał smutne oczy;
A wiatr mu ranny przesłaniał oblicze   800
Mgłą rozwiewaną jej długich warkoczy;
Wtenczas czuł włosa wonie tajemnicze
I dumał długo cichym wspomnień żalem,
Ani go zmarłej twarz raziła zbladła.
Na płeć jej, niegdyś płonącą koralem,   805
Śmierć bledsze barwy, ale piękne kładła.
Widząc jej kształty, zda się, że upadła
W uściski Lambra zachwyceniem żywa;
I tylko drżąca tuli się do łona,
O nadto skore rozstanie lękliwa.   810
Zda się, że szumem morza przerażona,
Od grobu lice odwrócone trzyma;
I z okiem Lambra wiąże się oczyma,
I dłoń mu błędną kładzie na ramiona.
O! patrząc na nią musiał czuciom kłamać,   815
Jeśli łzy nie miał na cierpienia nowe!
Gdy przyszło z objęć martwych się wyłamać,
Odrzucić z szyi ręce lilijowe
I twarz odsłonić z wonnej włosów chmury.
Przebył męczarnie wszystkie, wszystko przeżył...   820
Rzucił ją w morze i patrzał ponury,
Jak się krąg fali złamanej rozszerzył;
Patrzał, jak odmęt zrastał się rozbity,
A martwe ciało, na poły widome,
Na pół morskimi przykryte błękity,   825
Wzruszonej morza fali się broniło,
Łamiąc się w kształty życiem nieruchome;
I utonęło pod morza mogiłą.

A Lambro... on był szatanem – czy głazem?
Lambro schylony nad takim obrazem   830
Śmiech miał na licach, wesołość na czole.

Ten śmiech, ustami wydany blademi,
To były trucizn wracające bole,
Był to śmiech Lambra — ostatni na ziemi.

XVIII

Lambro milczący usiadł na dywanie,   835
Cały się mroczył i bladnął, i gasnął.
A potem głośno w obie dłonie klasnął,
Wnet stary majtek wbiegł na zawołanie.
Lambro rzekł: „Majtku, niech pop okrętowy
Zapali lampy jak o wielkim święcie;   840
I niechaj głośno śpiewa hymn grobowy
Przy mnogich światłach, w mrocznym kadzidł dymie,
Za tych, co mają skonać na okręcie
I co skonali..."
                    — „Panie! jakież imię
Wspomni w modlitwach? czyjeż gaśnie życie?"   845

— „Powiesić pazia na masztowym szczycie,
Za niego modły niech wzniesie do Pana". —
— „Lambro, twój rozkaz spełnić się nie może.
Twój paź gdzieś uszedł i zniknął od rana,
Musiał tajemnie spuścić łódź na morze.   850
Lecz choćby w Pera ukrywał się wieże,
Choćby się w gmachach zamykał sułtana,
Nakarmię kruki jego ciała ćwiercią". —

— „To nic... Pop niechaj odmawia pacierze
Za konających i za zmarłych duszę;   855
Teraz ty — odejdź... ja sam zostać muszę" —
I cicho dodał: „Sam jeden — ze śmiercią".

XIX

Oto na czarnej okrętu banderze
Martwe korsarza spoczywają zwłoki.
Majtkowie wyszli na pokład szeroki,   860
I słychać było szeptane pacierze,
Szarawe kadzidł snuły się obłoki,
W dymach żółtawe płonęły gromnice.
I był to widok pięknością straszliwy,
Gdy majtki patrząc w umarłego lice   865
Cicho brzęczące zrywali kotwice,
I okręt płynął — a Lambro nieżywy

Po raz ostatni wędrował przez morze.
A skoro trzecie zabłysnęło zorze,
Umalowane czerwonymi świty,   870
Do fal rzucili ciało — i zniknęło...
I dział trzydzieście głęboko westchnęło
Na bezechowe otchłani błękity.

Objaśnienia poety

W. 42 i n.

Podobna córce głazowej Tantala,
Gdy, etc.

Te cztery wiersze są tłumaczeniem z *Antygony* Sofoklesa.

W. 148 – 149

Niegdyś nam północ miecz podała w dłonie,
A potem chytra bezsilnych odbiegła.

Mowa o Katarzynie carowej, która Greków podburzyła do powstania i zdradziła oczekujących od niej pomocy.

W. 178

....była to pieśń Rygi.

Sławny hymn powstańców, napisany przez Rygę, zaczyna się od słów: Δεύτε, παΐδες τῶν Ἑλλήνων.

W. 407 – 408

I miej kalemkiar ciemny z musselinu
Lub czewrę...

Rodzaj zasłony kobiet tureckich.

W. 277 i n.

W jej szaty lalkę ubrałem słomianą;
I tym podstępem omyliłem straże,
Palnego statku Turcy nie poznali...

W ostatniej wojnie o niepodległość Grecy często pod tureckie floty puszczali statki palne napełnione lalkami, czyli tak zwanymi manekinami, aby w Turkach podejrzenia nie wzbudzić. – A łodzie takie miały pozór handlowych statków.

W. 310

Miał skrzydła u głów, u rąk, u stóp trzecie.
Obraz anioła naśladowany z Miltona.

W. 374

Ja mszczę się umarłych — jam anioł zarazy.

Zaraza, która w ostatnich czasach mściła się na Europie opuszczającej naszą sprawę, podała mi myśl połączenia anioła zarazy z zemsty aniołem.

W. 514

...to chata Santona...

W Atenach, na gruzach kościoła Jowisza, Santon, derwisz turecki, zbudował chatę...

W. 670—671

korsarz otruty
Przed śmierci chwilą tonął w sen głęboki...

Otruci napojem opium, usypiają; lecz przed śmiercią budzą się.

Godzina myśli

Głuche cierpiących jęki, śmiech ludzki nieszczery
Są hymnem tego świata — a ten hymn posępny,
Zbłąkanymi głosami wiecznie wniebowstępny,
Wpada między grające przed Jehową sfery
Jak dźwięk niesfornej struny. Ziemia ta przeklęta,   5
Co nas takim piastunki spiewem w sen kołysze.
Szczęśliwy, kto się w ciemnych marzeń zamknął ciszę,
Kto ma sny i o chwilach prześnionych pamięta.

Trzeba życie rozłamać w dwie wielkie półowy,
Jedną godziną myśli — trzeba w przeszłość wrócić;   10
I przeszłość jako obraz ściemniały i płowy,
Pełny pobladłych twarzy, ku słońcu odwrócić...
I ścigać okiem światła obrazu i cienie
Jak lśniące rozpryśnionych mozajek kamienie.
Tam — pod okiem pamięci — pomiędzy gór szczytem   15
Piękne rodzinne miasto wieżami wytryska
Z doliny, wąskim nieba nakrytej błękitem.
Czarowne, gdy w mgle nocnej wieńcem okien błyska;
Gdy słońcu rzędem białe ukazuje domy,
Jak perły szmaragdami ogrodów przesnute.   20
Tam zimą lecą z lodów potoki rozkute
I z szumem w kręte ulic wpadają załomy.
Tam stoi góra, Bony ochrzczona imieniem,
Większa nad inne — miastu panująca cieniem;
Stary — posępny zamek, który czołem trzyma,   25
Różne przybiera kształty — chmur łamany wirem;
I w dzień strzelnic błękitnych spogląda oczyma,
A w nocy jak korona, kryta żalu kirem,
Często szczerby wiekowe przesuwa powoli
Na srebrzystej księżyca wschodzącego twarzy.   30
W dolinie mgłą zawianej, wśród kolumn topoli,
Niech blade uczuć dziecko o przyszłości marzy,
Niechaj myślami z kwiatów zapachem ulata,
Niechaj przeczuciem szuka zakrytego świata;
To potem wiele dawnych marzeń stanie przed nim,   35
I ujrzy je zmysłami, pozna zbladłe mary.
Karmił się marzeniami jak chlebem powszednim,
Dziś chleb ten zgorżkniał, piołun został w głębi czary.
Do szkieletu rozebrał zeschłe myśli ciało,
Odwrócił oczy, serce już myśleć przestało.   40

Gdy lampa gaśnie, kiedy pieśń piastunek ścicha,
Kiedy się małe dziecko z kołyski uśmiécha,
Ma sen całego życia... A gdy tak przemarzą,
Dzieci na świat nieznany smutną patrzą twarzą
I bladym przerażają czołem od powicia;   45
Smutne pomiędzy ludźmi — bo miały sen życia.

Wśród litewskiego grodu, w ciemnej szkolnej sali
Siedziało dwoje dzieci — nie zmięszani w tłumie.
Oba we współzawodnej wykarmieni dumie,
Oba wątłej postaci, marmurowo biali.   50
Młodszy wiekiem nadzieje mniejsze zapowiadał,
Pierś mu się podnosiła ciężkim odetchnieniem;
Włos na czole dzielony na ramiona spadał
I po nich czarnym, gęstym sypał się pierścieniem.
Widać, że włos ten, co dnia ręką dziewic gładką   55
Utrefiony, brał blaski dziewiczych warkoczy.
Ludzie nieraz: „On umrze" — mówili przed matką;
Wtenczas matka patrzała długo w dziecka oczy
I przeczyła z uśmiechem — lecz w smutku godzinie,
Kiedy na serce matki przeczuć spadła trwoga,   60
Lękała się nieszczęścia i myśląc o synie
Nie śmiała wyrzec: „Niech się dzieje wola Boga".
Bo w czarnych oczach dziecka płomień gorączkowy,
Przedwcześnie zapalony, trawił młode życie.

Wśród ciemnej szkolnej sali było drugie dziécię.   65
Włos miało jasny, kolor oczu lazurowy.
Ludzie na nim nadzieje budowali szczytne.
Pożerał księgi, mówił jak różne narody,
Do licznych nauk dziennie palące czuł głody,
Trawił się — jego oczy ciemne i błękitne,   70
Jak polne dzwonki łzawym kryształem pokryte
I godzinami myśli w nieruchomość wbite,
Tonąc w otchłań marzenia, szły prostymi loty
Za okresy widzenia, za wzroku przedmioty.
Gdy patrzał w nie widziane oczyma obrazy,   75
Ludzie obłędność w oczach widzieli — lecz skazy
Żadnej dostrzec nie mogli. Młoda pamięć obu,
Ogromna pamięć, z myśli uwita łańcucha,
Świadczyła o istności przedżywotnej ducha;
A przeczuciami życie widzieli do grobu.   80
I nic ich nie dziwiło, co z lat poszło biegiem,

I smutni nad przepaści życia stali brzegiem
Nie odwracając lica. W ciemnej szkolnej sali
Smutna poezja duszy dała dźwięk uroczy.
Na ciemnych, mglistych szybach zawieszając oczy,   85
Wiosną — wśród szmeru nauk, myśleniem słuchali
Szmeru rosnących kwiatów. A w zimowe pory
Biegli na błonia, białym pogrzebane śniegiem,
Tam prędkim po równinach zadyszani biegiem,
Twarze umalowane zimnymi kolory   90
Obracali na stronę, skąd przyjść miała wiosna,
I pierwszy powiew pili ustami jak życie.
Potem, gdy w wiosennego powietrza błękicie
W balsamy się rozlała czarna lasów sosna,
Znudzeni wonią kwiatów zmięszaną, stokrotną,   95
Wynaleźli woń tęskną — dziką i ulotną;
Była to woń wierzbami opłakanej wody,
Z cichej fali wstawała każdego wieczora,
Tajemnicze w powietrzu rozlewając chłody.
Potem jesienią — dzieci wyobraźnia chora,   100
Wypalona, igrała z żółtym liściem lasów,
Smutna jak w starcach pamięć przeminionych czasów.

    Serce każdego równą miarę uczuć trzyma,
Smutna poezja duszy oba serca żywi;
Lecz wrażeniami duszy odmiennie szczęśliwi,   105
Odmiennie czuli. Dziecko z czarnymi oczyma,
Młodsze wiekiem, natchnieniom dało myśl skrzydlatą
I wypadkami myśli żyło w siódmym niebie.
Młodszy marzenia stroił czarnoksięską szatą,
A potem silną wolą rzucał je przed siebie,   110
I stawały — i widział przed sobą obrazy,
Od których się odłamał zimniejszym rozumem:
Więc przeczuł, że marzeniom da kiedyś wyrazy,
Że się zapozna myślą z myślnym ludzi tłumem.
Przed sobą miał krainę duchów do zdobycia.   115
Jego towarzysz, większy nauką i laty,
Nigdy od krain myśli nie odłamał życia;
Sprzągł razem i powiązał dwa niezgodne światy.
I nieraz go śmiech ludzi, śmiech, co czucia głuszy,
Budził — i rzeczywistość zimna roztrącała.   120
Jako posągom nieraz braknie w rysach duszy,
Posągom jego myśli brakowało ciała.
Dusza, jak w kryształowym zamknięta przezroczu,

Patrzała na świat dzikim obłąkaniem oczu,
Niezupełności wrażeń łamana katuszą.   125

    Nieraz te dzieci myślą dwoistą i duszą
Składali jedne, piękne całością obrazy.
W dnie wiosenne przy ścieżce piaskowej, na kwiatach,
Gdzie nad nimi różowe rozkwitały ślazy,
Gdzie wisznie jak dziewice w białych wiosny szatach   130
Między zarumienione kryły się jabłonie;
Tam wzajem na ramionach opierając skronie
Zamieniali słowami uczucia wzajemne.
Oni marzeniem księgi rozumieli ciemne
Nie rozumiejąc myślą. Z dziecinnego piasku   135
Na księgach Swedenburga budowali gmachy
Pełne głosów anielskich, szaleństwa i blasku,
Niebu tytanowymi grożące zamachy.

    Przez tworów państwa snuli myślą dwa łańcuchy,
W światło zbite u góry, w ciemność spodem zlane;   140
Tych ogniwa jak szczeble wschodów połamane
Wiodą w światło idące albo w ciemność duchy,
I świat tworów, w dwa takie rozłamany ruchy,
Wiecznie krąży. A dusza z iskry urodzona
Różnym życiem przez wieki rozkwita – i kona   145
Przez długie wieki, biorąc kształty różnych tworów.
W kwiecie jest duszą woni i treścią kolorów,
W człowieku myślą, światłem staje się w aniele.
Raz wstępnym pchnięta ruchem, ciągle w Boga płynie,
W doskonalszym co chwila rozkwitając ciele.   150
Człowiek się silną myślą w anioła rozwinie,
Ten anioł zachwyceniem w światło się rozleje
I będzie częścią Boga na żywiołów tronie.
Lecz męty ziemskie w światła osiadają łonie;
Jak o spadłych aniołach święte uczą dzieje,   155
Ziemskimi sny ścigani – grzeszą myślą dumy.
I co dnia z łona Boga dusz zagasłych tłumy
Lecą na ziemię jak gwiazd zepchnięta lawina.
Każda się w kształty ziemskie kryształi i ścina,
I rosnącym ciężarem w bieg strącona skory,   160
Przechodzi w ludzkie, czuciem zardzawiałe twory;
I będzie jadem w gadzie, a trucizną w kwiecie.
Patrząc na tłumy ludzi na tym ciemnym świecie,
Oni widzieli, którzy z łona Boga spadli,
I po schodzących szczeblach szli w otchłań – i bladli.   165

W duszy dziecinnej woli czarnoksięska siła,
Ciągłym myśleniem, ciągłym rozwijana snuciem,
Nie wyjawiona słowy — często w ludzi biła.
Zaczarowanie wolą nazwali — zaczuciem.
Bo nieraz wśród ciemnego tłumami kościoła,   170
Którą z klęczących dziewic natrafiwszy losem,
Wołali na nią silnie niemym duszy głosem;
Wtenczas twarz odwracała od Pańskiego stoła
I pośród tłumu ludzi jej wzrok, w zadziwieniu,
Nieobłędnie rzucony, na twarz dzieci padał,   175
Jak gdyby na wołanie duszy odpowiadał,
Jak gdyby ją po znanym wołali imieniu.

Nieraz starszy, błękitne topiąc w ziemię oczy,
Mówił: „Słyszysz, mój luby, jak obecna chwila
Pada w przeszłość, rzucając dźwięk tęskny, uroczy,   180
Ona nigdy nie wróci, ona nas nachyla
Smutniejszymi twarzami w przeszłość upłynioną.
Szczęśliwy! twoje myśli świetniej w słowach płoną,
Niż gdy w sercu zamknięte — moje myśli gasną,
Słów nie cierpią — lecz nieraz w godzinie tajemnic   185
Tłumnymi słowy w piersiach jak szatany wrzasną
I wołają, ażebym je wypuścił z ciemnic,
Abym je wywiódł na świat — słów otworzył drogę.
Niech mi świat da poezją — dać mu jej nie mogę.
W tłumie myśli mam przepaść wiecznie czczą myślami,   190
Przepaść ciemną, głęboką; napełnię ją życiem...
Jeżeli nie wystarczy, biada! Ciągłym gniciem
Myśl się w martwą przekształci ciemnością i łzami,
Stanę się myśli grobem — lub umrę przedwcześnie.
Słuchaj! wschodnie krainy dziś ujrzałem we śnie,   195
Piękne były, czarowne, nieraz o nich marzę.
Widzę słońcem ściemniałe Beduinów twarze,
Widzę lasy palmowe, świadki dawnych czasów.
Myśl moja niewstrzymana w te krainy goni,
Chciałbym jak duch w kwiecistej roztopić się woni,   200
Chciałbym jak liść nieznany paść tam, w głębi lasów".

Gdy tak marzył — to wiśnie i kwiaty ogrodu
Bezwonne przed nim rosły, bo myśl dalej biegła
I wkrótce marzeniami ognistymi wschodu
Zamknęła go w płomieni kole i obległa.   205
Więc pojechał do wielkiej na północ stolicy,

Gdzie długo patrzał w Koran, zwierciadło kalifów;
Albo samotny słuchał wieków tajemnicy,
Wymówionej niepewną twarzą hieroglifów.
Po trzech latach nauki miał wziąć kij pielgrzyma.   210

   Przez te trzy lata dziecko z czarnymi oczyma
Poznało miłość. — Pierwszą i ostatnią była,
I najsilniejsza z uczuć, uczucia przeżyła.
Widziałem go przy stopach dziewicy — anioła,
Czarnymi weń oczyma patrzała i bladła   215
Myśląc o dziecka życiu, bo z wielkiego czoła
Przyszłość mu nieszczęśliwą jak wróżka odgadła.
Więc odwracała oczy, a wtenczas łzy lała.
Przed nią dusza dziecięcia jako karta biała
Czerniła się na wieki miłością daremną.   220
Ona go chciała wysłać na tę ziemię ciemną
Ze wspomnieniami szczęścia — chciała zbroić niemi
Przeciwko własnej duszy i czczym chwilom ziemi;
Więc kładła w niego marzeń i myśli tysiące,
A słowa jej tak były łagodne, tak drżące,   225
Że we wspomnieniach dziecka zlane, dały dźwięki
Podobne do miłości zeznanej wyrazu.
Ona umiała oczom nadać wzrok rozkazu
I nieraz wstrzymać zamach samobójczej ręki.

   On sam od siebie śmierci odsunął widziadło   230
Dziwnym wynalezieniem cierpiącego życia.
On przed sobą przyszłości postawił zwierciadło
I rzucał w nie obecne chwile — i z odbicia
Wnosił, jaki blask przyszłe wspomnienia nadadzą
Obecnym chwilom życia. Taką myśli władzą   235
Śmiech nieraz słyszał, wspomnień powtórzony echem,
Smutny i połamany przyszłością niepewną,
I na wesołą chwilę twarzą patrzał rzewną;
A nieszczęście przyjmował półsmutnym uśmiechem,
Patrząc na nie z przyszłości. — Był to wzrok wędrowca,   240
Co w drodze życia wstąpił na szczyty grobowca
I stamtąd ściga mgliste rysy krajobrazów.

   Nieraz z dziewicą bory przelatywał ciemne;
Gdy pod ich końmi iskry sypały się z głazów,
Mówili wzajem myśli głębokie, tajemne,   245
Jak do snu kołysani — marzący jak we śnie.

A dziecię, bolem uczuć złamane przedwcześnie,
Po takich mowach ludzi chroniło się tłumu
I biegło w ciemne lasy — tam na dzikie wrzosy
Kładło się bladą twarzą — sosn słuchając szumu;   250
Tam uspionemu myślą wiatr rozwiewał włosy,
A myśli rosły wielkie, ciemne, tajemnicze,
Jak gwiazdy ogromnymi płynące obroty.
Lub w niebo kładł się twarzą — wtenczas na oblicze
Padało światło lasów — promień słońca złoty,   255
Pocięty cieniem liści w marmurowe plamy.
A potem w głębiach lasu wicher z szumem wzbity
Nad głową mu odmykał gałęziste bramy,
Skąd w ciemne myśli nieba spadały błękity.
    Po trzech latach ów drugi młodzieniec powrócił,   260
Biegły wschodnich narodów tłumaczyć się mową.
W otwarte dziecka ręce z rozkoszą się rzucił
I rzekł: ,,Odjeżdżam na wschód, w krainę palmową". —
A potem umilkł nagle. O jakże odmienny
Od marzącego dziecka — pobladł — jego oczy   265
Obłąkane jak dawniej, lecz wzrok miały senny,
Widać, że myśl, co niegdyś żywiła, dziś tłoczy
I wbija go do ziemi. — Jakaś tajemnica
Niedocieczona spała w rysach martwych lica.
Mało mówił — i tylko raz wśród dzikich sosen   270
Wykrzyknął z obłąkaniem: ,,Ginę marzeń zdradą!
Wysyłają mię w kraje bez zim i bez wiosen.
Chcą mię zabić!" — a potem uśmiechnął się blado
I resztę zamknął w serca głębokim tajniku.
Potem wziąwszy uściski matki, druhów, bratnie,   275
Odjechał — i w drugiego dziecka imionniku
Zapisał pożegnania wyrazy ostatnie:
    ,,Po długich latach, gdy wiek sił ukróci,
    Gdy będziesz myślą w złotej przeszłości się stawił,
    Wspomnij na przyjaciela, który cię zostawił,   280
    Jak przeszłość zniknął, jak przeszłość nie wróci".

    Wkrótce potem... pamiętam... o księżyca wschodzie
Drugie dziecię wśród ciemnej dębowej ulicy
Siedziało pochylone przy stopach dziewicy.
Z drzew opadały liście i w całym ogrodzie   285
Zaledwo kilka kwiatów szronami srebrzystych;
Na niebie ledwo kilka gwiazd zabłysło mglistych,
Księżyc płynął samotny, las szumiał daleki.

Tego wieczora dziecię ustami drżącemi
Anioła snów dziecinnych żegnało na wieki;
A potem bladą twarzą upadło do ziemi
Jak zabite słowami, dumnym wstydem drżące.
Bo dziecko miało dumę wielkiego człowieka
Przeczuciem nakarmioną. Wtenczas lat tysiące,
Wtenczas mu w oczach przyszłość stanęła daleka,
Świetna okrzykiem ludzi − a z tymi obrazy
Obecna chwila czarnym łamała się cieniem,
Odrzuconą miłością, dumą, oburzeniem,
Serce jak kryształ w setne poryło się skazy
I tak wiecznie zostało. Wszystkie czucia skarby
Ognistej wyobraźni rzucił na pożarcie,
Wyobraźnia złotymi rozkwitała farby
I kładła się jak tęcza na ksiąg białej karcie;
Lecz nie było w niej wiary w szczęście ani w Boga.
Ludzie w nim mieli druha, w myślach świat miał wroga.
On, w głębi duszy słysząc krzyk szczęścia daremny,
Mścił się i gmach budował niedowiarstwem ciemny.
Ta budowa, ciężkimi myślami sklepiona,
Stała otworem ludziom, lecz by się w nią dostać,
Musieli wprzód jak wielcy szatani Miltona
Zmniejszać się i myślami przybrać karłów postać.

Tak w rozstania godzinie młody anioł zginął...
Wzniósł twarz... już nad nim młodej nie było dziewicy;
Długo dumał... bo księżyc pół nieba przepłynął
I patrzał drugą stroną dębowej ulicy
Jak lampa w końcu ciemnej klasztornej arkady.
Młodzieniec zadumany patrzał w księżyc blady,
Potem nagle uspioną budząc się pamięcią,
Wydobył pismo, całą zamknięte pieczęcią;
I przy księżyca świetle czytał nieruchomy,
Na nieznajomym liście podpis nieznajomy,
A w głębi listu smutne kryły się nowiny.

    „Twój przyjaciel, wysłany w piramid krainy
Jako drogman poselstwa, zajechał po drodze
Do przyjaciół rodziców domu, trzy dni bawił...
Niewinnej wesołości długie puścił wodze
I przy lampie wieczornej powieści nam prawił.
Wczoraj miał dalej jechać... Widzieliśmy rankiem,
Jak po jesiennym liściu chodził smutny, cichy...

Potem konie pocztowe brzęknęły przed gankiem,   330
Potem wielkie strzemienne podano kielichy...
Żegnał się – za łzy dawał wesołe uściski
I pucharem o nasze puchary uderzył.
Odszedł. Wtem ucztujących strzał przeraził bliski,
Tłumem biegliśmy w jego komnatę... już nie żył.   335
Przez serce przeszła kula, a broń trzymał w dłoni.
Spoczywa na rozdrożu – wśród leśnej ustroni.
Ksiądz grób jego poświęcił, wierząc w zdanie tłumu,
Że samobójstwo było w młodzieńcu chorobą
Obłąkania, ciemnoty, szału, nierozumu.   340
Ten wypadek dóm cały napełnił żałobą".

 Oto jest romans życia nie skłamany w niczem...
Zabite głodem wrażeń jedno z dzieci kona,
A drugie z odwróconym na przeszłość obliczem
Rzuciło się w świat ciemny... powieść nie skończona... 345

Trzy poemata

Ojciec zadżumionych

W El-Arish

Dla objaśnienia następnego poematu potrzeba mi nie-
odbicie powiedzieć kilka słów o kwarantannie na pustyni
między Egiptem a Palestyną, blisko miasteczka El-Arish.
Wymysłem to jest dziwnym Mahomeda Ali, że między
dwóma swoimi państwami naznaczył myślą na błędnym [5]
piasku granicę i pod karą miecza zmusił wolne Beduiny
rozbijać w tym miejscu namioty i żyć przez dni kilkanaście
pod dozorem straży i doktora; inaczej zaś z Egiptu do
Syrii dostać się nie mogą. Podróżując na wielbłądzie musiałem podobnemu ulec losowi. Po ośmiu dniach drogi [10]
przybyłem z Kairu na smutną dolinę piaszczystą, abym
na niej przez dni dwanaście zamieszkał. Zrazu pojąć nie
mogłem, jak miejsce puste, bez żadnego domu, błędnym
piaskiem zawiane, mogło prawu ludzkiemu podlegać; ale
miecz baszy zdawał się wisieć w błękitnym niebie nad [15]
głową moich przewodników Arabów, bo przybywszy na
dolinę kwarantanny kazali zaraz uklęknąć wielbłądom,
a w twarzach ich czarnych widać było głębokie poddanie
się ludzi wolnych pod prawo strasznego człowieka. Przybył
doktor z miasteczka El-Arish; pierwsze to było miastecz- [20]
ko, które od wyjazdu z Kairu obaczyłem z daleka, a doktor pierwszym napotkanym człowiekiem. Pan Steble, tak
się nazywał ów lekarz, emigrant włoski, ożeniony świeżo
z panną Malagamba, sławną pięknością na Wschodzie,
o której Lamartine z takim uniesieniem rozpowiada, starał [25]
się natychmiast mój pobyt pod otwartym niebem jak naj-
wygodniejszym uczynić; wydał ze składu kilka namiotów
dla naszej podróżnej gromadki; a jak się później dowie-
działem, rączki jego żony grzęzły w białej i srebrnej mące,
aby mi na chlebie europejskim nie zabrakło. Rozłożywszy [30]
się pod namiotem przywykać zacząłem do smutnego wi-
doku, który mnie otaczał. Opodal nieco rzeczka, sucha
prawie aż do dna, przerzynała piasku dolinę i szła do
morza, za nią szara wstęga palmowych lasów; od północy
błękitna szarfa Morza Śródziemnego roztrącała się o piasek [35]
i smutnym gwarem fal napełniała ciche nad pustynią

powietrze; nad morzem zaś, na piramidalnej piasku mogile, błyszczał białą kopułą mały grobowiec Szecha, straszny, albowiem tam, w jego lochach, składano umarłych z dżumy; a zaś architektura jego i żółtawa białość nadawały mu pozór kościotrupa. Z innych stron wzgórza piaskowe i na nich straży namioty, i patrzący na kwarantannę strażnicy w jaskrawych orientalnych ubiorach; w środku zaś doliny niby stożec piaskowy, z którego muezin obwoływał donośnym głosem wielkość Boga rano, wieczorem i w nocy. Wszystkie te obrazy czytelnik drugi raz odbite znajdzie w następującej powieści; a pokażą się mu we właściwszym świetle, albowiem je zobaczy przez łzy ludzkie. Co do mnie, przywykać zacząłem do mego namiotu i podobałem sobie w ciszy piaskowego stepu i w szumie morza, do którego brzegów pozwalano mi chodzić wziąwszy z sobą jednego z kwarantanny strażników. W wigilią Bożego Narodzenia (1836 r.), kiedy z tej spokojnej pustyni myśli moje odbiegały aż do dalekiej ojczyzny mojej i ku owym dniom, które dawniej spędzałem na ucztach w gronie rodzinnym, okropna burza, przewiewana wichrem z Morza Czerwonego na Śródziemne, gruchnęła w nocy i polała się deszczem piorunów na mój namiot oddalony od ludzi. W smutne i zamyślone o kraju serce zaczęło wchodzić powoli przerażenie... Szeleszczący od wichrów i deszczu namiot chwiał się nade mną i zaczerwieniony od piorunów wydawał się ognistym i strzegącym łoża bezsennego cherubinem... Wicher mi zagasił światło, a wilgotny knot na nowo zapalić się nie chciał. Próżne tu byłyby opisy; albowiem wielkością biblijną nacechowana była ta burza w pustyni – Anhelli myślał, że już przyszedł wicher, który go z ziemi zwieje i zaniesie w krainę cichą – przeszła jednak ta bezsenna noc zgrozy, a gdy nad rankiem wyszedłem z namiotu, chmury żelazne okrywały niebo i drobny deszczyk zasmucał powietrze. Ale nie tu był koniec przestrachów: krzyk Arabów uwiadomił mnie o nowym niebezpieczeństwie: owa rzeczka, gdzie wczora zaledwo nitka wody sączyła się po piaskowym korycie, nabrzmiała nocną ulewą i srebrnymi płetwami prosto biegła roztoczyć się po dolinie, na której stały nasze namioty; zaledwo kilka chwil czasu zostawało do ratunku; unieśliśmy za pomocą Arabów namioty nasze na najbliższe wzgórze piaskowe, a zaraz po nas przyszła woda napełnić owe kręgi piaskowe, które jako ślady naszych

zerwanych domów zostały w dolinie. Zziębły i ponury 80
patrzałem ze wzgórza na tryumf tej biednej rzeczki,
a patrząc tak, dziwnego doznawałem wrażenia. Bez dachu, bez ognia, bez pokarmu, doznawszy morskiego prawie
na ziemi rozbicia, nie mogłem jednak udać się do bliskiego miasteczka, gdzie byli ludzie, ani prosić, aby mię 85
pod dach jaki przyjęto i przy gościnnym posadzono ognisku. A mogły nadejść okropniejsze burze, mogło nareszcie
przyjść morze i zatopić wzgórze, na którym stałem; a wszystko to trzeba było własnymi siłami wytrzymać, ocalić
się lub zginąć, pod okiem ludzi, którzy się mnie i rze- 90
czy moich dotknąć nie mogli i nie śmieli. Wyjaśniło się
na koniec niebo, a ja, nauczony doświadczeniem, już nie
w dolinie, lecz na wzgórzu najwyższym rozbiłem namiot;
i przyszły dnie pogodne, ciche, spokojnie płynące w pustyni. Drogman mój Soliman, sławny z tego i chełpliwy, 85
że był niegdyś tłumaczem Champoliona, Roseliniego, Fres-
nela i wielu innych, opowiadał mi o swoich dawnych
panach różne drobne szczegóły ich podróży i ze mnie
zapewne zbierał zapas małych postrzeżeń, którymi będzie
bawił przyszłych wędrowników. Wieczorem zaś, usiadłszy 100
na ziemi u wejścia do namiotu, piękny ten Arab, z długą
brodą, oświecony wzierającym między płótna księżycem,
śpiewał mi strofy z poematów arabskich, których dźwięk
niezrozumiany i smutna nuta kołysały mnie do snu.
A wtenczas — może mnie anioł snów okrywał płaszczem 105
rycerza Solimy i naznaczał krzyżem czerwonym na piersiach, a zaś Araba tego przemieniał w giermka śpiewa-
jącego smutne dumy z ziemi rodzinnej. Lecz dosyć już
o tym śnie tajemniczym życia mojego, o tym złotym
stepie i o tym namiocie, gdzie miałem chwile spokojne, 110
gdzie budząc się, przez roztworzone płótno oczy moje
napotykały konstelacją Oriona, tak podobną do gwiaździstej
lutni zawieszonej przez Boga nad biednym namiotem błęd-
nego Polaka. Dosyć o tym cichym tygodniu życia —
przeminął. — Wielbłądy moje znów uklękły przede mną 115
i podniosły się z pielgrzymem zadumanym, wyciągając
długie, wężom podobne szyje ku grobowcowi Chrystuso-
wemu; a kiedy już byłem o godzinę drogi ku wschodo-
wi, obróciłem się na siodle, aby raz jeszcze spójrzeć na
mój namiot zielony; obaczyłem go na wzgórzu i zdawało 120
mi się, że sam wyszedł na miejsce wysokie, aby mnie
pożegnać: a czy to ludzie pakując rzeczy, czyli też sam

namiot, nie czując już w sobie mieszkańca, wyrwał kilka
kołów z piasku i skrzydłem powiewał za mną, pokazując
mi swoje łono czarne i puste. – Odwróciłem się od tej   125
rzeczy, co miała serce rozdarte po mnie. A wkrótce zaczęły się pokazywać na piasku lilije białe, zwiastując, że
się zbliżam do żyźniejszej krainy; i pomyślałem, że na te
same kwiaty obróciwszy oczy mówił Chrystus do uczniów
swoich, aby się nie troszczyli o jutro i o rzeczy z tego   130
świata, patrząc na lilie, które Bóg odziewa.

Oto jest opis kwarantanny odbytej przeze mnie na
pustyni; gorszą daleko wysiedział ów starzec opowiadający
nieszczęścia swoje w następnym poemacie. Historia jego
boleści nie jest całkowicie zmyśloną: opowiadał mi ją   135
doktor Steble, któremu tak za nią, jako za chleby i za
uprzejmość dla mnie podziękowałbym tutaj, gdybym wiedział, że te kilka wyrazów znajdzie go na pustyni. Ale
czymże jest dla niego wspomnienie w niezrozumianym
języku i wymówione głosem, który zaledwo się tak roz-   140
chodzi, jak kręgi na wodzie po rzuconym do niej kamieniu?

Ojciec zadżumionych

W El-Arish

Trzy razy księżyc odmienił się złoty,
Jak na tym piasku rozbiłem namioty.
Maleńkie dziecko karmiła mi żona,
Prócz tego dziecka, trzech synów, trzy córki,
Cała rodzina, dzisiaj pogrzebiona,   5
Przybyła ze mną. Dziewięć dromaderów
Chodziło co dnia na piasku pagórki
Karmić się chwastem nadmorskich ajerów;
A wieczór — wszystkie tu się kładły wiankiem,
Tu, gdzie się ogień już dawno nie pali.   10
Córki po wodę chodziły ze dzbankiem,
Synowie moi ogień rozkładali,
Żona, z synaczkiem przy piersiach, warzyła.
Wszystko to dzisiaj tam — gdzie ta mogiła
Promienistemu słońcu się odśmiecha,   15
Wszystko tam leży pod kopułką Szecha.
A ja samotny wracam — o boleści!
Trzy razy wieków przeżywszy czterdzieści,
Odkąd do mego płóciennego dworu
W tej kwarantannie wszedł anioł pomoru.   20

O! niewiadoma ta boleść nikomu,
Jaka się w moim sercu dziś zamyka!
Wracam na Liban, do mojego domu —
W dziedzińcu moim pomarańcza dzika
Zapyta: ,,Starcze! gdzie są twoje dziatki?'' —   25
W dziedzińcu moim córek moich kwiatki
Spytają: ,,Starcze! gdzie są twoje córki?''
Naprzód błękitne na Libanie chmurki
Pytać mię będę o synów, o żonę,
O dzieci moje, wszystkie pogrzebione   30
Tam, pod grobowcem tym okropnym Szecha —
I wszystkie będą mię pytały echa,
I wszyscy ludzie, czy wracam ze zdrowiem,
Pytać się będą. — Cóż ja im odpowiem?!

Przybyłem. Namiot rozbiłem na piasku.   35
Wielbłądy moje cicho się pokładły;
Dziecko, jak mały aniołek w obrazku,

Karmiło wróble, a ptaszęta jadły,
Aż do rąk prawie przychodząc dziecinie. –
Widzisz tę małą rzeczułkę w dolinie?
Od niej wracała najmłodsza dziewczyna,
Z dzbankiem na głowie, prościutka jak trzcina.
Przyszła do ognia i wodą z potoku,
Śmiejąc się, lekko trysnęła na braci. –
Najstarszy – z ogniem zapalonym w oku
Wstał, dzbanek wody chwycił w drżące dłonie
I rzekł: „Sam Bóg ci za wodę zapłaci,
Bo chcę pić jak pies, bo ogień mam w łonie".
To mówiąc, wodę wypiwszy ze dzbana,
Powalił się tu jak palma złamana.
Przybiegłem – nie czas już było ratować. –
Siostry go chciały martwego całować;
Krzyknąłem wściekły: „Niech się nikt nie waży!"
Porwałem trupa i rzuciłem straży,
Aby go wzięła na żelazne zgrzebła
I tam, gdzie grzebią zarażonych, grzebła.
A od tej nocy tak pełnej boleści
Naznaczono mi nowych dni czterdzieści.

Tej samej nocy Hafne i Amina
Umarły leżąc na łożu przy sobie.
A patrz! – tak cicho umierały obie!
Że choć po śmierci najstarszego syna
Oczy się moje do snu nie zawarły,
A nie słyszałem, jak obie umarły.
I nawet matka własna nie słyszała,
Choć wiem, że także tej nocy nie spała.
Rankiem obiedwie sine jak żelazo,
Dwie moje córki zabite zarazą,
Wywlec kazałem strażnikom z namiotu;
I porzuciły nas! – i bez powrotu!...
A jak dorosłym przystoi dziewicom,
Włosami ziemię zamiotły rodzicom.

Widzisz te słońce w niebie lazurowym?
Zawsze tam wschodzi za lasem palmowym,
Zawsze zachodzi za tą piasku górą;
Zawsze te niebo nie splamione chmurą:
A mnie się zdało wtenczas, nie wiem czemu,
Że słońce słońcu nie równe złotemu;

I już nie takie, jakie było wczora,
Ale podobne do słońca upiora.   80
A niebo, które patrzało na zguł ę
Mego rodzeństwa, moich trojga dzieci:
Tak mi się mgliste zdawało i grube
Ziemi wyziewem i słońca purpurą,
Że nie wiedziałem, czy pacierz doleci   85
Do Pana Boga, co się zakrył chmurą.

I tak dni dziesięć przeszło, choć nie skoro.
Reszta mych dzieci żyła — wszystko czworo.
Małżonka moja serce miała lżejsze,
I nawet moje dzieciątko najmniejsze   90
Żyło i kwiatkiem nie chciało usychać —
Ja sam nareszcie zacząłem oddychać;
Bo nie wierzyłem, żeby wziąwszy troje
Bóg mi chciał zabrać wszystkie dzieci moje.
O! była to więc piekielna godzina!   95
Gdy patrząc na twarz najmłodszego syna
Śmierć zobaczyłem! — Ach, ja go tak strzegłem! —
Pierwszy na twarzy znak wystąpił drobny;
Nikt by nie dostrzegł — ja, ojciec, spostrzegłem.
On do tamtego stawał się podobny;   100
Stawał się jak mój trup pierworodny
Z jasnego blady, z bladego czerwony.
Patrzę! — Na twarzy plam żelaznych krocie —
Więc zawołałem głośno: ,,Śmierć w namiocie!"
I pochwyciwszy go z takimi trądy   105
Wyniosłem na step, pomiędzy wielbłądy,
Aby go tam śmierć zgryzła do ostatka;
I żeby na to nie patrzała — matka.

Przy konającym czuwaliśmy bliscy
Ja z wielbłądami — na kolanach wszyscy.   110
Łamałem ręce i wołałem głośno:
,,Oby nie umarł! lub się był nie rodził!" —
A tam nad palmy, z twarzą nielitośną,
Gdy konał mój syn, blady miesiąc wschodził
I patrzał: — tego z pamięci nie zatrzeć!   115
I nie wiem, jak ten sam miesiąc mógł patrzeć?
Gdy skonał w moim ojcowskim uścisku,
Chciałem go spalić na popiół w ognisku;
Lecz ledwie ogień zaczął biec po szacie,

Wyrwałem trupa i rzuciłem straży – [120]
Poniosło mi go czarnych dwóch grabarzy,
I lepiej mu tam przy siostrach i bracie.
Od tego zgonu i od tej boleści
Naznaczono mi nowych dni czterdzieści.

Pod kręgiem słońca jako krew czerwonym [125]
I pod namiotem tym zapowietrzonym
Żyliśmy, słowa nie mówiąc do siebie,
I śmierć przed samą śmiercią udawali
Myśląc, że Boga oszukamy w niebie,
Że się ten bałwan zarazy przewali. – [130]
Powrócił! – Anioł powrócił morderca!
Ale mnie znalazł bez łez i bez serca,
Już omdlałego na boleści świeże,
Już mówiącego: „Niech Bóg wszystko bierze!"
Miałem na syna trzeciego cierpienia [135]
Powieki bez łez i serce z kamienia.
Boleść już była jako chleb powszedni.
I pod oczyma mi konał mój średni,
Najmniej kochany w mym rodzinnym gronie
I najmniej z dzieci płakany po zgonie. [140]
Toteż Bóg jemu wynagrodził za to,
Bo mu dał cichą śmierć i lodowatą,
Bez żadnych bolów, bez żadnych omamień.
Skonał i skościał, i stał się jak kamień.
A tak okropnie po śmierci wyglądał, [145]
Jakby już próżnych naszych łez nie żądał,
Ale chciał tylko lice swoje wrazić
W serca nieczułe, oczy nam przerazić
I wiecznie zostać w rodziców pamięci
Z twarzą, co woła: „Jesteście przeklęci!" – [150]

Skonał. Myślałem wtenczas – o rozpaczy! –
Że jeśli reszcie Pan Bóg nie przebaczy,
Jeśli anioła śmierci przyszle po nie:
Dziecko mi weźmie – żonę – a po żonie
Mnie nieszczęsnego zawoła przed Stwórcę... [155]
Córka! – Ja myśleć nie śmiałem o córce!
I trwoga o nią nie gryzła mię żadna.
Ach, ona była młoda! taka ładna!
Taka wesoła, kiedy moją głowę
Do lilijowych brała chłodzić rączek, [160]

Kiedy zrobiwszy z jedwabiu osnowę,
Około cedru biegała po trawie,
Jak pracowity snując się pajączek.
Patrz! i ten pas mój błyszczący jaskrawie
Ona robiła – i te smutne oczy   165
Ona rąbkami złocistych warkoczy
Tak przesłaniała, że patrzałem na nią
Jako na róże przeze łzy i słońce.
Ach, ona była domu mego panią!
Ona jak jaśni anieli obrońce   170
Najmniejsze dziecko w kołyseczce strzegła.
I gdzie płacz jaki słyszała, tam biegła;
I wszystkie nasze opłakała ciosy,
I wszystkie nasze łzy – wzięła na włosy.

Dziesięć dni przeszło i nocy tak długich,   175
Że śmierć już mogła na gwiazdy odlecić.
Dziesięć dni przeszło, dziesięć nocy drugich
Przeszło – nadzieja zaczynała świecić...
Po dzieciach ustał wielki płacz niewieści
I naliczyliśmy ranków trzydzieści.   180
Nareszcie zbywszy pamięci i mocy,
Położyłem się i zasnąłem w nocy.
I we śnie, w lekkie owinięte chmury,
Ujrzałem moje dwie umarłe córy.
Przyszły za ręce trzymając się obie;   185
I pozdrowiwszy mię pokojem w grobie,
Poszły, oczyma cichymi błyszczące,
Nawiedzić inne, po namiocie śpiące.
Szły cicho, z wolna, schylały się nisko
Nad matki łożem, nad dziecka kołyską;   190
Potem na moją najmłódszą dziewczynę
Obiedwie – ręce położyły sine!
Budzę się z krzykiem i umarłą dziatwę
Klnąc wołam dziko: „Hatfe! moja Hatfe!"
Przyszła jak ptaszek cicho po kobiercu,   195
Rzuciła mi się rączkami na szyję;
I przekonałem się, że Hatfe żyje,
Słysząc jej serce bijące na sercu.
Ale nazajutrz grom przyszedł uderzyć –
Córka!!! – Lecz na co z boleścią się szerzyć?   200
I te mi dziecko sroga śmierć wydarła!
I ta mi córka na rękach umarła!

A była jedna najstraszniejsza chwila –
Kiedy ją bole targały zabójcze,
Wołała: ,,Ratuj mię! ratuj, mój ojcze!''   205
I miała wtenczas czerwone usteczka
Jak młoda róża, kiedy się rozchyla. –
I tak umarła ta moja dzieweczka,
Że mi się serce rozdarło na ćwierci –
A piękna była jak anioł – po śmierci!   210

Przyszli nade mną płakać nieborakiem
Strażnicy; przyszli mi wydrzeć to ciało.
I nieostróżni zaczepili hakiem –
Hak padł na pierś jej twardą, krągłą, białą...
I tu – bogdajby jak ja nie umarli! –   215
Tu ją pod mymi oczyma rozdarli. –
Ty im to, Boże niebieski, spamiętasz!
Wziąłem ją – i sam zaniosłem na cmentarz.

Z założonymi na piersiach rękoma
Siedziała trzy dni matka nieruchoma   220
W kącie namiotu, żółta, jakby z drewna.
Dziecina stała się blada i rzewna;
Bo mleko matki zaczęło wysychać,
I co dnia było płacz w kołysce słychać.
A ta pustynia – nie masz dzieci w grobie! –   225
Ona inaczej wydaje się tobie,
Może złocista, jasna i weselna?
Lecz dla mnie jest to równina piekielna!
Przez tę równinę, przez te piasku kupy
Ciągnięto śniade moich dzieci trupy.   230
A tam na wzgórzu, kędy morze bije,
Dla ciebie szumi morze – dla mnie wyje;
A kiedy z wichrem na brzegi nie skacze,
Dla ciebie szemrze tylko – dla mnie płacze.
Co dnia, gdy przyszła wieczorna godzina,   235
Śpiewającegom słyszał muezina:
Jakby się nad mym ulitował losem,
Zaczął smutniejszym obwoływać głosem,
Krzycząc ze swego piaskowego stoga
Nieszczęśliwemu ojcu – wielkość Boga.   240
O! bądźże mi Ty pochwalony, Alla!
Szumem pożaru, co miasta zapala,
Trzęsieniem ziemi, co grody wywraca,

Zarazą, która dzieci mi wytraca
I bierze syny z łona rodzicielki.
O Allach! Akbar Allach! jesteś wielki!   245

Wszystko, co miało tylko twarz człowieka,
Zaczęło stronić ode mnie z daleka.
Namiotu mego — córki go uprzędły —
Płótna na rosie poczerniały, zwiędły   250
I podarły się, i lekko napięte
Były jak próchna z ludzkich trumien zdjęte.
Zarazę było znać na tym namiocie —
I wiesz, że nawet tych wróbelków krocie,
Co zlatywały się tutaj o brzasku   255
Jeść okruszyny i kąpać się w piasku;
Odkąd mi dzieci zaczęło ubywać,
Po żer przestały się wszystkie zlatywać.
Czy odstraszyło je podarte płótno
Namiotu mego? czy twarz moja biedna? —   260
Nie przyleciała z ptaszyn ani jedna
I spostrzegłem to — i było mi smutno.
Po córce w pięć dni — o Boże mój! Boże!
Z wieczora huczeć już zaczęło morze
I słońca się krąg pochował ponury,   265
I niebo czarne zaciągnęły chmury.
Noc przyszła, dotąd w pamięci ohydna,
Ciemna, od gromów czerwoności widna.
Jeszcze dziś czuję i widzę, i słyszę,
Słyszę, jak namiot gęste sieką deszcze,   270
Jak się rozciąga, jak głucho szeleszcze,
Jak się nade mną w ciemności kołysze
I od piorunów się cały czerwieni,
Podobny grobom szatańskim z płomieni.
Zdawało mi się za burzy łoskotem,   275
Żem słyszał martwe dzieci, za namiotem,
Wszystkie jęczące przeraźliwie, głucho.
Więc natężałem wzrok, serce i ucho;
I z przerażeniem rozmyślałem w sobie,
Jak moim dzieciom takiej nocy w grobie?   280

I nagle! — Czemuż ta śmierć tak zdradziecko!
Tak cicho weszła pod namiotu żagle?! —
Grom spadał hucząc po gromie — i nagle
W kołysce z cicha zapłakało dziecko —

A płacz ten musiał być strasznym wyrazem... 285
Bo zaraz — matka — ja — oboje razem —
Rzuciliśmy się, gdzie robaczek lichy...
A choć dziecięcia jęk był bardzo cichy,
To tak wydawał się obójgu głośny
I tak rozdarty, i taki żałosny, 290
I tak z głębokich wnętrzności wyjęty!
I tak rozumny! i taki przeklęty!!!
Żeśmy oboje biegli gromem tknięci,
I bez nadziei już! i bez pamięci!

I nie zawiodło przeczucie żałoby! 295
Umarło — z takiej jak tamte choroby.
I poszło leżeć między trupy bratnie,
Moje najmilsze!... i moje ostatnie!!!
Śmierć mi go czarna wzięła nielitośnie.
I już nie wróci! ani mi urośnie! 300
Ani go kiedy mój dom już zobaczy! —
I już nie wróci nigdy! — o rozpaczy!!!

Noc przyszła druga, błyszcząca gwiazdami.
Byliśmy z matką w namiocie — przed nami
Leżało dziecko na stole, nieżywe, 305
Nieruchomością śmierci przeraźliwe.
Uczułem wtenczas, patrząc na tę postać,
Że gdyby mogło choć tak z nami zostać
Przez wszystkie lata — choć tak, nie inaczéj —
Ubyłoby mi z serca pół rozpaczy. 310
A te już — ani zarazy strażnicy,
Ani ja niosłem do Szecha kaplicy,
Gdzie się nam trupia otwierała brama,
Ale je matka tam zaniosła sama.

W namiocie pustym ja zostałem z żoną. 315
Ale czy pojmiesz? — zamiast nas połączyć,
Boleść obójgu nam rozdarłszy łono,
Zaczęła jakieś jady w serca sączyć,
I teraz chyba je sam Bóg oczyści.
Smutek podobny był do nienawiści 320
I stanął czarny, wielki, między nami.
Więc rozłączeni byliśmy i sami.
I nie mówiliśmy do siebie słowa —
Bo powiedz, jakaż być mogła rozmowa

W pustym namiocie między mną i żoną? 325
Pomiędzy ojcem i matką tych dzieci?...
Słońce wschodziło w upały czerwono,
Co dnia tonęło tam, gdzie teraz świeci
.Jak jaka skrawa pożaru pochodnia. —
Więc tak bezdzietnym było — i tak co dnia — 330
Cisza ogromna namiot nasz zaległa.
Chyba mysz jaka w księżycu przebiegła;
Zgoła innego jęku ni szelestu...
Doczekaliśmy więc tak dni czterdziestu.
I kwarantanny przybyli lekarze, 335
Głęboko patrząc w nasze smutne twarze.
Widziałem, jak się każdy z nich zadziwiał;
Bo nachyliłem się był i posiwiał.
A żona moja od niespań i troski
Była jak bursztyn albo żółte woski; 340
Na głowie miała z włosów siwych wieniec,
Jakiś okropny ceglany rumieniec,
A oczy pełne takiej błyskawicy,
Jak ci, co wyjdą na słońce z ciemnicy.
Lekarz nam kazał w sustawy uderzyć, 345
Tam gdzie zaraza pierwsze rzuca strupy —
Zdrów byłem. — Ludzie! czy będziecie wierzyć?
Ja, co me wszystkie całowałem trupy,
Z tej kwarantanny wychodziłem zdrowy;
Żona, co nawet nie tknęła połowy, 350
Nad piersiami się uderzywszy zbladła
I zachwiała się z jękiem — i upadła.
A ja na ręce wziąłem trup niewieści,
Zaniosłem w namiot i rzuciwszy brzemię
Upadłem przy niej jak martwy na ziemię. 355
I obudziłem się — na dni czterdzieści...

Przed samą śmiercią wyznała mi matka,
Że chciała z grobu swojego dzieciątka
Jakiej pamiątki, kamienia lub kwiatka,
Włoska w złocistych na głowie obrączkach; 360
I ta po dziecku umarłym pamiątka —
Patrzaj! — obrazek ten, co trzymał w rączkach,
Te włoski złote i tak dzisiaj święte,
W mogiłce z główki maleńkiemu zdjęte —
Bo biedna matka miała tyle mocy, 365
Że odkopała dziecko o północy;

Znalazła jeszcze nie zepsutym wcale,
Pocałowała w usteczek korale
I znów włożyła do trupich obsłónek –
Te upominki i ten pocałunek,   370
Zazdrośnej ziemi Szecha ukradzione,
Zabiły matkę i wzięły mi żonę.

I znów się łono piaskowe otwarło,
Gdzie pochowałem matkę martwych zmarłą.
Potem wróciłem do płóciennej nory   375
Schować się w cieniu jak nocne potwory.
Ani ja słońca na niebieskim sklepie,
Ani mnie ludzie widzieli na stepie.
Stałem się jako zdzieciniali – starzy –
W pamięci mojej – żadnej żywej twarzy,   380
Tylko te sine i okropne lica,
Które mi wzięła zarazy martwica.
I w dzień błękitny, i w noc każdą ciemną
Oni tu byli w tym namiocie ze mną;
Gadałem z nimi, zmyślałem rozmowy,   385
W których rozmawiał ze mną tłum grobowy;
I często dziwnym natrafiłem losem
Na głos, co moich był dzieciątek głosem.
Z obłąkanego budziły mię śnicia
Po nocy hyjen przeraźliwe wycia   390
Tam nad trumnami... i słuchałem blady,
Jak nad trupami płaczą trupojady.
Stałem się wreszcie jak wąż, gdy ochłodnie.
I przechodziły mi dnie i tygodnie
Bez żadnych bolów, pamiątek, omamień.   395
Stałem się twardy i zimny jak kamień.
I raz – ach, boska nade mną opieka!
Patrzę, ktoś w namiot mój cicho zagląda –
I ach! – Nie była to już twarz człowieka,
Lecz głowa mego starego wielbłąda.   400
Spojrzał – i spojrzał z twarzą tak litosną,
Że rozpłakałem się jak dziecko głośno.

I tak przeżyłem smutnych dni czterdzieście;
Przyszli mię ludzie uwolnić nareszcie.
O gorżka wolność i chwila odlotu!   405
Jam do ciemnego już przywykł namiotu;
Z uczuciem smutku, boleści i zgrozy

Będę wyrywał kóły i powrozy,
Które... (o Boże wiekuisty, świeć mi!...)
Do tego piasku zatykałem z dziećmi.   410
Ach, pomóż ty mi je zerwać — sam jestem!
A może tobie posępnym szelestem
Te płótna więcej boleści powiedzą?
One widziały wszystko! wszystko wiedzą!
Czyż nie są teraz jak męki obrazy?   415
Patrz na nie, dotknij! nie bój się zarazy,
Nie bój się śmierci, co dotknięciem sinem...
Wszak ty nie jesteś, synu, moim synem.
Lecz nie — uciekaj! Ja wiem, że te płótna
Straszne się muszą obcym ludziom zdawać.   420
Śmierć od zarazy? — Ach! to śmierć okrutna!
Zaczynasz własnych braci nie poznawać,
Potem cię ogień pali, piersi gorą...
Ach! ja tak moich widziałem ośmioro!
I co dnia patrząc na tak konające,   425
Wysiedziałem tu całe trzy miesiące.
Dziś — oto dziewięć wielbłądów podróżnych,
A na nich — patrzaj, osiem juków próżnych,
I nie zostało mi nic — oprócz Boga;
I tam mój cmentarz — a tamtędy droga. —   430

W Szwajcarii

I

Odkąd zniknęła jak sen jaki złoty,
Usycham z żalu, omdlewam z tęsknoty.
I nic wiem, czemu ta dusza, z popiołów,
Nie wylatuje za nią do aniołów?
Czemu nie leci za niebieskie szranki,
Do tej zbawionej i do tej kochanki?

5

II

W szwajcarskich górach jest jedna kaskada,
Gdzie Aar wody błękitnymi spada.
Pozwól tam spójrzeć zawróconej głowie.
Widzisz tę tęczę na burzy w parowie?
Na mgłach srebrzystych cała się rozwiesza,
Nic ją nie zburzy i nic ją nie zmiesza;
A czasem tylko jakie białe jagnię
    Przez tęczę idzie na skraju doliny
    Szczypać kwitnące róże i leszczyny;
Lub jaki gołąb, co wody zapragnie
Jakby się blaskiem pochwalić umyślnie,
Przez tęczę szybko przeleci i błyśnie.
Tam ją ujrzałem! i wnet rozkochany,
Że z tęczy wyszła i z potoku piany,
Wierzyć zacząłem i wierzę do końca;
Tak jasną była od promieni słońca!
Tak pełna w sobie anielskiego świtu!
Tak rozwidniona zrennicą z błękitu! —
Gdy oczy przeszły od stóp do warkoczy,
To zakochały się w niej moje oczy;
A za tym zmysłem, co kochać przymusza,
Poszło i serce, a za sercem dusza.
I tak się zaczął prędko romans klecić,
Że chciałem do niej przez kaskadę lecić;
Bo się lękałem, że jak widmo blade,
    Nim dusza ze snu obudzona krzyknie,
    Upadnie w przepaść, w tęczę i w kaskadę
    I roztopi się, i zgaśnie, i zniknie;

10
15
20
25
30

I byłem jak ci, co się we śnie boją, 35
Bo jużem kochał, bo już była moją.
I tak raz pierwszy spotkałem ją samą
Pod jasną tęczy różnofarbnej bramą;
Powiew miłości owiał mię' uroczy.
Stanąłem przed nią i spuściłem oczy. 40

III

Poszedłem za nią przez góry, doliny,
I szliśmy razem u stóp tej lawiny,
Gdzie śnieg przybiega aż do stóp człowieka
    Spłaszczoną płetwą jak delfin olbrzymi;
    Para mu z nozdrza srebrzystego dymi, 45
A Rodan z paszczy błękitnej ucieka.
    Pamiętam chwilę... poranek był skwarny.
Tameśmy szmerem spłoszyli dwie sarny;
Te, jakby szczęścia ludzkiego świadome,
Stanęły blisko złote, nieruchome; 50
I utopiły oczów błyskawice
W kochanki mojej błękitne zrennice;
I długo patrząc, nieruchome obie,
Głowy promienne pokładły na sobie.
Rzekłem: „One się zakochały w tobie!" 55
Rzekłem — i za to z ust zamkniętych skromnie
Najpierwszy uśmiech jej przyleciał do mnie,
Przyleciał szybko i wrócił z podróży
Do swego gniazda, do pereł i róży;
A gdy zobaczył, że oczów nie mrużę, 60
Całą jej białą twarz zamienił w różę.
A wiecie? ani tak za serce chwyta
Rumieniec kwiatu, co świeżo rozkwita;
Ani tak oko wędrówca zachwyca
Gór nadalpejskich śnieżysta dziewica, 65
Kiedy od słońca różane ma lica,
Jak ten rumieniec bez wstydu i grzechu,
Co się na twarzy urodził z uśmiechu.

IV

Odtąd szczęśliwi byliśmy i sami,
Płynąc szwajcarskich jezior błękitami, 70
I nie wiem, czy tam była łódź pod nami;

Bom z duchy prawie zaczynał się bratać,
Chodzić po wodach i po niebie latać;
A ona tak mię prowadziła wszędzie!
Ach! ona była jak białe łabędzie,   75
Była jeziora błękitnego panią;
Płynęła lecąc — łódź leciała za nią,
Za łodzią jasność szafirowym szlakiem,
    Za tą jasnością rybek korowody,
    I wyrzucały się aż do niej z wody;   80
I z takimeśmy płynęli orszakiem
Uśmiechając się w błękitu krainie.
Bo ona była jak wodne boginie:
Miała powozy z delfinów, z gołębi,
I kryształowe pałace na głębi,   85
I księżycowe korony w noc ciemną...
I mogła była, co chce, zrobić ze mną.

V

Raz — że nie była niebieskim aniołem,
    Myślałem całe długie pół godziny;
    Wyspowiadałem się potem z tej winy —   90
Słuchajcie! — Oto przed Tella kościołem
Pierwsza na kamień wyskoczyła płocha
I powiedziała mi w głos, że mnie kocha,
I odesłała mnie znów na jezioro,
    Łódkę mą — piersią odtrąciwszy białą...   95
    A ja — ach, nie wiem, co się ze mną stało!
Czy mnie anieli do nieba zabiorą,
Czy grzmiące fale jeziora pochłoną,
Czy uśmiechami rozrywa się łono,
Czy serce jak lód rozegrzany taje,   100
Czy dusza skrzydeł anielskich dostaje,
Czyli w nią wstąpił cały anioł złoty?
Czyli uśmiechów pełna? czy tęsknoty?
Wszystkie uczucia gwałtownymi loty
Na serce spadły, jak gołębi chmura   105
Pić łzy i białe w nim obmywać pióra,
Aby się czyste rozlecieć po niebie...
Wtem zawołała łódź ze mną do siebie.
Usłyszała ją łódka i spostrzegła,
I sama do niej z błękitu przybiegła.   110

VI

Pod ścianą ze skał i pod wieńcem borów
Stoi cichości pełna i kolorów
Tella kaplica. Jest próg tam na fali,
Gdzieśmy raz pierwszy przez usta zeznali,
Że się już dawno sercami kochamy;   115
A pod tym progiem są na wodzie plamy
Od sosen, co się kołyszą na niebie,
I od skał cienia; gdzie mówiąc do siebie,
Wbite do wody trzymaliśmy oczy.
A pod tym progiem fala tak się toczy,   120
I tak swawolna, i taka ruchoma,
    Że wzięła w siebie dwa nasze obrazy
I przybliżała łącząc je rękoma,
      Chociaż nas tylko łączyły wyrazy.
Ach! fala taka szalona i pusta!   125
Że połączyła nawet nasze usta,
Choć sercem tylko byliśmy złączeni.
Fala tak pełna ruchu i promieni,
Że jednym światła objąwszy nas kołem,
Zmięszała niby anioła z aniołem.   130
Gdy myślę — boleść dręczy mię nieźmierna.
Falo! niewierna falo! — i tak wierna!

VII

Raz mię ów anioł zaprowadził złoty
Przez jasne łąki do lodowej groty.
Tam ją obielił dzień alabastrowy;   135
I mróz na czole mej jasnej królowéj
Perłami okrył wszystkie polne róże;
I ze sklepienia łzy leciały duże;
A we łzach sylfy z jasnością ogromną
Deszczem spadały na białą i skromną.   140
Słysząc, że ściany płaczą coraz głośniej,
Cała się szatą okryła zazdrośniej
I wszystko oczom ciekawym ukradła,
I jeszcze ręce skrzyżowane kładła
Na alabastry widne, choć zakryte.   145
    Tak nieruchoma stała — a koło niej
Igrały tęcze w blaski rozmaite.
    Ja wtenczas modlić się zacząłem do niej.

Ave Maria!
Jak biała róża, kiedy się rozwija,
Róż pokazuje z piersi odemkniętej,
Taki rumieniec wyszedł z lica świętej.
I zamyślona odwróciła głowę,
Palec na ściany kładąc kryształowe;
Jak ta, co imię ukochane kryśli
Lub o błękitnych jakich myślach – myśli.
Wreszcie się do mnie obróciwszy rzekła:
„Może za miłość ja pójdę do piekła
I gdzieś w piekielne wprowadzona chłody,
Wszczepioną będę w kryształowe lody
Jako ta bańka z powietrza i z tęczy..."
„Lecz prawda" – rzekła – „jeżeli się męczy
Ta jasność, słońca stworzona promieniem,
      Którą lód w sobie mrozi i zabija,
Można ją z lodu uwolnić westchnieniem..."
Ave Maria!

VIII

Pójdziemy razem na śniegu korony!
      Pójdziemy razem nad sosnowe bory,
Pójdziemy razem, gdzie trzód jęczą dzwony!
Gdzie się w tęczowe ubiera kolory
      Jungfrau i słońce złote ma pod sobą;
Gdzie we mgle jeleń przelatuje skory;
Gdzie orły skrzydeł rozwianych żałobą
      Rzucają cienie na lecące chmury;
O moja luba! tam pójdziemy z tobą.
A jeśli z takiej nie wrócimy góry,
      Ludzie pomyślą, że nas wzięły duchy
I gdzieś w niebieskie uniosły lazury;
Żeśmy się za gwiazd chwycili łańcuchy
      I ulecieli z Pelejad gromadą.
I tylko po nas potok spadnie głuchy,
      I błyszczącą się łez rzuci kaskadą.

IX

Ach! najszczęśliwsi na ziemi nie wiedzą,
      Gdzie duchy skrzydła na ramionach kładną,
Gdzie jak łabędzie zadumane siedzą:

150

155

160

165

170

175

180

185

Ach! najciekawsi na świecie nie zgadną,
W jakim szalecie żyłem z moją miłą;
I wiele nam róż do okien świeciło,
I wiele wiszeń naokoło rosło,
Ile słowików na wiszniach się niosło; 190
Ile tam w każdą noc miesięczną, bladą,
Kłóteń słowików płaczących z kaskadą;
Ile trzód naszych szło na łąkach dzwonić...
Ach! tego nawet śpiącym nie odsłonić
Ani pokazać, ani zawrzeć w słowie... 195
Łąka i szalet, i wisznie w parowie,
W takim parowie, że stróż anioł biały
Rozwijał skrzydła od skały do skały
I nakrywał ten cały parów dziki,
Szalet i róże, i nas, i słowiki. 200

X

Lecz nadto było cyprysowej woni
I nadto barwy, co się w różach płoni;
I chciała nas już miłość ująć zdradą. –
Było to rankiem – pomnę – pod kaskadą –
Byliśmy niczym nie strwożeni – sami – 205
Czytając książkę pełną łez, ze łzami.
Wtem duch mi jakiś podszepnął do ucha,
  Ażebym na nią z książki przeszedł okiem. –
Była jak anioł, co myśli i słucha –
  I nagle – takim przejrzystym obłokiem 210
Rumieniec smutny twarz jej umalował,
  Że nie wiem dotąd, jak się wszystko stało;
Alem ją w usta różane całował
  I czułem ją tu, na mych rękach, białą,
Sercem bijącą, brylantową w oczach. 215
Wtem nagle – w jasnej kaskady warkoczach
Coś pomięszało się i coś urzekło;
Wiatr na nas rzucił całe wodne piekło
I z kwiatów spłoszył wilgotnymi mgłami. –
Odtąd jużeśmy nie czytali sami. 220

XI

Odtąd w uśmiechach była dla mnie rzadsza,
Smutniejsza, cichsza i bielsza, i bladsza.
W głębszych się coraz zanurzała cieniach

I obrywała róże na strumieniach;
Albo przy kaskad naciągniętej lutni
Stawała słuchać tak jak ludzie smutni,
Z twarzą spuszczoną; lub sama w ustroni
    Ręce na białą zakładała szyję
Jak ta, co boi się albo się broni.
    Lub jako gołąb, co w strumieniu pije,
Do nieba jasnym wzlatywała okiem.
Już wolnym, sennym błąkała się krokiem
I jaskółeczek utraciła zwinność,
I zadumała ją całą — niewinność.

XII

Widząc ją taką chciałem bronić siebie
I rzekłem: „Luba! jak Bóg jest na niebie,
Z sercaś mi wszystko odpuścić powinna;
Lilija jedna wszystkiemu jest winna.
Otoś ty wczoraj w tym źródle, co bije
Na jasnej łące, myła twarz i szyję;
A tam za tobą prosta, niedaleka,
Jak służebnica, co z rąbkami czeka,
Lilija jedna, cała jasna, w bieli,
Oczekiwała, aż wyjdziesz z kąpieli.
Widząc was obie takie białe, w parze,
Myślałem, że śpiąc o aniołach marzę;
I drżeć zacząłem, i zadrżałem wszystek,
I jeden tylko poruszyłem listek,
Ten listek inne poruszył listeczki,
I szmer się zrobił — ty wybiegłaś z rzeczki;
I takeś prędko uciekała zlękła,
    Żeś łonem kwiatu potrąciła pręty;
I lilijowa wnet łodyga pękła,
    I kwiat z niej upadł twoją piersią ścięty;
A jam rozważać zaczął z twarzą bladą,
    Jak ten kwiat kruchy, jak ty jesteś zwinna.
I oto dzisiaj rankiem, pod kaskadą —
    Nie jam był winien — lecz lilija winna".

XIII

Płonęła wonna jak kadzidło mirry
    I widać było, że nie wiedząc płonie.
Głębszymi oczu stały się szafiry

I prędsza fala białości na łonie,
I dziwnym ogniem rozpalone skronie
Wczesne zwiędnienie dawały bławatkom.
Ona z tych była, co się skarżą matkom,
I skarżyła się gwiazd cichej gromadzie,
Gdy do snu księżyc niepełny się kładzie:
Gdy kwiaty szepcą miłośnie do ucha,
Co zamyślone, własnych myśli słucha.

XIV

Czy ty gdzieś teraz, o miła, z rozpaczą
    Aniołom boskim mówisz rozżalona?
Jak ci, co mówią skarżąc się – i płaczą,
    Że była burza gromami czerwona,
Że była grota posępna i ciemna
    I grocie z kaskad kryształu zasłona;
Że była trwoga w ciemności tajemna,
    Razem niepamięć jakaś boskiej kary;
I skarga smutna czystych nimf podziemna;
Że nas tam samych dzień odstąpił szary
    I zastał z twarzą ognistą przy twarzy
I ptasząt nas tak obudziły gwary.
    Mówisz ty o tym, jak ta, co się skarzy?
O! nie mów ty tak aniołom, niebieska!
Bo każda twoja brylantowa łezka
Jednemu będzie z tych jasnych pożarem.
    Bo ja, ach, gdybym był także aniołem,
    Z rozpromienionym na błękitach czołem;
I nieskończoność całą miał obszarem.
I mógł zarządzać gwiazdami wszystkiemi:
    Nie chciałbym gwiazdy niebieskimi świecić,
    Lecz tylko rzucić błękity i lecić,
I taką jak ty mieć moją – na ziemi.

XV

Z groty ta piękna wyjść nie śmiała sama.
    Słońca się może bała na lazurze,
    Że za promienne będzie i za duże
Albo że będzie jako czarna plama.
Ale na niebie była z tęczy brama,
Na wypłakanej rozwieszona chmurze.

Wyszła. – I naprzód ją zdziwiły róże,
Że takie były jak wczoraj różowe.   300
Zerwała jedną i podniosła głowę,
I zadziwiła ją ta tęcza ranna,
Niebios błękitnych przezroczystość szklanna,
Krążek księżyca tonący w błękicie.
Zda się, że nowe ją zdziwiło życie,   305
Tak w ciszy czegoś słuchała, tak biegła;
Aż gdzieś w krysztale jeziora spostrzegła
Na licu swoim przezroczystszą białość,
Żywszy ust koral i większą omdlałość,
I uśmiech pełny tęsknoty, i żałość.   310
Więc osłoniła się cała w warkoczu
I więcej na mnie nie podniosła oczu.

XVI

Jest chwila, gdy się ma księżyc pokazać,
    Kiedy się wszystkie słowiki uciszą
    I wszystkie liście bez szelestu wiszą,   315
    I ciszej źródła po murawach dyszą;
Jakby ta gwiazda miała coś nakazać
I o czym cichym pomówić ze światem,
Z każdym słowikiem, z listeczkiem i z kwiatem.
Jest chwila, kiedy ze srebrzystą tęczą   320
    Wychodzi blady pierścionek Dyjanny:
Wszystkie się wtenczas słowiki rozjęczą
I wszystkie liście na drzewach zabrzęczą,
    I wszystkie źródła jęk wydają szklanny;
O takiej chwili, ach, dwa serca płaczą,   325
Jeśli coś mają przebaczyć – przebaczą;
Jeżeli o czym zapomnieć – zapomną.
O takiej chwili z moją panią skromną
Jużeśmy siedli w naszych progach sielskich,
Już rozmawiali o rzeczach anielskich.   330

XVII

Jak śpiewający na niebie skowronek,
Z gór słychać było pustelnika dzwonek.
Rzekła raz: „Chodźmy do staruszka celi.

Może rozgrzeszy, może rozweseli,
Dłonie nam zwiąże i kochać ośmieli".   335
Tak mówiąc wbiegła do sosnowej chaty,
    Szybko zamknęła wszystkie okienice,
Ażeby na nią nie patrzały kwiaty;
    I ustroiwszy się jak gór dziewice,
Wybiegła do mnie — myślałem, że padnę!...   340
Ani jej oczy kiedy takie ładne,
Ani jej usta takie były świeże...
    Motyla miała czarnego na głowie,
Ten alabastrów od smagłości strzeże;
    I przeświecony od słońca w połowie   345
Na czoło rzuca skrzydła cieniu duże;
A pod motylem pochowane róże
Spod czarnej gazy patrzały ciekawe,
Na pół zamknięte, świeże, jeszcze łzawe;
Wiedząc, że zawsze strzegę serca strony,   350
Złośliwy motyl usiadł przechylony.
Myślałem, że mu to skrzydło połamię...
Siadł i na lewe przechylił się ramię.
I któż by wierzył w przeczucia, co straszą,
    Gdy wyobraźnia cała szczęściem dumna!   355
Gdym z góry spójrzał na dolinę naszą,
    Szalet się oku wydawał jak trumna,
Maleńki, cichy; kiedym spojrzał z góry,
Nasz ogród z wiszeń jak cmentarz ponury;
I niespokojne o nas gołębice,   360
    I zadumane o nas w łąkach trzody;
    Ziemia smutniejsza, błękitniejsze wody,
Zabite śmierci ćwiekiem okienice:
Wszystko zaczęło mię straszyć i smucić.
Jakbyśmy nigdy nie mieli powrócić.   365
Szedłem posępny i drżący na góry...
Jeziora czarne, głazy, śniegi, chmury;
Girlandy z orłów na błękitnym lodzie,
Słońce czerwone jak krew o zachodzie,
Dom pustelnika śniegiem przysypany   370
I dwa ogromne na straży brytany,
Krzyżyk na celi, gdzie siadały gile,
Cela, pustelnik stary, księgi w pyle —
Wszystko to dzisiaj już podobne snowi...
    Pamiętam tylko, że promień zachodu   375
Cały się na twarz rzucał Chrystusowi.

Kiedy na palec jej zimny jak z lodu
Kładłem pierścionek . . . .
. . . .

XVIII

Gaje! doliny! łąki i strumienie!
   O nie pytajcie wy mię, smutne, o nią.
   Są łzy, co mówić na zawsze zabronią.
A kiedy mówię, wpadam w zamyślenie;
I widzę jasne, błękitne spojrzenie,
   Co się zaczyna nade mną litować,
   I widzę usta, co mię chcą całować,
I drżę – i znów mię ogarną płomienie.
   I nie wiem, gdzie iść? i gdzie oczy schować?
I gdzie łzy ukryć? i gdzie być samotnym?
   I staję blady, i kreślę jej rysy;
Lub imię piszę na piasku wilgotnym;
   Lub błądzę między róże i cyprysy
Jak człowiek, który skarb drogi postrada,
Zmysły utracił i płacząc usiada
Tam, kędy urny na grobowcach siedzą;
Myśląc, że groby o niej co powiedzą.

380

385

390

395

XIX

Jest pod moimi oknami fontanna,
   Co wiecznie jęczy zapłakanym szumem;
   Jest jedne drzewo, gdzie harfowym tłumem
Żyją słowiki; jedna szyba szlanna,
Gdzie co noc blada zaziera Dyjanna
   I czoło moje smutnym blaskiem mami.
   I tak mię budzą zalanego łzami,
Te drzewo, księżyc ten i ta fontanna.
I wstaję blady, przez okno wyzieram
   Słuchając różnych płaczów na dolinie.
   Słowiki jęczą i fontanna płynie,
Mówią mi o niej – ja serce otwieram
   I o śmierć prędką modlę się z rozpaczą,
I schnę, i więdnę – i ach, nie umieram...
   I co dnia budząc mnie fontanny płaczą.

400

405

410

XX

Kiedy się myślą w przeszłości zagłębię,
    Nie wiem, jak sobie jej postać malować?
    Czy kiedy przyszła spiącego całować
Jak z rozwartymi skrzydłami gołębie?
Czy wtenczas, kiedy uciekała trwożna?   415
    Czy gdy na jedną ze mną księgi kartę
    Wbijała oczy błękitne, otwarte,
Na każde moje spójrzenie ostrożna?
Czy kiedy wiejskim otoczona dworem
    Chodziła gdyby zaklęta królowa?   420
Czy kiedy cicho uśnie pod jaworem?
    Czy kiedy goni? czy kiedy się chowa
W księżyca blasku biała — lub wieczorem
    Od Alp na śniegu różowych — różowa?

XXI

Skąd pierwsze gwiazdy na niebie zaświecą,   425
    Tam pójdę, aż za ciemnych skał krawędzie.
    Spojrzę w lecące po niebie łabędzie
I tam polecę, gdzie one polecą.
    Bo i tu — i tam — za morzem — i wszędzie,
Gdzie tylko poszlę przed sobą myśl biedną,   430
Zawsze mi smutno i wszędzie mi jedno;
    I wszędzie mi źle — i wiem, że źle będzie.
Więc już nie myślę teraz, tylko o tem,
    Gdzie wybrać miejsce na smutek łaskawe,
Miejsce, gdzie żaden duch nie trąci lotem   435
    O moje serce rozdarte i krwawe;
    Miejsce, gdzie księżyc przyjdzie aż pod ławę
Idąc po fali... zaszeleści złotem
I załoskocze tak duszę tajemnie,
Że stęskni — ocknie się i wyjdzie ze mnie.   440

Wacław

Są przedmioty, których by się pióro poety tknąć nie powinno; takim zapewne jest śmierć Wacława, którego nam Antoni Malczewski tak cudownymi kolorami w poemacie *Maria* odmalował. Jakiś jednak mimowolny pociąg, chciałbym go nazwać natchnieniem, zmusił mnie do napisania następnego poematu; a od prawdziwych nie odstępując podań, starałem się ile możności zidealizować rzecz pełną czarnych mętów i okropności. Może kilka strof spowiedzi Wacława wyjednają mi u czytelnika nieco pobłażającego sądu dla reszty i ogólnego układu pisma, którego już ani poprawić, ani przemienić nie jestem zdolny; a dwa poprzedzające poemata przybiegną w pomoc broniącemu się od zupełnego potępienia poecie.

I

Witaj mi, ziemio stepów gładka, cicha,
Gdzie kwiat dla Boga kwitnie i usycha;
Gdzie dwa kurhany na błękitnym niebie,
Przez całe stepy patrzą się na siebie;
Gdzie przerywają trupy sen grobowy,
Orłami z sobą prowadząc rozmowy;
Lub gdy je przyjaźń w mogiłach nie zbliża,
To krzyż się groźnie pogląda na krzyża
I oba drewna niby grożą sobie
Przez całe stepy zemstą śpiącą w grobie.
Krzyżowe groźby i poselstwa ptaków
Lecą przez krwawe doliny bodiaków;
I czuć w powietrzu, że tu myśli wojna,
Choć słońce złote, choć ziemia spokojna,
Bo choć się skończą rycerstwa i waśnie,
To ziemia mogił tak prędko nie zaśnie;
Ale w jej sercu wolność się odzywa,
Kiedy się orzeł gdzie z mogiły zrywa,
Kiedy zatętni jaki wicher głuchy,
Gdy zaszeleszczą powojów łańcuchy;
Albo gdy śmignie jaki złoty sumak,
Myśli, że biały Puławskiego rumak;
Albo gdy kosa o kamień zadzwoni,

Myśli, że Sawa jedzie w tysiąc koni;
Ale już w grobach są ci sławo-kraśni.   25
Ziemio kurhanów, nie marz o nich — zaśnij!

II

Znasz ty tęczowe rusałek upiory?
Czy znasz prorocką dumę Wernyhory?
Czy wiesz, co będzie w jarze Janczarychy,
Gdzie teraz gołąb lub jelonek cichy,   30
Ze łzą przeczystą w szafirowym oku,
Gdzieś w księżycowym się przegląda stoku?
Czy wiesz, że wszystkie te się sprawdzą śnicia
W jednej godzinie rycerskiego życia?
Że zemścisz syna, ojca, matkę, brata   35
W tej błyskawicy, co na szabli lata?
Niech tylko serce rycerza, o Chryste!
Jako lilija będzie we krwi czyste,
Niech tylko wprzódy nie splami zgryzota
Duszy, co jako ptak się w sidłach miota;   40
Niechaj się tylko każdy dumnie waży
Złotym aniołem w ojczyźnie na straży:
To chyba w końcu na takich aniołów
Wróg będzie piorun miał w ręku — nie ołów.

III

Jeśli pod tobą wolny koń stepowy,   45
Omijaj zamek ten i te parowy;
Niech cię nie wabi ten na zamku czole
Napis, co błyska od słońca na pole:
Bo to jest kłamstwo marmurów ohydne,
Złotem pisane i z daleka widne.   50
Uciekaj stepem przez burzanu fale,
Nie wierz napisom, nie zazieraj w sale,
Bo tam owionie i męstwo ci zetrze
Gorsze niż w grobach — zdradziectwa powietrze!
Gorsze niż dżuma, co zabija ciało!   55
Gorsze! — Choć pałac ten wygląda biało,
Choć za nim widać lipy starożytne,
Białe kościołki, jeziora błękitne;

Chociaż łabędzie śpią na tych jeziorach;
Choć róże stoją w jutrzenki kolorach;   60
Chociaż słowiki mieszkają w topolach,
A dalej błękit i kłosy na polach:
Nie wierz zdradzieckiej natury obłudzie,
Ten zamek pełny — w tym zamku są ludzie!

IV

Od czasu jeszcze dawnych Pelopidów,   65
Od wygaśnienia rodziny Atrydów
Nigdzie krwi tyle na gmachu kamieniach,
Nigdzie plam tyle od zbrodni w sumnieniach,
Nigdzie rodziny tak czarnej nie było,
Tak czarnych prochów pod żadną mogiłą...   70
Chciałbym powiedzieć... W imię Ojca, Ducha!
Kto tak okropnej powieści wysłucha?

V

Choć w zamku gości częstują wspaniale,
Gospodarz dawno nie schodzi na sale.
Niegdyś widziano go w gromadnym kole,   75
Jak trup śród ludzi, jak upiór przy stole.
Zimne po sercach przechodziło mrowie,
Kiedy co mówił, gdy pił jakie zdrowie;
A gdy wziął kielich w rękę trupią, siną,
W kielichu krew się zdawała, nie wino.   80
Każdy, co z gości do stołu zasiadał,
Nie znał go prawie, nigdy z nim nie gadał;
Gdy wszedł — nie wstawał nikt przed tym człowiekiem,
Choć orderami był srebrny i wiekiem;
Ani posłane z poselstwem od matki   85
Kiedy go w rękę całowały dziatki;
Jakby przed marą piekielną, szkaradną,
Stają przed ojcem zalęknione; bladną
I uciekają nie wyrzekłszy słowa
Lub kamienieją. Nie twarz to surowa —   90
Bo miłą miał twarz ten człowiek z natury;
Ani wzrok jego dziki i ponury —
Bo na swe dziatki patrząc łzy miał w oku;

Lecz przerażenie z boskiego wyroku
Wisiało nad nim jako krwawa tęcza;   95
A gorzej – wiedział to sam, że odstręcza;
Że coś pomiędzy nim a światem stoi,
Czego się sługa, dziecko, słońce boi.
Więc już od dawna zaniechał z rozpaczą
Przepraszać serca, które nie przebaczą;   100
Ujmować dusze, co chcą nienawidzić;
A nie mógł nimi pogardzać i szydzić.
Nawet choć wiedział, że tłumną hołotą
Rzucał się sprośny lud na jego złoto,
Tak wielką znalazł pokorę w swej winie,   105
Że nie pogardził i otworzył skrzynie;
A wtenczas sercu jego biczem jędzy
Był brzęk liczonych po zamku pieniędzy.

        VI

Nareszcie uciekł od ludzi i słońca.
A przy nim tylko jak anioł obrońca   110
Maleńki, blady i nierozkwitniony
Był smutny synek jego pierwszej żony.
To jedne dziecko przy nim czuwa, tleje,
Jako różyczka przy cedrze więdnieje.
On duszę ojca, gdy w rozpacz upada,   115
Szafirowymi oczkami spowiada;
I patrz! że czarny nędzarz nie unika
Tak błękitnego grzechów spowiednika,
Ale mu z oczek cały błękit świeży
Pije oczyma i wzdycha, i wierzy   120
W ostatnią pomoc – w moc dziecka pacierzy.
Kiedyś za wczesnym zagrożoną zgonem
Dziecinkę swoją nazwał Eolionem;
Bo myślał, że ten kwiatek biały, kruchy,
Wezmą ze złotej kołyseczki duchy   125
I w nieśmiertelne zaniosą ogniska:
A więc mu nie dał ludzkiego nazwiska,
Ale powietrzne, duszy, nie popiołom
Imię, łatwiejsze wymówić aniołom.
Te dziecko jemu zostało przy boku   130
Ze łzą w zrenicy, z promionkami w oku,
Te czuwa przy nim. Lecz z wyroków Pana

Dusza w dziecięciu bladym obłąkana,
Smutna i z ciałkiem niedołężnym zwadna,
A w obłąkaniach jak aniołek ładna;
Gdy się uśmiecha — zda się, że do nieba;
Płacze — to myślisz, że mu tak potrzeba
Nad jaką dawną pamiątką lub szkodą
Jak zapłakanej wierzbie stać nad wodą.
Tylko że ojcu, gdy mu dziecię zbladło,
W chorobie dziecka jest zgryzot zwierciadło;
Tylko że nieraz jakaś moc grobowa
Przekleństwo ojca kładnie w dziecka słowa;
Lub w obłąkane czynności dziecięce
Jakieś piekielne mięszają się ręce
I straszne rzeczy czynią dziecka mocą —
I dziś — gdy Wacław zasnął — przed północą...
. . . .

135

140

145

VII

Lecz gdzież jest młoda małżonka? grafini?
Czemu nie przy nim? Dawniej niewolnica,
Dziś samowładna w zamku monarchini;
Z kimże to błądzi po świetle księżyca?
Z kimże to słucha śpiewania słowików?
Dla kogoż rzuca ucztę, stołowników,
Dzieci i męża bezsenne węzgłowie?
A jednak, mówią, dba o grafa zdrowie,
Sama przyprawia mu z lekarstwem czary.
Nieraz przy łożu jak ulotne mary
Staje powiewna z lampą w ręku, blada,
Słuchać, co śpiący o niej we śnie gada.
A mówią ludzie, że nieraz jej ręka
Słucha, czy serce się w chorym nie pęka;
Bo takie drgania mu piersi podnoszą,
Takie go zimne, straszne poty roszą,
Gdy śpi, a patrzy na śpiącego żona,
Jakby go anioł śmierci brał w ramiona.
Lecz dzisiaj z kimże na wieczornym chłodzie
Chodzi ta pani po mglistym ogrodzie?
Jeśli zbrodnicza miłość w sercu bije,
Ona się z taką miłością nie kryje,
Ale otwarcie, z bezwstydem na czole,

150

155

160

165

170

Kochanka sadza u boku przy stole:
Bo ten kochanek nie wybrany w tłumie,
Zwykle pochlebia jej skażonej dumie;
To jaki książę, to króla powierny:
Pies nań nie szczeka, przepuszcza odźwierny,   175
Wszyscy go nawet witają ukłonem;
Zamek jest jego; łożem, domem, tronem
Włada; gdzie indziej podobny do węża,
Tu zdrajca panem jest żony i męża:
Więc to nie z gachem Dyjanna grafini   180
Tajemne schadzki ma w ciemnej jaskini,
W grocie, co gładkim wyłożona brusem,
Szklannej kaskady zamknięta obrusem;
Szarfa ta wody lecąca z wysoka
Nie puści w grotę śledzącego oka   185
Ani księżyca — lecz przez nią przeleci
Czarna jaskółka, co w grocie ma dzieci,
Ta jedna kryształ skrzydłami rozcina;
Na wszystko miłość waży się matczyna.
Lecz noc — jaskółki śpią w gniazdach ukryte,   190
Lecz ciemność trwożną okryła kobiétę;
Chociaż nie sama, drży jak liść osiny,
Kiedy się w gniazdach poruszą ptaszyny,
Gdy woda głośniej w kaskadzie zakrzyczy.
A ten powiernik kto? Duch tajemniczy?   195
Szata go długa w ciemności obiela,
Na głowie wianek stepowego ziela;
Na głowie, siwym porośniętej runem,
Wiąże się burzan czerwony z piołunem.
A przed nim kocioł, czary i amfory...   200
Ku jakiej sprawie? ku czemu przybory?
Czy klątwy rzucać, czy palić ofiary?
Czy zabić kogo piekielnymi czary?
Z jakim to widmem skandynawskiej Frei
Grafini dzieło zaczyna Medei?   205

VIII

Zaledwo pani wargę koralową
Pierwsze i drżące otworzyło słowo,
O nieba! leci jasnych świateł krocie
Z pałacu, ciemną aleją, ku grocie.

I rozsypują się po drzew łańcuchu;
W ogrodzie pełno krzyku, blasku, ruchu.
Na cichej wodzie łabędź się poruszył,
Strzepotał, wody źwierciadlane skruszył,
Zapełnił cały krąg zbudzony nagle,
Otworzył wszystkie puchy, pióra, żagle,
I znów spokojny spogląda wspaniale
Na rozchodzące się kręgami fale.
Tak silne serce posępnie się rzuci,
Kiedy go ze snu jaki grom ocuci,
Porwie się nagle, tłum spokojny zmiesza;
I widzi, jak się przerażona rzesza
Cofa, jak kręgi bladymi ucieka
Od rażonego nieszczęściem człowieka;
To wtenczas duma na pomoc przybędzie,
To wtenczas skrzydła się duszy łabędzie
Całe rozwiną przeciw wichrom losu,
To wtenczas serce jak z twardego ciosu;
I tym się nawet chełpi boleść sroga,
Że miała świadkiem walki – tylko Boga.
I tym się cieszy serce, choćby pękło,
Że zamiast podłych zlitować – przelękło.

IX

Ludzie, po drzewach szukający wszędzie,
Budzą słowiki i płoszą łabędzie.
Już słychać szmery, już wrzawa szalona,
Że graf otruty, że cierpi, że kona.
Wreszcie okropna wieść do groty wpadła:
Powiernik zaśmiał się – a pani zbladła
I znów skościeli oboje na długo.
Lecz kto by wtenczas ją widział z tym sługą,
Kto by ją widział, kiedy przez kaskadę
Blaski księżyca ją oblały blade,
Kto by w jej usta już nie koralowe,
Ale pobladłe, otwarte, surowe
Spójrzał i słuchał, gdy tak stała cicha,
Jak przez te usta serce w niej oddycha;
Kto by usłyszał, z jakim dzikim wrzaskiem
Wybiegła z ludźmi się spotkać i z blaskiem,
I z obwinieniem, co na każdej twarzy
Przy migającej się pochodni żarzy;

Kto by w tej chwili, nie zalane łezką, 250
Ale pięknością jasne nadniebieską
Widział jej oczy, gdy je w gwiazdach trzyma
Albo o męża pyta się oczyma:
Ten by ją całkiem miał nie potępioną.
Zepsutą była, niewierną — lecz żoną. 255

X

Jedne tam okno na zamkowej sali
Od czerwonego księżyca się pali.
To właśnie okno grafowskiej komnaty,
Jak anioł blaskiem czerwonym skrzydlaty
Stoi na zamku, patrzy na katusze 260
I czeka, by wziąć z tego ciała duszę.
U bramy zamku tłum pobladły czeka.
Na drodze widać konnego człowieka,
Jak czarny szatan z płomykiem na głowie:
Otwierać bramy, nim się człek opowie! 265
Bo to nie diabeł ani żadna jędza,
To kozak pański konno wiezie księdza.
Będziesz pamiętał ty, księże Prokopie,
Jak się kozaczy koń przez jary kopie,
Jak parska ogniem, jak daje szczupaka, 270
Choć ma na sobie księdza i kozaka.
Hej! hej! skrzypiąca brama się odmyka,
Kozak na koniu przywiózł spowiednika;
Przeskoczył diaków i bab bladych wianek,
Wziął go za kaptur i rzucił na ganek. 275
Sam idzie w tłumy, gdzie ponure gwary,
Że ktoś na pana rzucił śmiertne czary.
Kto? — Wszystkie oczy idą ku tej stronie,
Gdzie u grafini w oknie lampa płonie.
Wczoraj — widziano ją w grocie z wieczora 280
Nie samą — mówią, że trup Wernyhora
Przyszedł się pomścić za Lachów ojczyznę
I z grobu przyniósł dla pani truciznę.

XI

Próżno ksiądz czeka u grafa podwoi,
Zamknął się Wacław i ludzi się boi. 285

I z małym synkiem sam na sam się pieści.
Widziano pierwsze trucizny boleści,
Sam mówił ludziom, że otruty kona,
Potem służalców wygnał; nawet żona
Wejść się nie waży, gdzie spoczywa chory,   290
Bo sam ode drzwi zasunął zapory;
A bramę chyba wyłamać wypada,
Jak umrze. — U drzwi słuchają. — Graf gada.
Czasem się jakiś głosek serafina
Niebieską skargą ojcu przypomina;   295
Czasem dwa tylko ciężkie odetchnienia,
Jakieś żałośne szmery i westchnienia;
I służebników tłum się niecierpliwi,
Bo słońce weszło — oni jeszcze żywi.
I dzień na strasznym zszedł oczekiwaniu,   300
Na skargach ojca, na dziecka płakaniu;
I księżyc weszedł, a ci dwaj straszliwi
W tajemniczości nocnej jeszcze żywi.
Śmierć ich mównymi uczyniła smutnie,
Ich głos w zamknięciu jak dwie zgodne lutnie.   305
Ci, co słuchali przez grube podwoje,
Mówią, że więcej tam głosów niż dwoje.

XII

Od dawna wieści są i poszept głuchy,
Że z grafem jakieś są po nocach duchy.
Raz go widziano, jak przez zamku cienie   310
Wodził za sobą dwa ciche płomienie,
Skrawe, czerwone, piekielne straszydła,
Mające oczy i włosy, i skrzydła.
Ścigany przez nie wybiegał z komnaty
Tylnymi drzwiami na ogród, na kwiaty;   315
I raz go z wody wydobyła zgraja;
Było to, mówią, w dzień trzeciego maja.
Widziano, jak biegł przez łąkę w zawody,
Ognie go, mówią, zagnały do wody.
Widziano, jak się topił cały blady: 320
Skądże ta rozpacz? i te ognioślady?
Gdy ziemia w nowe kwiaty się ustraja,
Gdy wszystko ciche w dzień wiośniany maja?

A już to od lat wielu takie rzeczy;
Nikt nie przysięgnie i nikt nie zaprzeczy,   325
Wszyscy się boją wierzyć w takie dziwo.
W młodości, słychać, zgrzeszył bardzo krzywo,
Dlatego piorun za nim się pomyka,
Owiewa skrami, straszy, lecz nie tyka,
Tylko grobowym okrąży zapachem,   330
Aby go zabić krwią albo przestrachem.
A mówiąc o tym ludzie z twarzą bladą
Dodają: Człowiek ten przewinił zdradą
I sam się dzisiaj chce karać za zbrodnie,
Sam przyzwał piekieł czerwone pochodnie;   335
A kiedy przyjdą i nad łożem staną,
On się nakrywa chustą krwią zbryzganą;
W tej chuście niegdyś mu kozacka spisa
Podała w nocy sąd na infamisa,
Gdy kraj zdradzony już był i rozdarty.   340
Ta chusta i te pargaminu karty
Leżą przy łożu koło puginału —
Niech Bóg go broni w rozpaczy od szału!
Biada! o biada, gdy przy łożu siędzie
Śmierci przyczyna i śmierci narzędzie.   345
To dość dla serca, co się samo dręczy —
Widm nie potrzeba — sumnienie wyręczy.
A rzecz straszniejsza! sumnienie Wacława
Nabyło nawet nad uśpionym prawa;
On w nocy wstaje i z otwartym okiem   350
Po zamku chodzi niesłyszanym krokiem;
Czasem pochodnią sobie świeci nocną;
Oczy otwarte, wyiskrzone mocno;
Lecz jakby co się roiło w zrennicy,
Ani w nich mgnienia, ani błyskawicy,   355
Ani się światła bliskiego przelękną:
A gdy się wpatrzą w co — zda się, że pękną.

XIII

Znałem ja grafa Wacława za młodu —
Dumny z piękności, z wysokiego rodu;
Drzewo, co później mogło czekać zimy —   360
On tak wyglądał jak rycerz Solimy,
Piękny i straszny, kiedy go koń kary

Niósł do kochanki przez burzanów jary,
Kiedy na jakie powietrzne wołanie
Stawał obejrzeć się gdzie na kurhanie;   365
Myślałbyś wtenczas, że to anioł stepu
Pod błękitami niebieskiego sklepu
Stoi i czeka, aż wicher poruszy
Na jaką walkę skrzydła jego duszy.
Cóż się z nim stało? Czy to moich powiek   370
Mara? – Gdzie tamten anioł, rycerz, człowiek?

   XIV
Smutny był koniec jego pierwszej żony:
Dostała wcześnie anielskiej korony,
Zamordowana, utopiona w stawie,
Gdy na wojennej był Wacław wyprawie.   375
Mówią, że obce pomściły się prawa
Śmierci synowej na ojcu Wacława.
Jeżeli tak jest? – o Chryste na męce! –
Jakie w tym rodzie serca! jakie ręce!
Mówią – że ojciec graf w turmę zamknięty   380
Umarł przed sądem – a drudzy, że ścięty;
Lecz takiej rzeczy myśl nie wierzy sama:
Na takim wielkim rodzie taka plama!
Tak wielka szyja złamana nad gminem!
Lecz ojcu nie mieć litości nad synem!   385
Ale zabójców nasłać na synowę
I za pieniądze móc odkupić głowę!
Gdy nieraz ołów ludzki się zagłębia
W serce orlicy i za śmierć gołębia,
Niktże tej śmierci pomścić się nie umie   390
Na krwi wysokiej? na wyniosłej dumie?
Niktże – prócz syna – co za te popioły
Ojcowi musiał miecz pokazać goły?
Tak się więc zbrodnia ogniwami winie,
Że ojciec własny wroga widzi w synie;   395
Albo umiera syna krwią czerwony,
Nie pożegnany i nie przebaczony;
Albo tak skala syna pierś łabędzią,
Aby mu nie był czystszym ani sędzią:
Aż tam nareszcie stanie pochylony   400
Zdrajca narodu przed zbójcą swej żony;
Aż znowu wrócą pod zwyczajne prawa,
I od przedajnej głowy wyższa – krwawa.

XV

Ale to pewna, że śmiercią tej żony
Graf Wacław dziwnie na sercu zmieniony.   405
Ponurość ciemne okryła oblicze,
Serce zamknięte ludziom, tajemnicze,
Na czole duma. Gdy kto weń uderzył
Miłością czystą ojczyzny — nie wierzył.
Na wszystkie echa rozkoszy i jęku   410
Serce się jego już pozbyło dźwięku.
Coś ma cichego, okropnego w łonie.
Mówią, że myśli o polskiej koronie;
Króla w nim widzą przyjacielskie oczy,
Wielkość wyśledza głos fałszu proroczy;   415
Jam go opuścił śród tego zamętu
Myśląc: i cóż jest twardość dyjamentu?
I cóż jest wierność grobowi, pamiątkom
W sercu najtwardszym? Jakimże to wrątkom
Daje się dusza unosić Wacława?   420
Chmurzy się niebo — burza będzie krwawa.
Więcej niż Boga ta dusza tajemna
Zamyka w sobie — przyszłość będzie ciemna!
Bogdajbym nie zgadł! lecz smutna w nim siła,
Miłość go tknęła, boleść nie zabiła;   425
Więc jeszcze nadto w nim miłośnej siły,
A już nikogo kochać — prócz mogiły.
O! kraj nieszczęsny, co jak spadkobierca
Po żonie weźmie dar strutego serca.
Ludu! przeżegnaj tę marę złowrogą!   430
Ona na scenę świata wchodzi z trwogą;
Myśli, że anioł ją rzucił obrończy,
Nieszczęściem zaczął — a piorunem skończy.

XVI

A dziś — już koniec! Do Wacława gmachu
Weszła posępna królowa przestrachu.   435
Czy go kto otruł, czy struła zgryzota —
Kona, a przy nim synek, róża złota,
Gwiazdeczka ranna, także więdnie, gaśnie.
A w zamku bójka, kradzieże i waśnie.
Ten bierze sprzęty, ten ściany odziera;   440
Zamek się niszczy, pan zamku umiera.
Gdzie żona? — Ona w najciemniejszej sali

Brylanty chowa i papiery pali;
Nie sama — Greczyn w Arnauta stroju
Leży na złotym węzgłowiu w pokoju;   445
Jak sułtan jaki wydaje rozkazy,
A nie powtarza wydanych dwa razy,
Bo go ta piękna słucha, myśl zgadywa,
I całuje go w ręce — nieszczęśliwa!

XVII

„Dyjanno!" — Przyszła, stanęła w pokorze.   450
„Zrzuć teraz, piękna, te ślubne obroże,
Wypogodź teraz czoło lodowate.
Lubię tę chłopkę, tę polską Hekatę;
A skoro tylko zabłyśnie Fingary,
Sam pójdę patrzeć, jak zamawia czary   455
I śmierć posyła ludziom z ciemnej groty".

— „O Antynoe! już czuję zgryzoty,
A przecięż śmierci męża jam nie winna.
Ona to! ona, ta kobieta gminna,
Musiała jakieś zemsty niepowszednie   460
Lub spełniać jakie chłopskie przepowiednie;
A gdy ja chciałam, by ta wiedźma z piekła
Czarę miłosnym zaklęciem urzekła:
Ona — o srogi i okropny błędzie! —
I może on mię trupem kochać będzie,   465
I z grobu przyjdzie po miłość umarły".

Tu się powoli drzwi sali otwarły.
Struchleli nagle oba kochankowie;
Wszedł spiący, z szmatą skrwawioną na głowie.

XVIII

Kto go tak ubrał? Nieraz synek mały,   470
Kiedy na ojca padał księżyc biały,
Widząc, jak w świetle twarz się grafa mroczy,
Dwie białe róże kładł ojcu na oczy;
Lub w obłąkaniu (o jasne i wdzięczne
Dziecka przysługi!) promienie miesięczne   475
Od ojca wzroku brał na swoje lica
I tak zesmutniał cały od księżyca.

A dziś — okropność! miałżeby Wacława?...
Przy łożu chustka ta leżała krwawa —
Miałżeby synek ten łachman grobowy,   480
Może z anioła ciemnego namowy
Na głowę ojcu?... O nie! ta czerwona
Chusta nie była w ręku Eoliona.
O nie! — przysięgam, święci aniołowie!
Syn nie położył mu tej krwi na głowie.   485
Bo mniej straszliwa byłaby ofiara,
Gdyby ojczyzny samej przyszła mara
Zajrzeć w lekarstwo zaprawne piołunem
I zdrajcę takim nakryła całunem,
Aby raz jeszcze, nim go Bóg obudzi,   490
Czerwono wrył się w pamięci u ludzi.

XIX

Cóż to? Czy serce w tej kobiecie pękło?
O marmur czoło uderzyło, jękło,
Kość zadzwoniła, gdy czołem upadła
Przed same nogi groźnego widziadła,   495
I dziwnie... zadrżał, oczyma nie mignął,
Lecz cały zadrżał i cały się wzdrygnął,
I stanął chwilę we śnie, zadziwiony,
Jakby usłyszał skąd o śmierci żony.
Lecz chwilę tylko chwiał się jak na szali,   500
I nie obudził się — i poszedł daléj.

XX

Sen to czy mara jaka niezbawiona?
Krzyczą po zamku, że grafini kona.
Nie dowiedzieć się, z czego, u Greczyna,
Krew w nim zastygła, zimny jak gadzina;   505
W pochodni światło obłąkany patrzy,
Chłodny jak kamień, od marmuru bladszy.
Grafini kona — mówią — on nie słyszy.
Zlękli się ludzie jego trupiej ciszy,
Trącają — milczy jak widmo zaklęte,   510
Usta ma drżące, zęby mocno ścięte;
Wzięli, zimnego zanieśli na łoże.
Co się w tym zamku stało? Wielki Boże!
Tu śmierć nie czeka zwyczajnej kolei.

Grafini, mówią, była przy nadziei;   515
Wszyscy widzieli i tłum cały pyta,
Czy jeszcze żyje, czy z dzieckiem zabita.

XXI

Patrzaj! tam słońce nad dnieprowe skały
Wyrzuca świetne brylantowe strzały.
Kwiaty ze łzami się podnoszą wdzięczne,   520
Tam w błękit czoło chowa się miesięczne;
Sarneczki złote na kurhany skaczą,
Róże się polne otwierają, płaczą,
Orzeł na krzyżu z rosy skrzydła trzepie.
Jaki spokojny wschód słońca na stepie!   525
Tylkoż w tym zamku złote słońce budzi
Z przerażonego snu pobladłych ludzi!
Tylkoż w tym zamku otworzą się oczy,
Które przed nocą mgła śmierci zamroczy!
Na toż więc było na ten świat przychodzić   530
Cierpieć, miłować, nienawidzieć, szkodzić:
Ażeby wreszcie słońce dawno znane
Weszło, ostatnie – i nie zapłakane.

XXII

Graf Wacław woła. Wybito podwoje,
Wchodzą. Czy trupów powalonych dwoje?   535
Graf Wacław, przy nim synaczek maleńki –
Zbledli – graf woła księdza i trumienki –
Wyszli; pojechał kozak do stolarza.
Do grafa – księdza wzięto od ołtarza.
Ksiądz ten pocieszać umiał nieszczęśliwe;   540
Spokojne lice i włosy miał siwe.
Obudził ojca, wziął go pod ramiona,
Postawił, krzyż mu przycisnął do łona,
Na złote słońce obrócił go twarzą,
Na róże, co się pod oknami żarzą;   545
Słońce i kwiaty, czy boską mu chwałę,
Czyli dzieciątko te przypomną małe:
Dobrze, bo przerwą posępne rozpacze,
Bo może westchnie, przemówi, zapłacze?
Nie, stoi martwy, twarz mu się nie mieni: 550

Tak w brylantowym powietrzu jesieni
Stoją bezlistne drzewa w szronu szacie
I zadumane jak po jakiej stracie.
I przyszli ludzie z gotową trumienką;
Ksiądz się obrócił i znak im dał ręką,   555
I wzięli trupka, po cichu wynieśli.
Ojciec nie słyszał tych ludzi — a jeśli
Słyszał, to udał dziwną licem chłodność,
Ostatnią dumę w nieszczęściu — łagodność.
I postradawszy tę dziecinkę drogą,   560
Już nie zapytał się o nią nikogo.
I tak był długo bez myśli, bez czucia,
Jak trup, nim dzieło zacznie się zepsucia.
Ksiądz złożył ręce na piersiach i czeka
Na smutną spowiedź grzesznego człowieka.   565

XXIII

Usiadł... ksiądz słucha... on usty drżącemi:
,,Księże! skończyłem już wszystko na ziemi.
Patrzaj! czy widzisz ten komin i tygle?
Bóg mię ukarał srogo, niedościgle;
Wiem, co w tej czarze było — o anioły!   570
Ogień miłosny i ludzkie popioły.
Wypiłem z moim synkiem przez połowę,
Co? Może ojców mych resztki grobowe?
Strasznie pomyśleć, kto napój przyprawił,
Co mię otruło, jaki się duch zjawił,   575
Aby mi dzisiaj po nocy powiedział,
O czym grobowiec dotąd tylko wiedział.
Cóż to za zemsta? Jacy to nieczuli,
Co zdrajcę prochem antenatów struli;
Tym czystym prochem zdradzonym nikczemnie,   580
Co się trucizną stał, gdy wstąpił we mnie.
A jakąż to myśl mieli ci mściciele,
Uśpione czucia budzić w moim ciele,
Żyły nalewać znowu krwią namiętną,
Zbudzić to serce, gdzie zgryzoty piętno.   585
Wiedzieliż oni, co ogień poruszy
W czarnym sumnieniu, w pokalanej duszy?
Jaka rozogni się w krwi mojej zgniłość?
Co wyjdzie na jaw? — Zaprawdę, nie miłość,
Ale zgryzotę zbudzili i pychę;   590

Przeklęci! Serce już tak spało ciche!
Już tak popiołem i pleśnią nakryte,
Już tak spokojne! już takie zabite!
A teraz znowu krwią nalane wściekłą;
Boleść w nim, burza, pioruny i piekło,   595
Wszystko, co ludzi przerażało trwogą,
Ale nie miłość – co kochać? i kogo?
Ach, gdyby nawet z grobu wywołani,
Gdyby ta nawet moja pierwsza pani,
Ta najkochańsza, najsłodsza, umarła,   600
Wstała – to serce by moje rozdarła;
Płakałbym może i z cierpień się skarżył,
Alebym kochać już nie mógł – nie ważył;
Bo na to trzeba jaśniejszej godziny
Niż starość ludzka pełna krwi i winy,   605
Co jako skrawy, chmurny zachód słońca
Otwiera niebo bez Boga, bez końca.

XXIV

„Księże, są o mnie haniebne powieści,
Nie wierz im wszystkim. Bez sławy, bez cześci,
Nie jestem takim, jak ludzie niewinni,   610
Ależ ja więcej cierpiałem niż inni,
Ale ja większe miałem serce w sobie
Do nakarmienia... Tam małżonka w grobie,
Tam ojca sądzą mojego, o zgroza!
Na śmierć haniebną, na karę powroza.   615
Mój teść otrzymał wyrok nie ojczysty...
Mój ojciec, mój ród dawny, dumny, czysty,
Wszystko to jedna godzina obbali! –
Dzisiaj to wszystko ważyłbym na szali,
Dzisiaj bym wolał, o Boże! przed gminem   620
Powieszonego się nazywać synem;
Lecz wtenczas, z hańbą grożone zamęściem,
Mój ojciec, mój ród, moje imię!... Szczęściem
Mój ojciec umarł – tak jak był powinien...
Czemuś ty, księże, zadrżał? Jam nie winien...   625
Że mię widziano tej nocy przy turmie
W księżycowego wichru dzikim szturmie?
Na zapienionym żem uciekał koniu,
Żem pędził z głuchym tętentem po błoniu,

Że ojca mego we krwi znaleziono   630
Nazajutrz?... Księże! rozedrzyj mi łono
I obacz serce, nim pójdę do trumny,
Bo mówię prawdę — lecz przysiąc za dumny.

XXV

„Jestem nie winien, ale nie wiem czemu
W pamięci jestem podobny winnemu.   635
Bo wyznam tobie, żem tej śmierci żądał,
Nawet spodziewał się, czekał, wyglądał;
Bo i wieść o niej chwyciłem łakomą
Myślą, lecz zimno — jak rzecz już wiadomą.
Coś we krwi miałem, coś w myśli ustrzęgło,   640
Co mi o śmierci tej pierwej przysięgło.
To kiedy przyszli zwiastować mi smutni
Ludzie, co chciwi męczyć i okrutni
Lubią posępnych słów oglądać skutek,
Wzgardziłem dumnie pokazać im smutek;   645
Lecz pokazałem lice zimne, szczere,
Już podniesione nad zwyczajną sferę;
Już w tej krainie cichej, wnętrznej burzy,
Gdzie nawet czoła śmierć ojca nie chmurzy,
Ale przechodzi wszystko ziemskie, mija,   650
Jady nie trują i miecz nie zabija.
Pokazałem im tę niezmienność czoła,
Które zmroziło dotknięcie anioła.
Wytłumaczyli to ludzie inaczéj,
Ten marmur bolu — tę ciszę rozpaczy.   655

XXVI

„Ty wiesz, że dumni nieszczęściem nie mogą
Za innych śladem iść tą samą drogą.
A gdy się duma z nieszczęścia wylęgnie,
To i Bóg czoła takiego nie sięgnie,
To nawet wiara nie pochyli głowy;   660
A cóż dopiero piorun, miecz, okowy,
A nawet ludzkie przekleństwo i wzgarda:
Tak była ciemna, taka była harda
Duma w tym sercu. Na co mnie przywiodła,

Ty wiesz — lecz duszy nie sądź, bo nie podła. 665
Jam się nie rzucił jak koń do zawodu,
Ja sam stanąłem przeciwko narodu,
A gdym się oprzeć musiał w rzeczy ciągu,
To się na wielkim oparłem posągu.
I nie szukałbym był podpory wroga, 670
Gdybym większego znalazł w sercu — Boga.

XXVII

„Nie uniewinniam ja siebie, o księże!
Jakie mię gryzły tu w tej piersi węże,
Jakie po nocach walki obłąkane
Z pamięcią, dumą, zaczęte, wytrwane, 675
Aż sumnieniowi uczyniłem zadość:
Świadczą te oczy, te czoło, ta bladość.
O! trzeba było siadać nad mym łożem,
Gdy we śnie serce mi coś pruło nożem;
Gdy się budziłem w noc bezksiężycową 680
W ciemności, ze krwi piorunem nad głową
Albo widm okiem do łoża przybity,
Zimny, i łzami, i potem okryty,
Nie wiedząc, czemu serce drży boleśnie.
Mówią, żem chodził po pałacu we śnie, 685
Nie wiem, lecz nieraz, gdy sen ciężki spadał,
Możem wstał, chodził, płakał, jęczał, gadał,
Możem z krwi rękę o rękę ocierał,
Możem zabijał i trumny otwierał,
Możem się dzielił z kim jaką mogiłą, 690
Nie wiem: — bo o tym mi się wszystkim śniło...
I nawet dzisiaj na mnie krew czerwona
Na głowie... Gdzie jest moja druga żona?...

XXVIII

„Stój! stój! Nie szukaj tej kobiety, ojcze.
Od innych ciosy okropne, zabójcze, 695
Lecz od niej gorsze ja rany poniosłem.
Ona zrobiła, że śmierć kraju zniosłem.
Anioł piękności i wróg nieodstępny,
Stała, gdy z hańbą walczyłem ,posępny.
Com cierpiał w sobie i com czuł — nie czuła, 700
Co w sercu moim zmartwychwstało — struła,

Aż przyszło wreszcie, że dziś, jędza blada...
Lecz z tego niechaj ona się spowiada,
To na jej sercu, to je kiedyś zrani —
Patrz! ja ten ogród zasadziłem dla niéj,   705
Te drzewa, łąki, tam niby w obłędzie
Strumienie i na błękitach łabędzie,
I ta z marmuru Karary łazienka,
To dla niej... Patrzę i serce mi pęka;
Bo to zostanie po mnie wszystko — długo...   710
O! gdybym to mógł jaką krwawą strugą
Zalać i zniszczyć, i duszę wyzionąć,
I z zamkiem, i z nią, i z wszystkim utonąć;
Zostawić gruzy leżące na powal,
Których by człowiek nie znał, nie żałował,   715
Nie myślał o mnie tu błądząc, nie gadał,
Że tutaj zdrajca chodził, dumał, siadał,
Tu się śmiał z Boga, a tutaj łzy ronił;
A tu się w grocie kaskadą zasłonił
Bojąc się słońca, co tę ziemię złoci,   720
I żył jak węże w zimnie i w wilgoci.

XXIX

„Miłość ojczyzny — o! to słońce świetne
Dla serc, co dumne, sieroce, szlachetne,
Całe się czystym miłościom oddadzą.
Jako żurawie, co łańcuch prowadzą,   725
Świetniejsze serca wylatują przodem;
Umrą — ich duchy lecą przed narodem,
Ich wrzask, ich imię, ich lament to hasła.
Gdy matka po nich zapłakana wrzasła,
Ojczyzna cała słyszy, leci, mści się;   730
W gołębiach wtenczas są serca tygrysie.
Umrą wygnani — to naród wysyła
Posłów zapraszać, niech wróci mogiła.
A choćby nawet zapomnienie, nędza,
Jednego pacierz nad mogiłą księdza   735
I wieczna cisza w grobie niepłakanym.
O! ja zazdroszczę tym czystym, nieznanym,
Ja, co się aż tam, aż do słońca darłem —
O czemu ja też dzieckiem nie umarłem!?
Czemu!?... Ach wtenczas, księże, nie dla sławy,   740

Lecz przyleciałem był raz na bój krwawy,
Ażeby umrzeć. — Na Boga żywego,
Ja bym się teraz nie miał chełpić z czego...
Szyki się biły pod Maciejowicą,
Wleciałem ściśle zamknięty przyłbicą;
Dziwny był ubiór, ale to miał zyskiem,
Że nie witano mię zdrajcy nazwiskiem,
Wreszcie i harmat zakryłem się błyskiem;
I smutny w sobie wpadłem we krwi morze.
Słyszałeś o tym żelaznym upiorze?
Długo to było między ludźmi sporem,
Kto był tym w ogniu rąbiącym upiorem.
O śmierci! ludzi tysiącznych morderca!
Nie chciałaś wtenczas tej krwi, tego serca.
Lont nie chciał harmat przede mną zapalać;
Kule się bały we krwi mojej zwalać,
Lecz omijały świszcząc koło ucha;
Miecz mój po kaskach dzwonił jak miecz ducha.
Los miał okropną zbawić mię bezczelność,
Jam był ubrany w straszną nieśmiertelność.
Jaka w tym wola boska, nie odgadnę
I nie chcę myśleć — lecz gdy myślę, bladnę.
Sam na tym polu, gdzie psów wściekłych kupa,
Na koniu, na kształt siedzącego trupa,
Gdy z ciał wychodził obłok krwawy, dymny,
Gdy księżyc wschodził straszny, blady, zimny,
Stałem; wtem jeden z niedomarłych, blisko,
Wymówił moje przeklęte nazwisko;
Schylam się z konia — patrzę: krwią się broczy,
I krew mi swoją ten człek rzucił w oczy...
Dobyłem miecza — o! nie bladnij, księże —
Choć syknął na mnie ten gorzej niż węże,
Chociaż mię taką pieczęcią naznaczył,
Jam go nie dobił — alem nie przebaczył.

XXX

„Księże... gdzie teraz Kościuszko? — W mogile!...
Kiedy żył jeszcze, były takie chwile,
Żem ja był wrogiem jego świetnej sławy.
Chciałbym dziś widzieć cień jego postawy

Albo grobowiec przy bladych lawinach;
Musi być smutny nad nim szmer w drzewinach;   780
Smutne tam duchy błądzą w księżyc świetny
Wołając: Ojcze — choć on był bezdzietny.
Mówią, że idąc za trumny orszakiem,
Koń jego stawał przed każdym żebrakiem,
Tak nauczony za życia rycerza.   785
To wszystko, księże, serce mi rozszerza
Łez pełne, burzę zapowiada ciemną...
Patrzaj, co stało się z nim — a co ze mną!...

XXXI

„Obróć tu, księże, twe łzawe oblicze.
Ileż ja w życiu chwil okropnych liczę!   790
Słuchaj, po śmierci kraju, już zhańbiony,
Dom odwiedzałem mojej pierwszej żony.
O! co ja czułem, gdy lip poczet stary
Zaczął nade mną swoje smutne gwary,
Kiedy się miesiąc w liść zabłąkał szumny...   795
Ja, co tam żyłem młody, jasny, dumny,
Z nią razem, ojcze! Ja, co w tej krainie
Myślałem niegdyś, że młodość nie minie;
Wchodzę... trzy razy wspomniałem o Bogu,
Trzy razy, blady, przejść nie mogłem progu.   800
Przeszedłem wreszcie — w komnatach nikogo...
Ściany się zdały napełnione trwogą,
Że mię tam widzą samego w ciemności;
Ale w powietrzu jakiś szmer litości
I coś szeptało: „Nie płacz", z każdej cegły;   805
A mnie ogromne łzy po twarzy biegły.
Na cóż to przyszedł ów Wacław wyniosły?
Chwasty go same w tym gmachu przerosły.
Sam — o! bogdajbym był sam, o! zhańbienie!
Starzec wychodzi w księżyca promienie,   810
Poznaję — mój teść... przy niepewnym świcie
Widzę, że w ręku ma jakieś zawicie;
Twarz jego dzika, okropna, surowa;
Rozwija — patrzę — ojca mego głowa!...
Po śmierci zemsty bezczelnej dokazał,   815
Wyjął z mogiły trupa i ściąć kazał.

XXXII

„To tak mi starzec zwiędłe serce kruszy,
To tak anielstwo wypędzono z duszy,
To tak myśleli, że mię zdeptać mogą;
Aż się od hańby obroniłem trwogą...   820
Lecz nie pomogło... bo jak od źwierciadła
Od ludzi trwoga ta na mnie upadła.
Bo wyschły jak trup, po uczuć pogrzebie
Jąłem się lękać nie Boga, lecz siebie.
Więc niech się skończy ten los, co mi cięży,   825
Niech w nieskończoność dusza się rozpręży;
Wszystko straszliwe, co się w serce ciśnie,
Niech się jak piorun wyrwie i rozbłyśnie.
Niechaj część każda pokalanej duszy
Dozna właściwych bolów i katuszy;   830
Lecz niechaj wszystko to w jednym mordercu
Zamknięte, w jednym nie gryzie się sercu.
O! były chwile okropne na świecie!
I ta noc!... Księże, pociesz ty mię przecie;
Czy ty łzy tylko masz dla mnie pacierzem?   835
Dla mnie, co stoję nad śmierci wybrzeżem,
Co tu widziałem pełną tajemnicy
Śmierć w synka mego błękitnej źrenicy.
Okropność! jego usteczka różane,
Miłością jakąś obłąkane, pjane,   840
Z ognia oddechem, z lutniowymi gwary,
Pocałunkami tu goniły mary.
Widziałem moje sny młodości złote,
Zachwyty, miłość, niepokój, tęsknotę,
Wydane dziecka niewinnym obliczem;   845
Lecz on kochał nic, ɔn tęsknił za niczem,
A jednak tęsknił i kochał. Widziałem,
Jak się w coś wpatrzył z obłąkania szałem.
Myślałem — biedny! czego się on męczy?
Łabędź w jeziora zakochał się tęczy,   850
Umarł, nim zgasła, nie doczekał nocy.
Lecz ile było w nim ognia i mocy!
Jakie wyrazy tęskne, smutne, śliczne,
Długo-echowe i melancholiczne
Z ust mu jęczały! Była jedna chwila —   855
Myślałem, że mu skrzydełka motyla
Z ramion wyrosną, że główka zaświeci

Ogniem niebieskim i w niebo uleci;
Bo na paluszkach wstał, rosnął w człowieka;
Myślałem, że już ode mnie ucieka —   860
Wrócił... przy nogach mi go ból pokonał.
W godzinie jednej kochał, cierpiał, skonał.
O! cud okropny! co iskrę słoneczną,
W serduszku dziecka zamknął miłość wieczną.
To, co ja dotąd w moim sercu mieszczę,   865
To go zabiło — a ja cierpię jeszcze!
I jeszcze kocham i widzę to jawniej
W sercu, przed śmiercią, że kocham jak dawniej.
Tu! z krzyżem, księże! tu stawaj u czoła!
Niechaj myśl moja tych snów nie wywoła.   870
Niech nie przychodzi tu jej cień bladawy...
Przyszła! — tam za nią stoi ojciec krwawy,
Włos jego siwy — o! to męki moje
Ta para, ludzi tych w powietrzu dwoje.
A jednak twarze to może jedyne,   875
Co odpuszczają mi hańbę i winę,
Co widząc dolą znękanego twardą,
Jak inni ludzie nie patrzą ze wzgardą.
Maryjo! nie idź za księżyc się chować,
Dobrze, żeś przyszła się tu ulitować,   880
Dobrze, żeś mi się duchem pokazała
Taka posępna i cicha, i biała,
Jak gdyby za mną w mogile tęskniąca.
Maryjo! czekaj zachodu miesiąca.
Pójdziemy razem — gdzie? — ja nie wiem. — Księże,   885
Wkrótce me ciało już ziemię zalęże,
Na długie słowa już mi braknie czasu.
Każ uszyć nową jej suknię z atłasu,
Każ włożyć wianek z róż świeżych uwity,
Niech ją obmyją, ubiorą — kobiéty...   890
Pamiętaj... trumna to od wejścia czwarta...
Patrz, jak ta szata już na niej podarta...
Czy dobrze? — Zrób to, nim promienie świtu...
Patrz! uśmiechnęła się na to z błękitu.

XXXIII

„Nie mów nikomu o mnie, sługo boży,   895
Niech mój grobowiec ludzi długo trwoży.
Weź i tę chustę... choć krwią powalana,

Możesz ją złożyć przed ołtarzem Pana
Albo... Dlaczegoś drgnął przed tym rozkazem?
Powieś tę chustę przed Panny obrazem,   900
Musi być święta ta krew, co ją broczy,
Bo mi ją kiedyś naród rzucił w oczy.
Więc te męczeństwo pobladłego czoła,
To mój ostatni jest dar dla kościoła.
I jam cóś ciernia czuł w mojej rozpaczy,   905
Może Bóg wspomni na to i przebaczy.
Żalu mojego najlepszą jest probą
To upodlenie się moje — przed sobą.
Co będzie z moim duchem nad mogiłą?
Pewnie nie gorzej jak to, co już było.   910
W dumie mej jeszcze przynajmniej znachodzę,
Że mię przed śmiercią broni ulec trwodze,
Gdy przy tym łożu nic, tylko rozpacze.
Gdyby mniej dumny, płakałbym — nie płaczę;
Lecz coś jest we mnie, gdy w grób muszę wchodzić,   915
Z czym by się żadne łzy nie mogły zgodzić:
Wściekłość na siebie, żar, co się nie studzi,
A nawet, księże, jakiś żal do ludzi:
Jak gdyby oni byli winni z dawna,
Że się krew we mnie zaczerniła sławna.   920
Lecz nie — i myśl ta nie może pocieszyć. —
To wszystko... Księże, czy śmiesz mię rozgrzeszyć?
Olej, co czyni w Bogu śmierć wesołą,
Czy się odważysz lać na zdrajcy czoło?
Jam nie żałował i nic nie naprawił;   925
Kraj jeszcze we krwi — a jam go zakrwawił;
I długo będzie ta krew po mnie płynąć;
Tysiące walczyć i tysiące ginąć,
Po mnie nieszczęścia, więzienia i wojny —
I mógłżebym ja w grobie spać spokojny?   930
O nie! nadzieja jest szaleństwem dla mnie —
A jednak — starcze, ty! módl się ty za mnie!"

XXXIV

Graf Wacław skonał. O! domysłów płonność!
Na lice wyszła trucizny zieloność:
Ale krew jego już dawno zepsuta;   935
Ciągła samotność, łzy, wzgarda, pokuta.

To nieraz także te truciny duszy
Wyjdą na ciało zwiędłe od katuszy
I nieraz lice trupowi odmienią,
Połamią, poskrzą, zsinią, pozielenią: 940
Więc może i te splamienia Wacława
Nie z gwałtu poszły, lecz z natury prawa;
Lepiej tak wierzyć niż oskarżać ludzi.
Niech się podstępna ciekawość nie trudzi;
Gdy ziemia z siebie rzecz przeklętą zrzuci, 945
Niechaj spokojność w tłum zmięszany wróci.
Lecz nie, ten zamek wre skargą i gwarem,
Domysły rosną z niepokojem, swarem,
Mówią, że pani chciała ukryć winę,
Mówią, że miała otrucia przyczynę — 950
Jaką? — Nie można wierzyć w takie baśnie.
Miałażby otruć małżonka — a właśnie
Zadatek nowej miłości i wiary
W jej łonie — po cóż przy kołysce mary?

XXXV

Po ukraińskich stepach syczą żmije, 955
Pogrzeb się czarny z pochodniami wije,
A za pogrzebem groźny wicher wyje.
Smutno, posępnie przez kurhany płynie
Pogrzeb możnego pana w Ukrainie.
Z każdej mogiły ognista kolumna 960
Wytryska w niebo, gdy nadchodzi trumna.
Już przeminęła, a jeszcze czerwono
Wszystkie kurhany w Ukrainie płoną
I rozmawiają cicho o pogrzebie.
Gwar na tym stepie, a cisza na niebie. 965
W ziemi grobowej głucha trupów wrzawa,
Bo między nimi stanął trup Wacława.

XXXVI

Człowiek? czy widmo? — Jakiś duch z burzanu
Wyszedł na czoło ogniste kurhanu,
Pogroził ręką: ,,Zdrajco! otoż tobie 970
Trucizna w przodków wypróchniałym grobie.
Idź, trumno czarna z ohydnym człowiekiem,

Z trupem, co moim wykarmiony mlekiem.
Idź w ogień piekła za narodu zdradę!
W kołyskę kładłam i w prochy cię kładę.   975
Dzieciątko moje ty i moja żmijo,
Ziemia cię zmrozi, robaki spowiją.
A choć krew twoja kiedyś winę zmaże,
Tego ci Pan Bóg zwiastować nie każe.
Choć Ukraina kiedyś zmartwychwstanie,   980
Ty się nie dowiesz w piekle, ty szatanie!
Nic się nie zmieni, wieczność się zaczyna,
A wieczność taka jak śmierci godzina".
Tak pożegnawszy resztki pana zgniłe,
Zapadła wiedźma w burzan czy w mogiłę.   985

XXXVII

I znów na zamku jasnych świateł krocie,
Księżyc w ogrodach, szum kaskady w grocie;
I znów tam cicho, i kaskada grzmiąca
Znowu się srebrzy na blasku miesiąca.
Mówią, że łabędź i róża czerwona   990
Szepcą w powietrzu imię Eoliona.
Gdy wszystko ścichnie wieczorną godziną,
Gdy róże płaczą i łabędzie płyną.
A o dzieciątku tym z twarzyczką ducha
Została jakaś ciemna powieść, głucha.   995
Mówią, że raz go widziano w tej grocie,
Całego w gwiazdach, w promienistym złocie;
Duchy powietrzne za tęczową szarfę
Przyniosły jemu zapaloną harfę;
Usiadł... do ognia strun przybliżył ręki: 1000
A pierwsze z harfy westchnienia i dźwięki
Zwołały wszystkie łabędzie z ogrodu;
A drugie tony jak jęki narodu,
Co cicho konać i cierpieć nie umie,
Zrobiły szelest w tym łabędzi tłumie;   1005
A gdy śpiewaka pieśń i tony rosły,
Wszystkie się razem łabędzie podniosły
I poleciały płaczącym orszakiem
W niebo gwiaździste, z harfą, ze śpiewakiem,
I znikły, długo widziane na górze,   1010
Jak girlandami spięte białe róże,

Ulatujące w niebieskie krainy,
Dosłuchać harfy tej i tej dzieciny.
Nie wiem, czy wierzyć — lecz cudy są wszędzie...
I odtąd znikły w ogrodach łabędzie,   1015
I szafirowych wód nie krają łonem,
Bo poleciały wszystkie z Eolionem.
A Bóg nam wieszczów zostawiać nie raczy,
Odkąd zabrakło już białych słuchaczy.

KONIEC

[Poeta i natchnienie]

[Fragment poematu]

[POETA]

Atesso!...

[ATESSA]

    Jestem... alem uciekała,
  Bo mię ta dziwna pieśń... w otchłanie niosła.
Wszak wiesz, żem z tobą razem zmartwychwstała
  I razem z tobą znów różana rosła;
Wszak wiesz... gdzie oliw czarny gaj i skała,   5
  I srebrne, ogniem ozłocone wiosła;
Wszak wiesz... ta chata nasza bez zapory,
To falerneńskie wino... i amfory...

I w ścianach różne marmuru odłamy,
  I strumień, co tam w takt lutniowy ciecze...   10
Wszak ty pamiętasz: bywało, czytamy,
  A ja Eschyla tobie rym kaleczę,
A gdzieś daleko... na Pnyksie, u bramy,
  Słońce, na tańca piryjskiego miecze
Wzięte, przez liście cytryn się przeciska   15
I w oczy nasze zamyślone błyska...

Tam chór prowadzą młodzieńce na polu,
  A tam z Hymetu księżyc biały miga...

[POETA]

Dosyć, o duchu biały, bo mi z bolu
  Znów serce pęka...

[ATESSA]

        O! ten sen mię ściga...   20

POETA

O straszny boże burz, o ty, Eolu,
  Coś ze skał wiatry wypuścił na Fryga,
Dziś pomieściłeś wszystkie Akwilony
W grobach i z mogił twoich dmiesz szalony.

ATESSA

Spokojnie, o mój kochanku...

POETA

Spokojnie! ²⁵

ATESSA

Jesteś jak nimfa Echo...

POETA

Nimfa Echo.

ATESSA

Ja ci mówiłam po farsalskiej wojnie,
　Że mak, co rośnie pod Greczyna strzechą,
Nie uspi... harfa, chociaż zagra strojnie,
　Chociaż wesoło, nie będzie uciechą, ³⁰
Że piękność kształtów będzie w sercu brzydła;
Wtenczas wyrosły mi motyle skrzydła.

I poleciałam gdzieś na jakąś górę,
　Nad którą słońce w krwi, księżyc w zaćmieniu,
Męka, co całą męczyła naturę, ³⁵
　I krzyż na słońca czerwonym pierścieniu,
A ja... w tc śmierci otchłanie ponure
　Na moich skrzydeł tęczowych promieniu
Lecąca... jako dziś... patrz, upior blady,
Ja, pierwsza z różnych piękności Hellady. ⁴⁰

Czemu nie patrzysz na mnie? o! czy żal ci
　Mojego włosa, pełniejszego łona
I ducha tego, co jak czarę kształci
　Pierś i pięknością oblewa ramiona?
Teraz patrz – wiatr mi kształt spokojny gwałci; ⁴⁵
　Gdy zadrzysz, jestem ja sama wzruszona,
Oczy się moje jak szafir krysztalą,
Rany na nogach i rękach się palą...

POETA

Rany twe płoną – widzę – szafir nocy
　Ma z twoich strasznych ran cztery pochodnie. ⁵⁰
Pal się! Nie mogę żadnej dać pomocy,
　Tylko to powiem, że przez krew i zbrodnie

Szukałem ciebie rosnąc w piękność mocy,
    Która po twojej trzyma niezawodnie
Najpierwsze miejsce u samego Boga...
On wie, że w moim duchu nie miał wroga.

Lecz ty aż teraz jak krzyż zapalony
    Przyszłaś, kiedy ja wichrem nieszczęść zbity
I tak jak sztand[ar] kulami zniszczony,
    I tak jako hełm Hektora — bez kity,
I tak jak harfa, co straciła tony,
    I tak jako trup w grobowcu odkryty,
Na bezlitośne wystawiony wzroki
I tak widzący swój zgon jak proroki —

Walę się w prochu. Gdzie byłaś, siostrzana
    Duszo, kiedym ja cierpiał? Czy pod krzyżem,
Z tęczowych twoich skrzydeł oberwana,
    Śmiałaś się, gdym ja stutysięcznym spiżem
Na świecie imię obwoływał Pana,
    A sam, spędzany zawsze skrzydłem chyżem
Śmierci, musiałem nędzny grób rozrywać
I sam przychodzić, i znów odlatywać?...

Gdzie byłaś, gdym tu nareszcie za karę
    I za ostatni los — z potęgą słowa
Wstał słysząc w duchu jakieś wieki stare,
    Których ogromna szmerność podgrobowa?

ATESSA

Przy tobie byłam; przez powietrze szare
    Snułam się cicho jak wizja tęczowa,
Obłok nas jeden tylko dzielił cienki,
Taki łagodny jako róż jutrzenki.

W dzieciństwie twoim samotna, a potem
    Musiałam z większą liczbą mar przychodzić,
Cicha, gwiazdowym uwieńczona złotem,
    Smętna, że duszy twojej rozpogodzić
Nie mogłam. Przestań już pamięci lotem
    W dawnych się wiekach twoją myślą rodzić.
Patrz, jak w stygmatach piękna w górne sfery
Lecę, ran niosąc zapalonych cztery.

POETA

Nad tobą wyżej...

ATESSA

Co?

POETA

Trzy milijony
Słońc i duch jakiś...

ATESSA

Co? posłaniec boży? 90

POETA

Tam głębszy szafir – spod słońca korony
Na trzech obłokach niby lekkiej zorzy,
Jak jaka srebrna lampa zawieszony,
Pali się miesiąc, liczba gwiazd się mnoży,
Wyiskrza szafir, zda się – jak stal pryśnie, 95
Coś w nim od słońca jaśniejszego błyśnie.

Ach! od słońca by w oczy mi nie biła
Taka ogromna jasność jak z tych oczu
Spuszczonych! Cały świat rozweseliła,
Oblana słońcem złotym po warkoczu; 100
Taka miłości w niej ogromna siła,
Że gdy stanęła na ciemnym przezroczu,
Słońc się girlandy – niby zawrócone
Żurawie – wiążą w nadświętą koronę.

Siostro! twe rany mocniej się płomienią, 105
A z twoich oczów wesołość wylata
I szaty twoje się jak tęcze mienią,
I pierś wzniesiona, i skrzydli się szata.
Nie leć! te słońca ciebie opierścienią
Jak powój, który kolumnę oplata, 110
I tam zostaniesz, statui starożytnej
Podobna – śród słońc złotych – przy błękitnej.

ATESSA

O, nie zostanę! bo w tej gwiazd powodzi
Ona się zniża i z duchami swemi,
I na miesiącu swym na ziemię schodzi, 115

Bo zapragniona jest znowu na ziemi;
Oto więc na swej półmiesięcznej łodzi
    Płynie, rękami sypiąca złotemi
Litośną miłość... dawno tak widziana
Na wyspie Patmos przez świętego Jana.   120

Patrzaj na ciemne, szmaragdowe lasy –
    Zniżyła się tam i rzuca spod siebie
Dwa wielkie tęczy rozwiniętej pasy,
    Które się od niej zaczęły na niebie.
Przychodzą nowe na świat Pańskie czasy,   125
    Niechaj umarły swych umarłych grzebie!
A ty nie maż ust światowym piołunem,
Ale tej łaski Pańskiej bądź zwiastunem!

Widzę, jak oczy twe światłami skrzą się
    I za tym widem przeszły i wróciły   130
Bez łez... Czyć zawsze napisano w losie
    Nie być miłości duchem, ale siły?!
Mów do mnie! może w twoim smętnym głosie
    Nie będzie echa podziemnej mogiły.
O nie! ty cały łamiesz się w boleści,   135
A twoja·ręka szuka rękojeści.

POETA

To nic, jam pobladł... duch mój jest otchłanią
    Tęsknot i musi strzec się własną mocą;
Czuję, że gdybym ja poleciał za nią
    Tam, gdzie te światła całą ziemię złocą,   140
Byłbym jak jedna z gwiazd, co się tumanią
    I przez tęczowe jej rąbki migocą,
I już... już własnej twarzy mieć nie mogą,
A ja tu czekam w ciemności...

ATESSA

Na kogo?

POETA

Żaden duch nie jest bez przyjaciół własnych,   145
    Żaden głos nie jest bez ech – poza światem.
Raz ja nad Ikwą po mych łąkach jasnych
    Błądząc, znudzony błękitem i kwiatem,
Bo mi w pamięci koral twych ust krasnych,

Co perły takim obwodzi szkarłatem,   150
Jaśniej się palił — i twoje oblicze
Skrzyło jak słońce myśli tajemnicze,

Znudzony, że mój głos tu nie pomaga
    Ludziom w niewoli, ogień serca pije,
A ciągłej szczęścia ofiary wymaga   155
    I ciągle serca mego jadłem żyje,
A tu, na świecie, inna jakaś waga
    Waży wypadki, człek podłością tyje
I spity winem, pieśń, co aniołowie
Dają, za pościel kładzie i węzgłowie,   160

Siadłem pod chatą kobiety cmentarnej,
    Co odmykała trumnom kołowroty,
I pełny byłem wtenczas myśli czarnej
    Jak Brutus, który na twarz białą cnoty
Krwią swoją rzucił. A u gospodarnej   165
    Kobiety były z malw ogromne płoty
I z nędzą piękność połączona sielska,
Że chata się ta zdawała anielska.

Wszystko mi jakiś wzrok duchowy, blady
    Przemieniał w dziwy: zda się, różdżką trącę,   170
A te malwowe z tęczy kolumnady
    Dostaną nieba, a te pałające
Cynowe miski to wróżce na składy
    Rusałki swoje oddały miesiące,
A te na półce girlandami świecą   175
I gdy kur nocny zapieje, wylecą.

Ja byłem wtenczas dziecię, lecz do gliny
    Kiedy wejdziemy my, straszniejsi z duchów,
To mamy straszne w dzieciństwie godziny,
    Gdzie duch bez żadnych więzów i łańcuchów   180
Ma ostrzeżenie. W mogilne doliny
    Chodziemy chętnie — niby dla podsłuchów —
A duchy wtenczas rozmawiają z nami
Same lub tylko natury ustami.

Otóż i wtenczas w myślach moich zamęt,   185
    Zwątpienie było, rozpacz nad zabitą
Polską... „Gdzież" — rzekłem — „jest taki sakrament,

Co by w niej, martwej, chodził siłą skrytą
Jak krew żyjąca?" – Taki był mój lament,
    Który me oczy wnet zamienił w sito   190
Siejące perły łez. A wtem od Boga
Przyszła nauka wielka i przestroga.

Skrzypnęła czegoś jedna stara belka
    I poruszyła gniazdo jaskółczychy,
Z gniazda wypadła ptaszyna niewielka,   195
    Bez pierza, mały, zimny trupek, lichy,
Więc potem tego dziecka rodzicielka
    I ojciec w domek przylecieli cichy,
Prosto do gniazda, do swojego kątka,
I nie znalazłszy swojego dzieciątka   200

Wyszli oboje. Boże! z jaką wrzawą,
    Wie matka, której ludzie dziecko skradli;
Wreszcie ujrzeli go pod moją ławą –
    Oboje z niebios jak martwi upadli,
Ojciec na lewo, a matka na prawo;   205
    Usiedli przy nim, a skrzydła tak kładli
I tak ciągnęli biedaczki za sobą
Jak magnet ciężką okryty żałobą.

Ale oboje... Śmierć tak była świeża,
    Tak niespodziana, taką zda się zdradą   210
Niebios, że ojciec, matka nie dowierza,
    Owszem, przy dziobku jeszcze mu żer kładą,
Dziobkami ciałka probują i pierza,
    A ono z główką wyciągniętą, bladą,
Z początkiem tylko dziecięcych skrzydełek   215
Leży jak srebrny na herbie orzełek.

Więc – o niewiaro cudna, rodzicielska,
    O długie, piękne tych serc niepokoje,
O cudna myśli w ptaszkach, już anielska! –
    Za skrzydła wzięli dzieciątko oboje   220
I wyżej, niż tam brzoza, nimfa sielska,
    Rozrzuci swoje girlandowe zwoje,
Podnieśli... myśląc, że w nim lot roznieci
Życie, że z dziobków puszczone poleci!
Tak połączone przez biały dyjament   225

Stało nade mną w niebie biedne stadło.
Potem je może zdjął rozpaczy zamęt,
Bo upuścili dziecko... a te spadło,
A oni siedli nad nim znów i lament
 Taki podnieśli, że mi lice bladło,   230
Serce bolało, tak jak dzisiaj boli,
Bo coś tam dla mnie jest w tej paraboli.

O tak! nim ja w śmierć ojczyzny uwierzę,
 Chociażby jak trup w grobie leżąc zbrzydła,
Potargam wprzódy ją pieśnią za pierze,   235
 Porwę ją wprzódy na pieśniane skrzydła,
Porwę ją z ziemi, tak jak wicher bierze,
 Stargam łańcuchy wszystkie, wszystkie sidła,
Podniosę w niebo, aż gdzie Pan Bóg świeci,
Puszczę... jeżeli żywa – to poleci.   240

Dziecinna to myśl! co... duma dziecinna!
 Jam się sam rozbił piersią o granity,
Ale głos ani też lutnia – nie winna.
 Cóż ty mi teraz pokazujesz świty,
Gdzie inna matka i królowa gminna   245
 Dzieciątka swoje podnosi w błękity,
Tak lekko duchy podnosząca wolne,
Jakby z łąk brała piękne kwiaty polne...

Cóż ty mię smucisz tym pięknym widokiem
 Tęcz i błękitów? Za mną inna strona   250
I duchy, co się na pieśń zbiegły tłokiem,
 Od których była już ogniem czerwona,
Ich tchem trująca, tętniąca ich krokiem.
 Dobranoc! harfiarz wasz posępnie kona!
Klnie wam i kona... Precz, straszydła stare!   255
O siostro? odpędź ode mnie tę marę!

ATESSA

W powietrzu widzę trzy...

POETA

                              Trzy przyszły razem?

ATESSA

Twój włos zjeżony operlił cię potem!

POETA

Patrz! za cerkiewnym, o! tym bohomazem
    Powietrze całe się wydaje złotem.   260
Zapewneś przyszedł od duchów z rozkazem?
    Albo mi lirą powiedz, albo grzmotem!
Tak zwykle gadał – gdy mu się podoba,
To w jęku głosy te połączy oba.

Teraz nie mówi nic, lecz stoi srogi   265
    I zda się, twarz mi swoją w pamięć wraża;
A tamten – patrzaj, tak piękny jak bogi –
    Który wygląda także na harfiarza,
Ale instrument ma bardzo ubogi,
    Sam widać był tej harfie za stolarza –   270
Dziwna!... rybie w niej srebrzą się ościenie
I labradorskie Sybiru kamienie.

Struny, podobne do starych badylów –
    Pod palcem tego ducha drzą spróchniałe.
A co? czy dobrze na niej panna Nilów   275
    Grała wywiodłszy ciebie gdzieś na skałę
Kamczatki, kędy jasne róże gilów
    Latały słuchać, gdy jej rączki białe
W powietrze pełne mgieł, duchów i szronów
Lały z tej harfy girlandami tonów?   280

O, powiedz, jakie ci sny o młodości
    I o twej miłej ojczyźnie wyjęczał
Jęk tej źle z renów ostruganej kości
    I tej dziewczyny głos, który wyręczał
Anioła-stróża, a ty – o litości! –   285
    W oczy jej patrzał czyste, u nóg klęczał,
A drugą myśli połową pieśń mijał,
Palił dom, ojca w płomieniach zabijał.

Powiedz, czy w harfie tej dziś jest żałosny
    Tego dziecięcia jęk i skarga cicha?   290
Czy ty pomiędzy aniołami głośny
    Tą harfą? Czy ci ręka nie usycha?...
Patrz... ten duch, niegdyś tak mało litosny
    Temu dziewczyny sercu, teraz wzdycha
I lirnikowi palcem pokazuje,   295
Jakby chciał mówić: „Patrzaj, on to czuje!"

Precz, błądzi! — i ten trzeci, co nad głowy
    Wyciąga ręce i nad wami trzyma
Swój wielki, bardzo ciężki krzyż cynowy,
    Niech mię nie prosi łzawymi oczyma! 300
Stary świat skonał, nie zaczął się nowy.
    Dla takich duchów jak wy — miejsca nié ma!
Lećcie i w nową zorzę się rozpłyńcie,
I bądźcie nowi duchem — albo gińcie!

ATESSA

Stój! oni wszyscy z wiarą i nadzieją. 305
    Pozwól im swojej duszy jak kościoła,
Gdzie teraz żadne lampy nie jaśnieją!
    Kto wie, przez ciebie jaki głos zawoła,
Gdy będą w tobie... Patrzaj, jak piękniej!
    Ogień im tryska z nóg i z rąk, i z czoła — 310
To wielkie duchy i wydarte niebu!

POETA

Czegóż ode mnie oni chcą?

ATESSA

               Pogrzebu.

POETA

Precz z nimi — nudzą mego ducha, łamią:
    Ten swój sybirski instrument przynosi,
A dziś muzycy tak na strunach kłamią 315
    Czucie, że serce pęka, łza cię rosi,
A oni — jako stawy zaszłe szlamią —
    Przez nerwy sączą żółtą krew. Kto głosi,
Że pieśnią do łez poruszy słuchaczy,
Ten musiał wprzódy zwariować z rozpaczy. 320

Nie tak, pamiętasz, my... Najokropniejsze
    Godziny nasze przeszły w takiej ciszy...

. . . .
. . . .
. . . .
. . . .
. . . .

A oto wyszedł – jakby Rafaela
   Tarcza okryta różnym malowaniem –
Księżyc i zagrał pierwszą pieśń wesela   325
   Wyszedłszy świecić przed samym zaraniem,
A z niego wielki miecz płomienny strzela –
   Nazwany w niebie niebieskim nazwaniem –
Przed którym zadrzy i fałsz, i pokusa,
Lecz nikt nie dźwignie miecza' – prócz Chrystusa!   330

On na nim ręce skrwawione położy,
   Potem podniesie i trzy razy mieczem
Niebiosa całe rozetnie, otworzy;
   Wtenczas my, duchy, pod gwiazdy ucieczem,
Bo z nieba wyjdzie na ziemię duch boży,   335
   A my z tej ziemi mgły i chmury zwleczem,
By się spotkała jej twarz z bożą twarzą;
Wtenczas się słońce i gwiazdy przerażą.

Świętych zobaczysz Pańskich w jednej stronie,
   Podobnych chmurze słonecznej, Maryja   340
Stać będzie w słońcu, na złotym wrzecionie
   Kręcąc jako ta, która tęcze zwija;
A po tych tęczach aniołowe konie
   Będą latały, a szatan jak żmija
Będzie je straszył wielkim dymu kłębem   345
I językowym je zhuka trójzębem.

Potem to wszystko razem się zasunie
   Mgłą... i by lampa zgaszona zagaśnie;
I tam na ziemi po nocy coś runie,
   I echa niebios tak zajęczą właśnie,   350
Jak kiedy piorun idzie po piorunie,
   A potem zagra na skałach i zaśnie;
I znów się zwali coś z odgłosem strzału,
Smętniej jak echo pierwszego powału.

Wtenczas na niebie wyjdzie anioł blady   355
   Z lampą olejem napełnioną smolnym
I rzeknie: ,,Gdzie są ciał i kości składy,
   Abym je palił lampy ogniem wolnym?''
To mówiąc pójdzie i różne gromady
   Trupów oświetli, i ogniem okolnym   360
Lampy stosy ciał będzie oczerwieniał,
A ciągle idąc, strach i miejsce zmieniał.

Miejsce, gdzie przejdzie, będzie zwane d r o g ą
    P o s z u k i w a n i a, na kształt czarnej szramy.
A idąc anioł ów nadepce nogą   365
    Grób — i wykrzyknie: „Rola Halcedamy!
Tutaj się ludzie kąpać [?] duchem mogą,
    Ale zamknięte są już srebrne bramy
I dzień tu biały powróci nieskoro!"
To mówiąc, lampę rzuci w krwi jezioro.   370

I znów się stanie noc, i z końców obu
    Świata płacz wielki pójdzie jak z bożnicy;
Potem aniołki od świętego żłobu,
    Jak białe róże od Bogurodzicy,
Sypiąc się rzekną: „C z a s   c i   w s t a w a ć   z   g r o b u!   375
    Wstań bez korony złotej i zbroicy,
Płomieniem serca świecąca od łona,
Wstań, jakąś była w grobie położona!"

A wtenczas mgła się ze słońca usunie
    I ta, co była w słońcu, znów odkryta,   380
Rzeknie: wy słońce w jej znajdziecie trunie
    I stratowany miesiąc przez kopyta.
Niech tak na zorzy pokaże się łunie
    Piękna, jak piękna leżała zabita!
Niechże tak chwałę wskrzeszenia opowie —   385
Z księżycem u nóg, ze słońcem na głowie.

Potem się w pierwsze bicie serca wsłucha
    I rzeknie z wielkim uśmiechem: „O Panie!
Nie z ciała jestem wskrzeszona, lecz z ducha,
    Niech mi się jako służebnicy stanie!..."   390

. . . .
. . . .
. . . .
. . . .

Tak nieraz stojąc szary majster cechu —
    Z chorągwi jednej sklepienie uczyni
Dla trzystu ludzi, albo gdy na blechu
    Rozciągnie płótno dobra gospodyni;
Tysiące kwiatków nie widzi uśmiechu   395
    Słońca i oczu efeskiej bogini,

Ale się muszą poddać – z tą nadzieją,
Że płótna wkrótce słońcem wysrebrnieją

I będą zdjęte. Jestem z liczby kwiatów
    Podobrusowych, często słyszę, ślepy,   400
Nade mną jakieś kruszenie się światów,
    Szczepienie duchów nowych w stare szczepy,
Pszczelny brzęk niby naszych antenatów
    Idących pomóc. Lecz że ja do rzepy
Płonącą świeczkę włożę pisząc wiersze,   405
Nie widzę, abym widział światy szersze.

ATESSA

Zawszeż ta bojaźń o nabyte skarby
    Pracami wieków? zawszeż nieujęcie
Twojej tęczowej myśli w żadne karby?
    Zawszeż ci błoto cielesne na wstręcie?   410
Gdybyś mógł stopić twoje wszystkie farby
    W jednym miłości bożej dyjamencie
I zostać chwilę w czystym bezkolorze,
Miałbyś zeń potem wszystkie ognie boże,

Przedlotem ducha światy byś wyminął,   415
    Wiedział o niebie, nim się inny dowie.
Mrówko! nie będziesz ty przeze mnie słynął:
    Ja ci się strzaskam jak piorun na głowie,
Ja, z którąś dawniej ty jak łabędź płynął,
    Kiedyś był nowy i sił nie miał w słowie,   420
Teraz, gdyś wylał ducha z serca krzykiem,
Mam cię, niższego, moim niewolnikiem!

Nie drgaj mi jako struna, co chce pęknąć,
    Bo mi nie pękniesz, lecz będziesz jak struna,
Która gdy rani, to krwią musi zmięknąć...   425
    Lecz tobie strachu trzeba... Patrz, tam łuna
I księżyc, co chce jak umarły jęknąć,
    Taki bolesny! Tam morze i truna,
Którą prowadzą fal czerwonych nogi;
Patrzaj!... w trumnie ten, co prostował drogi.   430

Czy widzisz żagli tych trumnianych bicie
    W opiekielnione złymi duchy fale?
Bo się nie siarką wy bez fal palicie,

A piekło nie jest w niebie ani w skale,
Lecz jest to duchów do ziemi przybicie   435
    I krzyż, i po ciał władzy gorzkie żale,
I czas powrotu do ciał niewiadomy,
I czyn, co w piersiach grzmi jak puste gromy.

Czasem się zbiją i prą całą ścianą
    Naturę, a ich oddech mniej tu waży   440
Niż tego dziecka, co bańkę mydlaną
    Uczyni równą aniołkowej twarzy.
Rozpacz im dano, a skargi nie dano!
    W niejednym wulkan się miłostek żarzy...
Gdyby im kształtów [dano] i kolorów,   445
Wymarlibyście z widzenia upiorów!

Szczęściem, że każdy niby śmierć ponosi,
    Gdy wchodzi w ciało i uczyć się musi
Siły – od ręki, co kamień podnosi,
    Bolu – od świecy, co rączkę mu skusi.   450
Więcej się złego obraca na osi
    I siły, która iskrę bożą dusi,
Niźli ty myślisz. Patrz: czy nie przeraża
W tej zorzy duchów ta trumna mocarza?

POETA

To jak kolęda, którą w domu dziada   455
    Słyszałem! Idą pasterze! pasterze!

ATESSA

Patrzaj: znów jasna na stolicy siada
    I od Łotyszów dawny piorun bierze,
A drugi jej grom z dala odpowiada –
    To Rzym... to klątwa... to straszne przymierze   460
Z trupami... Łączcie prawice do prawic,
O, ducha teraz, Boże! – i błyskawic!

POETA

Straszna, milcząca, powiedz!... Więcem nie miał
    Grzechu bijąc ten fałsz w Chrystusa słowie,
Co siły bożej nie pił i nie wziemiał,   465
    I z świątyń Pańskich uczynił pustkowie,
A w zmartwychwstania dzień wielki oniemiał
    Jak człowiek, co wie prawdę, lecz nie powie,

I tak się chował pod wypadków polę,
Jak chłop, co w piekle myśli wozić smołę?   470

ATESSA

Tak jest zaprawdę, jakeś odmalował.
    Błyskawicami bity gmach był dawno...
Dante, Bokacy i ten, co wychował
    Kopernikową sierotę i sławną
Nogą odpowiedź na wieki wykował,   475
    Głowy schyliwszy przed powagą prawną,
I wielu innych. Ty, co w kościół wierzysz
Jak oni, bijąc go — do nich należysz.

Od czasu jako zaprzestał soborów
    I gwałt uczynił duchowi w tej przerwie,   480
Sobory były ze słońc i kolorów,
    Tam gdzie najczęściej przy męczeńskim ścierwie,
Pod szubienicą, z kruków i upiorów
    Była girlanda. Teraz wiatr się zerwie,
Który kolumny kościoła okręci —   485
Te wszystkie, których nie podparli święci —

I zniszczy... Oto wielkie rozwidnienie
    Ducha rozlewa się. O, Jeruzalem
Ubrana w żywe błękitu promienie
    ‚Schodzi, a mur — jej perłą, wał — koralem.   490
Pierwszy duch, który słońce zrobił cieniem
    Dla ziemi, a tę dla słońca opalem,
Już urodzony... chór na ziemi zbiera,
Czuje go kamień i morze, i sfera.

Biedni to teraz; widzę ich, jak stoją: 495
    O swej ojczyźnie zadumani, w bieli,
O swej ojczyźnie tylko ziemskiej roją,
    A przez nią będą tylko tak lecieli
Jako żurawie, co słońce rozdwoją
    Girlandą długą... i gdzieś w mglistej bieli   500
Znikają... Dziecko zniknieniem zasmucą,
Ale chłop stary wie, że z wiosną wrócą.

. . . .
. . . .
. . . .
. . . .

Uwagi wydawcy

I. Liryki i inne wiersze

Dzieje liryki Słowackiego

Nurt liryczny przewija się w twórczości Słowackiego od samych jej, chłopięcych jeszcze, początków po ostatnie miesiące życia genialnego poety. Nurt ten wzbiera i potężnieje w chwilach przełomowych, czy to życia zbiorowego epoki, czy życia osobistego twórcy, wydając zespoły liryków, układające się samorzutnie w pewnego rodzaju cykle. Tak jest z zespołem utworów, wywołanych przez powstanie listopadowe lub Wiosnę Ludów, przez zerwanie z ruchem Towiańskiego czy przez wrażenia podróży wschodniej. Prócz tego jednak utwory liryczne powstają doraźnie, rzucane na karty rękopisów dzieł innych, dramatycznych lub epickich, albo też zapisywane, niekiedy mało czytelnym po latach stu ołówkiem, w notatnikach poety. Okoliczności te sprawiły, że odtworzenie dziejów liryki Słowackiego było zadaniem trudnym do rozwiązania, że wiadomości o nich wyławiać trzeba było z monografij o poecie oraz że chronologia liryków Słowackiego budziła przeróżne wątpliwości. Obecnie dzięki opracowaniu przez E. Sawrymowicza przy udziale S. Makowskiego i Z. Sudolskiego *Kalendarza życia twórczości Juliusza Słowackiego* (Wrocław 1960) przybyło wiele ustaleń czasowych, nadto wyjaśniono okoliczności, w jakich powstawały różne jego utwory.

Źródła tekstów

W wydaniu obecnym oparto się przede wszystkim na tekstach z I tomu *Dzieł* J. Słowackiego pod red. J. Krzyżanowskiego (wyd. III, Wrocław 1959), idącego przeważnie za opracowaniem liryków» i innych wierszy B. Gubrynowicza i W. Hahna (Lwów 1909), zaopatrzonym w wykaz odmian rękopiśmiennych lub spotykanych w pierwodrukach, których źródła nie znamy. Wydanie z roku 1959 włączyło także utwory Gubrynowiczowi nie znane, udostępnione przez M. Kridla w jego edycji *Dzieł* Słowackiego (Warszawa 1930, t. III) oraz przez J. Ujejskiego w wydanym po wojnie VIII tomie *Dzieł wszystkich* (Wrocław 1958), nadto drobne liryki, które i Gubrynowicz, i Pawlikowski wprowadzili w poczet odmian *Króla-Ducha*, a których związek z tym poematem budzi poważne wątpliwości, następnie inne utwory, wydobyte z rękopisu przez J. Kleinera w jego monografii, a do wydań zbiorowych dawniej nie wprowadzane, wreszcie ogłoszony przez Pigonia urywek (*Nastał, mój miły, wiek Eschylesowy*) i nie drukowaną parodię Zaleskiego (*Polska! Polska! o! królowa*).

W porównaniu natomiast z Gubrynowiczem wydanie z roku 1959 nie zawierało sporej ilości utworów przez Gubrynowicza zaliczonych do liryków; badania późniejsze, zwłaszcza Kleinera (w rozprawie *Układ i tekst dzieł J. Słowackiego*, 1910, oraz w monografii) pozwoliły włączyć te utwory do odmian dzieł epickich, zwłaszcza *Teogonii* i *Beniowskiego*. Inaczej wreszcie w wydaniu 1959 przedstawiała się chronologia a nieraz i brzmienie tekstów lirycznych aniżeli u poprzedników. Ciągłe odwoływanie się do prac wcześniejszych, rzecz w pracy wydawniczej normalna, ~~było przy edycji 1959 koniecznością; wydawca nie mógł sprawdzić nasu-~~ wających mu się nieraz wątpliwości, ponieważ autografy, którymi poprzednicy ci się posługiwali, są dzisiaj nie zawsze dostępne, częściowo bowiem uległy zagładzie, częściowo zaś dotąd nie zostały odszukane.

W wydaniu obecnym uwzględnione zostały ponadto niektóre ustalenia tekstów, dokonane w t. XII, cz. 1, edycji *Dzieł wszystkich* Słowackiego pod red. J. Kleinera przy współudziale W. Floryana (Wrocław 1960). Dotyczą one w dużej mierze brzmienia wierszy wpisanych na rękopis *Króla-Ducha*, przechowywany obecnie w Ossolineum, a skolacjonowanych na nowo w *Dziełach wszystkich*.

Przeważająca większość liryków i pomniejszych utworów, zebranych w t. I wydania 1959, pochodzi z następujących rękopisów:

1. *Album rysunkowe z podróży na Wschód*, znajdujące się w zbiorach Ossolineum, opisane w „Pamiętniku Literackim", 1909, VIII, s. 255 – 258, i *Dziełach wszystkich*, wyd. II, 1954, t. V, s. 164 – 168.

2. *Dziennik z podróży na Wschód*, zniszczony wśród zbiorów Biblioteki Krasińskich w roku 1944, opisany w *Dziełach wszystkich*, wyd. II, t. IX, s. 7 – 10.

3. *Raptularz* przechowywany w zbiorach Ossolineum, wydany przez Gubrynowicza i Hahna, t. X, s. 339 – 424.

4. Rękopisy *Zawiszy Czarnego* i *Króla-Ducha* ze zbiorów Ossolineum. Prócz tego sporo tekstów, których rękopisów nie znamy, pojawiło się w czasopiśmie poznańskim „Warta" w latach 1879 – 1884 oraz w *Pismach pośmiertnych*, wydanych przez A. Małeckiego, 1866.

Wydanie obecne przejęło z wydania 1959 oprawę bibliograficzną w postaci not informacyjnych o poszczególnych utworach, uzupełnioną paroma ustaleniami nowszymi. Natomiast przynosi ono jedynie wybór liryków Słowackiego, nie uwzględnia na ogół tekstów niepełnych i nie podaje wariantów tekstowych. Od ostatniej zasady odstąpiono jedynie w wypadku *Uspokojenia* i *Do autora „Trzech psalmów"*, a to ze względu na wagę tych utworów. Następnie licząc się z popularnym charakterem edycji wprowadzono przy kilku wierszach politycznych (*Śmierć, co trzynaście lat stała koło mnie, Chór duchów izraelskich, Proroctwo, W ostatni dzień*) objaśnienia, bez komentarza bowiem są one niezrozumiałe.

Księżyc (s. 3)

Chłopięce wiersze Słowackiego (*Elegia, Księżyc. Pożegnanie, Melodia Moora. Melodia 1. Melodia 2. Nowy Rok, Strofa Spensera*), z których drukujemy tutaj tylko *Księżyc*, udostępnione po raz pierwszy w *Dziełach* (Wrocław 1949), opierają się na tekście drukowanym w t. VIII *Dzieł wszystkich* w wyd. Kleinera. Z tomu tego, którego wykończeniu przeszkodził w roku 1939 wybuch wojny, pierwszych 80 stronic w odbitce korektowej ocalił Wiktor Hahn i oddał redakcji *Dzieł*. Tekst ich przygotował do druku Józef Ujejski na podstawie sporządzonego przez M. Barucha odpisu z rękopisu nicejskiego, który Słowacki zagubił w Paryżu w roku 1832, a który, odnaleziony dopiero po stu latach, obecnie znowuż zaginął. W tekście Ujejskiego wprowadzono drobne zmiany, zastępując w *Księżycu*: w w. 12 „Ty panem się zdajesz" przez „Ty panem się wydajesz" oraz dodając w klamrach spójnik „i" w w. 98 i w. 107. W brzmieniu pierwotnym zostawiono ułomny (12-zgłoskowy) w. 71, gdzie wyraz „spadała" winien mieć formę: „opadała". Zniekształcony wiersz 20 ma zapewne w autografie postać: „Lecz wiatr zawiał, znów niebo swe rozjaśnia lica".

Hymn (Bogarodzico, Dziewico!) (s. 7)

Pierwodruk: „Polak Sumienny", Warszawa, 4 grudnia 1830; przedruki: „Kurier Polski", Warszawa, 7 grudnia 1830, nr 354, „Kurier Lubelski", 9 grudnia 1830, nr 3, „Bard Oswobodzonej Polski", Warszawa 1830, nr 3, s. 33–35, „Szczerbiec", 1 stycznia 1831, „Bard Nadwiślański nad Brzegami Duranny i Rodanu", Avinion 1832, s. 3–4, *Oda do wolności i Hymn* przez Słowackiego, Warszawa 1830, *Poezyje* przez Juliusza Słowackiego, Paryż 1833, t. III, s. 97–100.

Oda do wolności (s. 9)

Pierwodruk: *Oda do wolności i Hymn* przez Słowackiego, Warszawa 1830.

Kulik (s. 13)

Pierwodruk: *Kulik Polaków* przez Juliusza Słowackiego, Warszawa 1831; *Poezyje* Juliusza Słowackiego, Paryż 1833, t. III, s. 101–106.

Paryż (s. 16)

Pierwodruk: *Poezyje* przez Juliusza Słowackiego, Paryż 1833, t. III, s. 121–126.

Duma o Wacławie Rzewuskim (s. 19)

Pierwodruk: jw., s. 111–120.

W sztambuchu Marii Wodzińskiej (s. 24)

Pierwodruk: *Listy J. Słowackiego*, Lwów 1899, t. I, s. 287 – 288. Por. *Korespondencja Juliusza Słowackiego*, Wrocław 1962, t. I, s. 290.
Autograf z drobnymi odchyleniami stylistycznymi (ze zbiorów W. Terczyńskiego) w Archiwum Wojewódzkim w Łodzi.

Przeklęstwo. Do*** (s. 25)

Pierwodruk: „Tygodnik Literacki", Poznań, 20 maja 1839, nr 8, s. 58.
Autograf w albumie rysunkowym, podobizna w wydaniu Gubrynowicza i Hahna, t. I. Autograf z roku 1839 w Bibliotece Wróblewskich w Wilnie.

Rozłączenie (s. 26)

Tekst w wydaniu Gubrynowicza i Hahna, t. I, s. 49 – 50, według autografu w albumie rysunkowym.

Ostatnie wspomnienie. Do Laury (s. 27)

Pierwodruk: „Tygodnik Literacki", Poznań, 25 listopada 1839, nr 35, s. 275. Autograf w albumie rysunkowym.

Rzym (s. 30)

Tekst Gubrynowicza i Hahna, t. I, s. 57, według autografu w albumie rysunkowym.

[Rozmowa z piramidami] (s. 31)

Pierwodruk: *Pisma pośmiertne*, t. I, s. 49 – 50.

Hymn (Smutno mi, Boże!) (s. 33)

Pierwodruk: „Tygodnik Literacki", Poznań 1839, nr 6, s. 42.

Do Teofila Januszewskiego (s. 35)

Pierwodruk: *Pisma pośmiertne*, t. I, s. 38 – 41.

Z listu do księgarza (s. 39)

Pierwodruk: „Czas", Dodatek Miesięczny, Kraków 1857, t. VIII, s. 641–643, wyd. Gubrynowicza i Hahna, t. I, s. 90–91, według autografu w albumie rysunkowym.

Do Zygmunta (s. 41)

Pierwodruk: A. Małecki, *Juliusz Słowacki*, Lwów 1867, t. II, s. 20. Autograf o podobiźnie „Biesiada Literacka", 1901, nr 47, s. 405. W. Hahn, *O właściwy tekst wiersza Słowackiego „Do Zygmunta"*, „Pamiętnik Literacki", XLVI, 1955, z. 1, s. 275.

Na sprowadzenie prochów Napoleona (s. 42)

Pierwodruk: „Młoda Polska", Paryż, 20 czerwca 1840, nr 17 (89), s. 225–227.

Autografy w albumie rysunkowym i w rękopisie Biblioteki w Kórniku, ogłoszonym przez R. Pollaka, różniące się między sobą i od pierwodruku. Teksty z nieznanych odpisów w „Dzienniku Literackim", 1856, II, s. 68. W wydaniu obecnym przyjęto tekst kórnicki jako – wedle wszelkiego prawdopodobieństwa – definitywny.

Testament mój (s. 44)

Autograf w albumie rysunkowym, podobizna w. 1–24 u Gubrynowicza i Hahna, t. I, s. 106–107, w. 24 ustalono „Jeśli Bóg [mię] uwolni od męki – nie przyjdę" (zamiast „nie uwolni" jak u Gubrynowicza i Hahna).

Polska! Polska! o! królowa... (s. 46)

Autograf wśród papierów po L. Niedźwieckim w Bibliotece Kórnickiej, nie znany do 1950 r.; ogłoszony przez St. Jasińską w „Pamiętniku Literackim", XXXIX, 1950, s. 222–241.

W albumie E. hr. Krasińskiej (s. 49)

Pierwodruk: „Kronika Rodzinna", Warszawa, 15 czerwca 1875, nr 12.

Autograf w albumie Elżbiety Branickiej (późniejszej Krasińskiej), dzisiaj nie odszukanym, ogłosił wraz z podobizną J. Mikołajtis (*Z ostatnich lat życia Z. Krasińskiego*, Częstochowa 1947, s. 50–52).

Pogrzeb kapitana Meyznera (s. 50)

Pierwodruk: *Śmierć żołnierza w szpitalu*, „Czas", [1856], t. III, s. 694–696. Podobizna autografu raperswilskiego(zniszczonego w Warszawie 1939) u Gubrynowicza i Hahna, t. I.

Anioły stoją na rodzinnych polach... (s. 52)

Pierwodruk: „Warta", 1881, nr 352.

Do Pani Joanny Bobrowej (s. 53)

Pierwodruk: *Nieznany wiersz J. Słowackiego*, „Gazeta Lwowska", 1899, nr 209, oraz w *Listach J. Słowackiego*, t. III, s. 177–179 (z autografu zniszczonego w Warszawie w 1944 r.).

Tak mi, Boże, dopomóż (s. 55)

Pierwodruk: „Dziennik Narodowy", Paryż, 30 lipca 1842, nr 70, s. 281.

Wiesz, Panie, iżem zbiegał świat szeroki... (s. 57)

Autograf w *Raptularzu*, Gubrynowicz i Hahn, t. I, s. 200–203.

Do pastereczki siedzącej na Druidów kamieniach (s. 60)

Z autografu w *Raptularzu*, Gubrynowicz i Hahn, t. I, s. 119–120. Utwór powiększony o 14 wierszy wstępnych na podstawie *Dzieł wszystkich* pod red. J. Kleinera (t. XII, cz. 1, s. 188).

W pamiętniku Zofii Bobrówny (s. 62)

Pierwodruk: *Pisma pośmiertne*, t. I, s. 59.

Do Ludwiki Bobrówny (s. 63)

Pierwodruk: *Pisma pośmiertne*, t. I, s. s. 57–58, powtórzony przez Gubrynowicza i Hahna, t. I, s. 117. Tekst obecny według opartego na autografie wydania Kridla i Piwińskiego, t. II, ze zmianami w w. 4 i 5 na podstawie *Dzieł wszystkich* pod red. J.· Kleinera, t. XII, cz. 1, s. 184.

Śmierć, co trzynaście lat stała koło mnie... (s. 64)

Autograf w *Raptularzu*, Gubrynowicz i Hahn, t. I, s. 124 – 125.

Dziwna ta wizja, osnuta na motywie jeźdźców Apokalipsy, powstała pod wpływem kaczki dziennikarskiej ze stycznia 1845 o śmiertelnej chorobie i śmierci cara Mikołaja I. „Trzynaście lat" to aluzja do *Kordiana*, poczytywanego przez autora za zapowiedź zgonu „kata Polaków", por. E. Sawrymowicz, *Kalendarz życia i twórczości Juliusza Słowackiego*, Wrocław 1960, poz. 1173a.

Chór duchów izraelskich (s. 66)

Pierwodruk tej zjadliwej satyry na Koło Sprawy Bożej i jej przywódców, Towiańskiego z jego żoną Karoliną (Szarlottą), skuzynowanego z nią aptekarza J. Gutta, a wreszcie Mickiewicza i nauczycielkę jego dzieci Ksawerę Deybel, znany od 1909 r., opiera się na tekście w rękopisie *Fantazego*, starannie zamazanym atramentem. Wydanie Gubrynowicza i Hahna przyniosło tylko fragmenty wierszy, uzupełnione następnie przez S. Pigonia („Pamiętnik Literacki", XXXIX, 1950, s. 369). W pół wieku później dodano w *Dziełach wszystkich* (t. XII, cz. 1, s. 322) fragmenty dalsze uzyskane przy pomocy fotografii w podczerwieni, niewłaściwie dopełnione przez redaktora tego wiersza. Błędy jego poprawił i tekst ustalił w sposób właściwy dopiero wydawca obecnego tomu („Ruch Literacki", 1961, z. 3, s. 157, oraz *Nauka o literaturze*, Wrocław 1969, s. 452).

Mój Adamito – widzisz, jak to trudne... (s. 67)

Pierwodruk według *Raptularza*, Gubrynowicz i Hahn, t. I, s. 143. Drobne zmiany tekstu wprowadzono za *Dziełami wszystkimi* pod red. J. Kleinera, t. XII, cz. 1, s. 180.

Oto Bóg, który łona tajemnic odmyka... (s. 68)

Poemat zachowany w dwu różnych ujęciach; dłuższe, podane tutaj w tekście głównym, ogłosili z *Raptularza* Gubrynowicz i Hahn, t. I, s. 141 – 142. Tamże, s. 326 – 327, ujęcie krótsze pt. *Matecznik*, tutaj pominięte jako niepełne.

Prowadził mnie na bardzo ciemne wężowisko... (s. 70)

Pierwodruk wedle *Raptularza*, Gubrynowicz i Hahn, t. I, s. 179.

Bo to jest wieszcza najjaśniejsza chwała... (s. 71)

Pierwodruk: „Warta", 1879, nr 279. Tekst na brulionie listu do Z. Krasińskiego z 12 stycznia 1846, co wskazuje na czas powstania utworu.

Wierzę (s. 72)

Pierwodruk: *Pisma pośmiertne*, t. I, s. 70—71. Za wydaniem *Dzieł* pod red. J. Krzyżanowskiego (Wrocław 1959) wprowadzono kilka poprawek w tekście dokonanych na podstawie autografu.

Sowiński w okopach Woli (s. 73)

Pierwodruk z odmianami w „Czasie", 1883, nr 162, następnie z autografu w *Zawiszy Czarnym*, wyd. Gubrynowicza i Hahna, t. I, s. 269—271.

Śni mi się jakaś wielka a przez wieki idąca... (s. 76)

Pierwodruk z autografu *Zawiszy Czarnego*, Gubrynowicz i Hahn, t. I, s. 133.

Bo mię matka moja miła... (s. 77)

Jw., s. 134.

Los mię już żaden nie może zatrwożyć... (s. 78)

Autograf w *Raptularzu*, pierwodruk Gubrynowicz i Hahn, t. I, s. 122.

Dusza się moja zamyśla głęboko... (s. 79)

Autograf w *Raptularzu*, Gubrynowicz i Hahn, t. I, s. 127, odmiany s. 321—322.

Do matki (W ciemnościach postać mi stoi matczyna) (s. 80)

Pierwodruk: „Warta", 1881, nr 346.

Wielcyśmy byli i śmieszniśmy byli... (s. 81)

Pierwodruk z *Raptularza*, Gubrynowicz i Hahn, t. I, s. 215.

Anioł ognisty — mój anioł lewy... (s. 82)

Pierwodruk: „Warta", 1881, nr 363.

Jeżeli ci Pan nie zbuduje domu... (s. 83)

Jw., nr 359.

Zachwycenie (s. 84)

Jw., nr 348. O utworze tym, będącym „jakby redakcją pierwszą" poematu, odnalezionym w rękopisach Ossolineum, wspomina Kleiner, *J. Słowacki*, 1927, t. IV, cz. 2, s. 30.

Na drzewie zawisł wąż... (s. 85)

Pierwodruk: *Pisma pośmiertne*, t. I, s. 99 – 100.

O Polsko moja! Tyś pierwsza światu... (s. 87)

Pierwodruk: „Warta", 1881, nr 364, ze zmianami w w. 2 i 20 według *Dzieł wszystkich*, t. XII, cz. 1, s. 250.

Narodzie mój... (s. 88)

Pierwodruk: *Pisma pośmiertne*, t. I. s. 101 – 102.

Jeżeli kiedy w tej mojej krainie... (s. 90)

Pierwodruk z autografu w *Raptularzu*, Gubrynowicz i Hahn, t. I, s. 187.

Wspomnienie pani De St. Marcel z domu Chauveaux (s. 91)

Jw., t. I, s. 157. Inne odczytanie wiersza 14 na podstawie *Dzieł wszystkich*, t. XII, cz. 1, s. 225.

Do Franciszka Szemiotha (s. 93)

Pierwodruk: *Pisma pośmiertne*, t. I, s. 97.

Nastał, mój miły, wiek Eschylesowy... (s. 94)

Pierwodruk dał S. Pigoń: *Z autografów Juliusza Słowackiego*, ,,Przegląd Warszawski", 1924, nr 38, s. 145. W w. 15 zamiast odczytanego przez Pigonia ,,swoimi" wprowadzono ,,słowami".

Ty głos cierpiący podnieś — i niech w tobie... (s. 95)

Pierwodruk: *Pisma pośmiertne*, t. I, s. 95 – 96. W w. 15 za *Dziełami wszystkimi*, t. XII, cz. 1, s. 228, zamiast słowa ,,hamerni" dano ,,myncarni".

Ten sam duchowi płomienny szlak... (s. 97)

Pierwodruk: *Pisma pośmiertne*, t. I, s. 313. Zmiana w w. 7 za *Dziełami wszystkimi*, t. XII, cz. 1, s. 261.

W dziecinne moje cudne lata... (s. 98)

Pierwodruk: *Pisma pośmiertne*, t. I, s. 544.

Dajcie mi tylko jedną ziemi milę... (s. 99)

Pierwodruk: ,,Warta", 1882, nr 439.

Do matki (Zadrży ci nieraz serce...) (s. 100)

Pierwodruk: *Pisma pośmiertne*, t. I, s. 56 – 57, ,,Warta", 1881, nr 349 (z autografu).

Snycerz był zatrudniony Dyjany lepieniem... (s. 101)

Pierwodruk według *Raptularza*, Gubrynowicz i Hahn, t. I, s. 181 – 182.

Do hr. Gustawa Ol[izara] podziękowanie (s. 102)

Z autografu w brulionie listu do G. Olizara podał T. Pini, „Ruch Literacki", 1926, nr 9. Tekst według *Raptularza*, Gubrynowicz i Hahn, t. I, s. 214.

Córka Cerery (s. 103)

Pierwodruk z autografu w *Dzienniku z lat 1847/1848* (z daty 19 listopada 1847), Gubrynowicz i Hahn, t. I, s. 192 – 193.

Uspokojenie (s. 104)

Poemat zachował się w trzech ujęciach. Najwcześniejsze, wprowadzone we fragmencie do *Dzieł* Słowackiego, wydanych przez J. Krzyżanowskiego (Wrocław 1959) jest brulionem czterostronicowym, podkreślonym i zaopatrzonym uwagą „Przepisano". Autograf, liczący 102 wiersze, znajdował się w zbiorach medyckich, obecnie w Muzeum Literatury im. A. Mickiewicza w Warszawie, ogłoszony w podobiźnie przez S. Makowskiego (J. Słowacki, *Uspokojenie*, Warszawa 1970). Ujęcie drugie. liczące 97 wierszy, ogłosił Małecki. *Pisma pośmiertne*, t. I, s. 82 – 85. ono też powtarza się w wydaniach zbiorowych i wydaniu obecnym, gdzie w w. 84 dodano z autografu brulionowego wyraz „odtąd". Ujęcie trzecie, krótkie, liczące wierszy 68, znamy z kilku źródeł. Jego pierwodruk, ogłoszony przez 'K. B., tj. Kazimierza Błociszewskiego, ukazał się w „Czasie", 1861, nr 228. Tekst poznański, z kopii Lenartowicza, udostępnił B. Erzepki w dodatku do „Dziennika Poznańskiego", 1909, nr 3. Istnieje także kopia sporządzona dla Norwida, w posiadaniu Biblioteki Narodowej w Warszawie. W wydaniu obecnym, jak i w *Dziełach*, wyd. J. Krzyżanowskiego (Wrocław 1959), wersję krótszą podano za „Czasem" (z dwiema drobnymi poprawkami).

Słowacki, który w 1838 r. napisał przedziwne „Ofiarowanie" *Poematu Piasta Dantyszka* „żałośnej wdowie polskiego ludu", rewolucyjnej Warszawie, w dziesięć lat później stworzył wspaniały hymn ku jej czci, zatytułowany *Uspokojenie*, jak dowodzi autograf, szlifowany bardzo starannie. Okoliczność ta oraz fakt, iż *Uspokojenie* jest najznakomitszym hołdem poetyckim złożonym stolicy Polski, sprawiły, iż podano tutaj obie wersje, dłuższą i krótszą, każda z nich bowiem posiada odrębne wartości artystyczne, zwłaszcza w wyrażeniu dynamiki rewolucyjnej.

Kiedy prawdziwie Polacy powstaną... (s. 109)

Pierwodruk: *Pisma pośmiertne*, t. I, s. 87 – 89. Zwrotkę czwartą podano za *Dziełami wszystkimi*, t. XII, cz. 1, s. 235.

Wyjdzie stu robotników... (s. 110)

Pierwodruk z autografu, Gubrynowicz i Hahn, t. I, s. 251, gdzie ostatni wiersz podano w brzmieniu: „Masy rzekły: Hosanna!", powtórzonym w trzech wydaniach J. Krzyżanowskiego. W *Dziełach wszystkich* pod red. J. Kleinera, t. XII, cz. 1, s. 266, odczytano: „Mary znikły: Hosanna!". W wydaniu obecnym przyjęto tę właśnie lekcję.

Baranki moje... (s. 111)

Pierwodruk: „Warta", 1882, nr 435.

Proroctwo (s. 112)

Pierwodruk z autografu, Gubrynowicz i Hahn, t. I, s. 130.

W ostatni dzień – w ostatni dzień... (s. 113)

Pierwodruk z autografu w *Raptularzu*, Gubrynowicz i Hahn, t. I, s. 138 (z podobizną). W w. 7 zamiast drukowanego dotąd w klamrze słowa „Łysnęła" podano za *Dziełami wszystkimi*, t. XII, cz. 1, s. 259, słowo „Wylazła".

Proroctwo i *W ostatni dzień*, posługujące się tą samą metodą alegoryzowania nazwisk, powstały w lutym 1848 w związku z próbami stworzenia „Klubu" czy „Konfederacji", zjednoczenia stronnictw emigracyjnych pod wodzą gen. Henryka Dembińskiego, pułkowników Karola Różyckiego i Mikołaja Kamieńskiego. Por. E. Sawrymowicz, *Kalendarz życia i twórczości Juliusza Słowackiego*, poz. 1302.

Gdy noc głęboka wszystko uspi i oniemi... (s. 114)

Pierwodruk z autografu w *Królu-Duchu*, Gubrynowicz i Hahn, t. I, s. 206.

Niedawno jeszcze wasze mogiły... (s. 115)

Pierwodruk: „Warta", 1882, nr 404.

I wstał Anhelli z grobu – za nim wszystkie duchy... (s. 116)

Pierwodruk z autografu w *Królu-Duchu*, Gubrynowicz i Hahn, t. I, s. 267.

Niedawno jeszcze — kiedym spoczywał uspiony... (s. 117)

Pierwodruk: *Pisma pośmiertne*, t. I, s. 98. Tekst według autografu w rękopisie *Z dziejów Wielkiego Nowogrodu.* Gubrynowicz i Hahn, t. I, s. 135.

Pośród niesnasków Pan Bóg uderza... (s. 118)

Tekst według autografu (Oss. rkps 4807/II), wydanego przez S. Kolbuszewskiego (*Autograf wiersza Słowackiego „Pośród niesnasków”*) w „Zeszytach Naukowych 3. Historia literatury 1. Wyższej Szkoły Pedagogicznej w Opolu”, 1957, s. 19—20, przedruk w jego tomie: *Romantyzm i modernizm. Studia o literaturze i kulturze*, Katowice 1959, s. 231—232. Wiersz powstał po 24 listopada 1848, gdy papież Pius IX schronił się przed włoskimi oddziałami rewolucyjnymi w Gaecie u sprzymierzonego z Austrią króla Neapolu. Fakt ten wspomina Słowacki w liście do Ludwika Norwida z dnia 7 grudnia 1848.

Odmiany tekstu podane za wydaniem *Dzieł wszystkich* pod redakcją J. Kleinera przy współudziale W. Floryana, t. XII, cz. 1, Wrocław 1960, s. 317–318:
Przekreślony fragment rzutu pierwotnego po w. 16:

On nam nie każe innego Pana
    Na ziemi czcić,
Bo cześć człowieka to dla szatana
    Pajęcza nić.

Rzut zaniechany w. 29–32:

Oto wstępuje po złotych kłosach
    Na pierwszy tron,
A odtąd jeden Ojciec w niebiosach
    Większy niż on.

Rzut przekreślony po w. 44:

Duchy się przed nim w tęczach rozwiną,
    Wydadzą blask,
Głowy schylone woniącym spłyną
    Balsamem łask...
Niewyczerpanej pełni wonności
    Stworzymy lud,
A on do nieba drogę uprości
    I pójdzie w przód.

Dwa nieprzekreślone wiersze zaniechanego pomysłu po w. 52:

Takiego ducha wkrótce ujrzycie
    Cień — potem twarz.

Odpowiedź na „Psalmy przyszłości" (s. 120)

Poemat znany w trzech, a właściwie czterech ujęciach, których wzajemny stosunek najpełniej przedstawił Kleiner w *Dziełach wszystkich*, wyd. I, t. VII, s. 402 – 432; wyd. II, s. 229 i n. Obok tego brulionu, przechowanego w zbiorach Ossolineum, istnieje redakcja dłuższa, ogłoszona przez Małeckiego w *Pismach pośmiertnych*, t. I, s. 108 – 120, oparta na nie znanym dzisiaj rękopisie. Dalej mamy dwie redakcje krótsze, wykazujące pewne różnice, a mianowicie pierwodruk lipski i autograf Krasińskich, dzisiaj zaginiony. Pierwodruk ukazał się w 1846 r. w Lipsku pt. *Do autora „Trzech psalmów"* przez X.X.X.X., na podstawie rękopisu Słowackiego, choć bez wiedzy i zgody poety. Tekst Krasińskich wydał M. Kridl wraz z Krasińskiego *Psalmami przyszłości* (Kraków 1928, Biblioteka Narodowa, S. I, nr 107), ponownie Kridl i Piwiński w *Dziełach*, t. II, s. 399 – 411. Obydwa wreszcie teksty, lipski i Małeckiego (zatytułowany *Redakcja wcześniejsza „Odpowiedzi na Psalmy przyszłości"*), weszły w 1930 r. do *Dzieł wszystkich*, t. VII, s. 433 – 455. Wydanie obecne postępuje tak samo, jak wydanie *Dzieł* pod red. J. Krzyżanowskiego (Wrocław 1959), dając obydwa teksty w porządku chronologicznym. Tekst pierwszy, całkowicie wykończony, odtwarzający płomienny rewolucjonizm poety, uchodzi słusznie od lat stu za jeden z najwymowniejszych manifestów postępowej myśli romantycznej i jest dziełem powszechnie znanym. Ten właśnie wzgląd, obok chronologii, każe wysunąć go na miejsce pierwsze i naczelne. Tekst drugi, krótszy i późniejszy, w dynamice rewolucyjnej słabszy, przygotowany do druku przez poetę, stanowi również całość artystycznie wykończoną.

Doniosłość wzajemnych stosunków dwu znakomitych pisarzy romantycznych, genialnego poety i równie genialnego prozaika, bliskich sobie jako artyści, skłóconych zaś politycznie, jest tak doniosłym zjawiskiem w dziejach poezji polskiej, iż należało tu podać obie redakcje.

A jednak ja nie wątpię – bo się pora zbliża... (s. 140)

Pierwodruk: „Warta", 1881, nr 358, i 1883, nr 453. Za *Dziełami wszystkimi*, t. XII, cz. 1, s. 281, dodano zapisaną w autografie ostatnią zwrotkę.

O! nieszczęśliwa! o! uciemiężona... (s. 141)

Pierwodruk z autografu w *Królu-Duchu*, Gubrynowicz i Hahn, t. I, s. 258.

II. Powieści poetyckie
Żmija (s. 147)

Na marginesach dwu egzemplarzy I i II tomiku *Poezyj*, Paryż 1831, oznaczył Słowacki własnoręcznie czas napisania utworów, zamieszczonych w wydaniu. Pierwszy z tych egzemplarzy, niegdyś własność A. Semkowicza, znajduje się obecnie w Muzeum Literatury im. A. Mickiewicza w Warszawie; drugi, dedykowany Michałowi Rola Skibickiemu, spłonął w zbiorach J. Krzyżanowskiego w Warszawie podczas okupacji.

W egzemplarzu Semkowicza czas napisania poszczególnych pieśni poematu Słowacki oznaczył następująco: p. I – Warszawa, luty 1831, p. II – Drezno 1831, lipiec, p. III i IV – Paryż 1831, wrzesień, p. V i VI – Paryż 1831, październik.

W egzemplarzu Skibickiego p. I oznaczona była: styczeń 1831, p. III i IV – październik 1831, p. V i VI – listopad 1831 r.

Tekst według pierwodruku *Poezyje* przez Juliusza Słowackiego, t. I, Paryż 1832.

Podobnie jak w *Dziełach wszystkich* pod red. J. Kleinera, wyd. II, Wrocław 1952, t. I, i w *Dziełach* pod red. J. Krzyżanowskiego, wyd. III, Wrocław 1959, t. II w oprac. E. Sawrymowicza, zachowano oboczności *s – ś, z – ź – ż*, np. w wyrazach typu „spiewać", „zrzennica", zgodnie z pierwodrukiem. Zachowano również formy pierwodruku: „ktoś" (p. II, w. 24) i „piędziesiąt" (p. III, w. 18). W objaśnieniach poety zmieniono błędny zapis nazwiska „Baumplan" na poprawny „Beauplan" (s. 199).

Jan Bielecki (s. 199)

W dwu egzemplarzach pierwodruku czas powstania poematu oznaczony na lipiec 1830 r., Warszawa.

Tekst według pierwodruku *Poezyje* przez Juliusza Słowackiego, t. I, Paryż 1832.

Lambro (s. 217)

Poemat ukończony został w Genewie w roku 1833.

Tekst według pierwodruku *Poezyje* przez Juliusza Słowackiego, t. III, Paryż 1833.

Motto I pieśni: „Gdybyśmy znowu wyzwali wroga, który silniejszy jest od nas, jego gniew mógłby znaleźć jakiś gorszy sposób zniszczenia nas; o ile w piekle może istnieć obawa gorszego zniszczenia" (Milton, *Raj utracony*, p. II).

Na podstawie tekstu w *Dziełach wszystkich* (t. II, wyd. II, Wrocław 1952) i zgodnie z *Dziełami* pod red. J. Krzyżanowskiego (t. II, wyd. III, Wrocław 1959, oprac. E. Sawrymowicz) poprawiono interpunkcję w w. 386 p. I z „I mniej posępny – i smutny i młody" na „I mniej posępny i smutny – i młody". Zgodnie z pierwodrukiem zachowano oboczności *s – ś* i *z – ż – ź*.

Godzina myśli (s. 259)

Poemat napisany w grudniu 1832 lub w styczniu 1833 r.
Tekst według pierwodruku *Poezyje* przez Juliusza Słowackiego, t. III, Paryż 1833.

Ojciec zadżumionych (s. 269)

Poemat napisany w I połowie roku 1838 we Florencji.
Tekst według pierwodruku *Trzy poemata* przez Juliusza Słowackiego, Paryż 1839.

W Szwajcarii (s. 284)

Poemat rozpoczęty w roku 1835 w Veytoux, ukończony w 1836 r. w Sorrento (hipoteza J. Kleinera) albo we Florencji w 1838 (hipoteza Hoesicka, Tretiaka i wydawcy niniejszego tomu).
Tekst według pierwodruku *Trzy poemata* przez Juliusza Słowackiego, Paryż 1839.

Wacław (s. 296)

Utwór napisany we Florencji w roku 1838.
Tekst według pierwodruku *Trzy poemata* przez Juliusza Słowackiego, Paryż 1839.

[Poeta i natchnienie]. [Fragment poematu] (s. 325)

Fragment poematu-dialogu pod tytułem *Poeta i Natchnienie*, nadanym przez Antoniego Małeckiego, został napisany zapewne latem 1843 r. w Paryżu.
Rozbieżne poglądy dawniejszych badaczy na powstanie poematu jasno przedstawia E. Sawrymowicz w *Kalendarzu życia i twórczości Juliusza Słowackiego* (poz. 1070).
Tekst niniejszego wydania opiera się na edycji Biblioteki Arcydzieł Literatury – *Dzieła* Juliusza Słowackiego pod redakcją Manfreda Kridla i Leona Piwińskiego, t. IV, s. 263–284. Uwzględniono też korektury Juliusza Kleinera zamieszczone w części 1 tomu IV monografii o Słowackim, Warszawa 1927, s. 43. Niejasny wiersz 445 poprawiono według *Dzieł wszystkich*, t. XII, cz. 1, s. 441 (Wrocław 1960).

Spis alfabetyczny liryków i innych wierszy

(Tytuły wyróżniono dużymi literami)

Spis rzeczy

Zakład Narodowy im. Ossolińskich – Wydawnictwo
Wrocław 1987
Wydanie III
Nakład 100 000 egz.
Objętość: ark. wyd. 20,40; ark. druk. 26,50.
Papier offset. III kl. 65 g, rola 80 cm
z Zakładów Celulozowo-Papierniczych w Kwidzynie.
Skład wykonano na urządzeniach Monophoto 600
we Wrocławskiej Drukarni Naukowej.
Druk i oprawa – Zakłady Graficzne w Gdańsku.
Zam. 666/86 L-4